宮部みゆき

nameless poison

by Miyuki Miyabe

名もなき毒

幻冬舎

名もなき毒

装幀　緒方修一
装画　杉田比呂美

それは九月中旬にもかかわらず、日中の最高気温が三十三度に達した日のことだった。彼は午後四時前に家を出た。愛犬シロを連れていた。まだ幼犬のシロは残暑にもめげず、しきりと彼に散歩をせがんでいた。

シロの散歩には決まったコースがあった。自宅の玄関を出て路地を抜け、通りを右折してしばらく直進する。大きな交差点を二つ渡ると、右手に公園が見えてくる。犬を駆け回らせることは禁じられている公園だが、引き綱をつけた状態で通り抜けるだけなら咎(とが)められはしない。

公園の出入口は四方に開いている。彼は西口から入り、園内を反時計回りに歩いて北口から街路に抜けた。暑さのせいで、遊具を使う子供たちはいなかった。担当の清掃員が、東南の角にある公衆トイレの掃除をしていた。西側出入口脇の砂場のそばで、学校帰りの高校生カップルが、ベンチに座って話し込んでいた。

後日の聞き込みで、この学生カップルと清掃員は、小さな柴犬を連れた六十代後半の男性が、首にかけたタオルで顔の汗を拭(ぬぐ)いながら公園を通り抜けてゆくのを見たと証言した。彼は柴犬に何か話しかけていたという。学生カップルは彼の声を耳にしたが、何をしゃべっていたのかまでは聞き取れなかった。清掃員は、彼が柴犬に向かって、

「暑いな。何でおまえはそんなに元気なんだ」

そうぼやいているのを聞いたという。

公園を通り抜けてからも散歩は続く。シロは電柱やガードレールにときどきマーキングをした。散歩のとき、彼は犬のフンを始末するために必要なビニール袋や小さなシャベル、手袋などの一式を、いつも持参していた。それらを安っぽい赤色のポシェットに入れて、肩から斜めに提げていた。

道筋の住人たちは、毎日決まったコースを周回する彼とシロの姿を、よく見かけていた。

「あのちっちゃい柴犬と、赤いカバンのおじいさん」

そんなふうに記憶している子供もいた。彼が通りかかったとき、たまたま外に出ていて顔を合わせれば、会釈を交わす程度の馴染(なじ)みになっている主婦もいた。この夏は異常なほどの猛暑だったから、決まり文句のように、

「今日も暑いですねえ」

「暑いですなぁ」

そんな会話を交わしたという八百屋の店主もいた。愛想のいい人でしたよ、という。

散歩コースの折り返し地点には、小さなコンビニエンス・ストアがあった。店ができたのは三年ほど前のことで、それ以前はコインパーキングになっていた場所だ。シロは折り返しの前にこのパーキングのメーターにマーキングする習慣があったから、コンビニができた後(のち)はしばらく、そわそわと落ち着かなかった。これは彼の娘が、彼から聞いた話である。娘はその時、シロがコンビニ店舗の前に出ているゴミ箱や、停(と)めてある客の自転車にマーキングするようなことがあってはいけないと注意した。彼は、そんな心配はないと答えたそうだ。シロはバカじゃねえからな。駄目だと教えたら、やらないよ。

彼がコンビニに着いたとき、時刻は午後四時半を過ぎていた。往復で一時間の散歩コースの、ちょうど半分だ。

そこがコインパーキングだったころは、コンクリートの車止めに腰かけて煙草を一服つけ、それから帰り道をたどったという。コンビニができて以降は、店に立ち寄ることもあれば、立ち寄らずに真っ直ぐ帰り道につくこともあった。その割合はせいぜい半々ぐらいのものだったそうだが、この夏はなにしろ過酷なまでに暑かったので、コンビニ店内に入って涼むことが多かった。そんな時はシロを店舗前のガードレールにつなぎ、安いものでも必ず何かひとつ商品を買って、金を払った。たいていは煙草だったが、十カ月と十日前に禁煙してからは、安価な菓子や清涼飲料水になった。

彼が煙草をやめたのは、今さら自分の健康状態に不安を覚えたからではなかった。十八の歳から喫ってきたのだ。それでも何の問題もなかった。あるとき突然、ちっとも煙草が旨くないと感じたからだった。口が不味い。苦い。だったらやめようと思い、思ったその日から、何の苦労もなしに断つことができた。

「何でも潮時ってもんがあるってことだ」

笑ってそう言ったという。これも彼の娘から聞いた話だ。

その日、彼がコンビニで買ったのは、四角い紙パックに入ったウーロン茶だった。パックの横腹にストローが貼り付けてあるタイプのものだ。高血圧に効くらしいと、彼はよくウーロン茶を飲んだが、缶入りのものは嫌っていた。

コンビニを出ると、彼はシロを連れ、帰路をたどり始めた。行きと同じように、何事もなく歩いて家へ帰り着けるはずだった。

コンビニのレジで、彼は紙パックをビニール袋に入れようとした店員を制し、そのまま手に持って出て行った。これはレジを映している監視カメラの映像にも残っていた。

三十分歩いて、喉が渇いていたのだろう。最初から、持ち帰るのではなく途中で飲むつもりで買ったのだろう。

コンビニから大人の足で十分ほどの場所、彼の帰路の三分の一ぐらいのところに、自動車修理工場がある。間口三間はある大きな工場で、歩道に面した正面は常に開けっ放しだ。

この日、工場では六台の車を預かっていた。車の谷間に潜って働いていた三人の作業員は、最初、誰かが何かに驚いたかのような、「あっ」という叫び声を聞いた。それから猛然と犬が吠え始めた。一人は上半身を車の下に入れ、二人は前かがみになって作業していたが、とっさに、前の歩道で何かあったのだろうと身を起こした。

いちばん近いところにいた作業員が車のあいだをすり抜けて、正面に出た。

そこで彼を見つけた。

倒れていた。そして転げ回っていた。唸りながら口から白い泡を噴き、手足をばたばたさせていた。そのまわりを、小さな柴犬が吠え立てながらぐるぐる回っていた。

「うわ！　何だこりゃ」

作業員は叫んだ。おい大変だ、救急車を呼べと、奥の事務室へ大声で呼びかけながら、作業員は彼のそばへ走り寄った。途端に柴犬が飛びかかってきて、袖に嚙みつかれた。何とかもぎ離そうとしているあいだにも、倒れている男は歩道の上で悶絶している。白目を剝き出し、今や海老のように反り返って、背骨が折れてしまいそうだ。そこへもう一人の作業員が駆けつけ、犬を宥めて引き離し、首輪を押さえた。ようやく自由になった最初の作業員は、泡を噴いて苦しんでいる男を抱き起こそうとした。

歩道でのたうちまわっていた彼は、そのとき絶命した。抱き上げた作業員は、末期の痙攣の波を、腕に感じた。それが今でも忘れられないという。悪夢のなかで再体験するという。

「何なんだよ、どうしたんだ？　交通事故……じゃないよな？」

周囲にそんな様子はない。たった今死んだ男は一人きりで、その死に顔は穏やかには程遠く、苦悶に歪み、血走った目は飛び出しそうなほどに見開かれていた。

遅れて出てきた三人目の作業員が、目の前の光景の凄惨さにたじろぎ、よろめいた拍子に、歩道に落ちていたウーロン茶の紙パックを踏み潰した。ぐしゃっという音と共に、パックに残っていた中身が溢れ出て、歩道を濡らした。

柴犬は甲高い声で吠え続けている。作業員たちの声を聞きつけて、道沿いの住人たちが集まってきた。行き交う車が徐行し、運転者が窓からのぞく。

やがて救急車のサイレンが近づいてきた。

これが、午後四時四十分から、五十分ごろのあいだに発生した出来事である。到着した救急隊員が蘇生措置をほどこしたが空しく、彼の死亡が宣告されたのは、五時十二分のことだった。犬を連れていつものように、小一時間の散歩に出ただけの彼は、身元を記したものを何も持っていなかった。ただ腰のベルトに、ケースに収めた携帯電話を着けていた。

事態に事件性を感じた救急隊員が警察に通報したので、この携帯電話の登録メモリから、「アキコ」という表示の番号を選び出し、そこに電話をかけたのは駆けつけた巡査の一人である。

電話を受けたのは、古屋暁子という四十二歳の女性だ。日本橋にある外資系証券会社トワメル・ライツ東京本部のセカンド・マネジメント担当で、この時はミーティング中だった。それでも電話に出てくれたのは、着信画面の「父」の表示に、とっさに察知するものがあったからだった。彼女の父親は、よほど緊急の用がない限り、仕事中の娘に電話をかけたりしない。

彼女に連絡がついたことで、彼の身元が判明した。古屋明俊(あきとし)、六十七歳。二年前、六十五歳の誕生日に、定年まで一途(いちず)に奉職し、その後も週に三日嘱託勤務を続けていた大手金属加工会社を辞めたが故に、「無職」と呼ばれるようになったことに腹を立てていた老人だった。

誰が見ても異様な死だった。だから彼の死の現場で、すでにそれは囁(ささや)かれていた。誰かが言い出し、人から人へ。

——四人目だ。

——四件目だね。

——こんな近くで起こるなんて。

古屋明俊が、三月から首都圏で発生していた連続無差別毒殺事件の四人目の犠牲者の可能性がある、と報道されるのは、それから約三時間後のことになる。

紙パックのウーロン茶に混入されていたのは、今度もまた青酸性の毒物だった。

1

ふと目を落とすと、テーブルの中央に置いてある録音機の赤いパイロットランプが消えていた。話に熱中しているうちに、テープの片面がいっぱいになってしまったのだ。

私がそれに気づいたことを、私の向かいに座っている人物も気がついた。目元の笑い皺をいっそう深くして顔をほころばせる。

「おや、止まっちゃいましたね」

そのようですと答えながら、私は録音機を持ち上げて蓋を開け、がちゃがちゃと音をたててカセットテープをひっくり返した。

「本題に入る前に、無駄話ばっかりでテープがいっぱいになっちまったんだ。いや、まことに申し訳ないです」

私は笑った。「とんでもない。無駄話なんかじゃありません」

私の奉職する「あおぞら」編集部には、今私が使っているのよりもはるかにましな、新しいタイプの録音機器がいくつも揃えてある。人物インタビューは、「あおぞら」が目標とするところの「今多コンツェルン・グループ社員すべてを読者とする横断的社内報」にとって、常にメインとなるべき大事な要素だ。そのために必要な備品を買い渋ることなどない。

だが私は、MDやICレコーダーではなくカセットテープ対応で、しかもオートリターン機能さえ付いていないこの老朽機を、あえて愛用している。

私のインタビューにはむらがある。大いに盛り上がって、次から次へと話を引き出せるときもあれば、それとはまったく逆に、どうにも会話を掛け違ってばかりで、インタビューの体裁さえ作れずに苦労する場合もある。素人インタビュアーの悲しさだ。

そんな折、この旧式なカセットレコーダーが発する小さな音、テープを巻き切ったしるしのカタリという雑音が、私を救ってくれるのだ。それがひとつのメリハリになる。テープをひっくり返す作業が、場をほぐしてくれることだってある。

これが容量の大きなICや、音もなく折り返すオートリターン機能付きのレコーダーだったら、私の脱線や、私の悪戦苦闘を、ただただ機械的に黙々と録るだけだろう。助け舟を出してはくれまい。

「私が建設やリビング・ライフの社員だったなら、いくら家のことをしゃべったっていいんですが」

本日の私のインタビュー相手、今多物流倉庫株式会社の管理部第二部次長、黒井寛治氏はそう言った。

「私は物流の、しかもパレット管理が専門ですから。やっぱり脱線はいけません。最初から録音のし直しですね」

指でこめかみをほりほりと掻きながら、自分の前に広げて置いてあった質問表を手に取り、箇条書きの内容を目でたどり始めた。一週間前に、私が社内便で渡しておいたものだ。

このインタビューはシリーズ企画で、今回が第五回目になる。タイトルは「次長さんが斬る！」と、勇ましい。中間管理職中の中間管理職であり、上に媚びず、下におもねず、課長や部長の補佐に徹しながら現場のまとめ役も務める「次長」というポストにスポットをあて、彼ら

（と少数の彼女ら）の本音と、会社への直言を聞き出そうというのが主旨である。

編集部出しではなく、読者からのリクエスト企画を採用、実現したものだ。提案者は匿名だが（「あおぞら」では無記名での意見書を募集している）、現に次長職に就いている社員で、

「あるとき、子供に訊かれた。お父さんの名刺にある〝次長〟っていうのは、どんなことをしてるの？　次のチョウって、誰の次なの？　お父さんは偉いの、偉くないの？　その質問に上手く答えることができなかった。実際、次長というのは不思議なポストだ。自分が必要とされているのかいないのか、権限があるのかないのか、心もとなくなることも多い。〝次長〟とは何者なのか。その存在意義はあるのか。グループ全社の次長の皆さんに、胸の内を聞かせてもらいたい」

と、提案してきたのである。

「権限なんてないに決まってるじゃないの」

常に果断な我が編集長はそうのたまい、つまらないリクエストだと捨てかけた。そこへ私は名乗りを上げた。このところずっと、編集部でレイアウトや校正の作業ばかりやっていて、外に出たくなっていたからだ。私も少しは政治的な人間だから、もう二年以上も読者リクエスト企画を採用していないので、このへんでやっておかないとまずいですよと、ぬかりなく申し添えると、編集長は鼻を鳴らした。

「よく気が回るのね」

「たまには読者の機嫌もとらないと」

「不思議ねぇ。会長の機嫌だけとってればいい人が、そんなことを思いつくなんて」

物事をはっきり言う人物が、必ずしも毒舌であるとは限らない。ある発言が毒舌に聞こえたとしても、そこに真実、毒があるとも限らない。私は笑って、面白い企画になると思いますからね

とだけ言っておいた。

後になって、一応、形の上では私のアシスタントということになっている女性編集部員が、編集長はいつも杉村さんに辛くあたりますね、ひどいと思いますと口を尖らせたときも、気にすることはないと言った。園田編集長と私のあいだでは、あの種のやりとりは日常の挨拶みたいなものなのだ、と。

「杉村さん、よく平気ですね」と、呆れられてしまったが。

私は楽しく企画を進めた。「次長」というポストは、厳然とした年功序列を土台とする日本独特のサラリーマン社会が作り上げてきた、秩序の等高線を構成する一本の線だ。会社によって、部署によって、その線は太いこともあれば、目を細めなければ見えないほど細いこともある。「係長」の線と見分けがつかないこともあれば、「主任」の線と同じ色で、その少し上を走っていることもある。それでもそれが「次長」であり、「係長」や「主任」ではないことが、私には面白く思えた。

実際に会って話した「次長」たちが、私と同じように考えている場合もあれば、自分のポストの存在意義を、声を高めて主張する場合もあった。この等高線がなくては示せない地勢があるのだと。その差異も興味深いものだった。

だから過去四回のインタビューもすべて時間オーバーで、あとから記事にする際には大いに削らねばならなかったのだが、今回はそれとは違う。まるっきりの余談だ。が、しつこく言うが無駄話ではない。私と黒井次長には、今この場で熱く語り合いたい、共通の話題があった。

病んでしまう「家」の話である。

互いに初対面だから、最初は何も知らなかった。お決まりの挨拶を交わし、名刺を交換し、本日はよろしくお願いしますと、ミーティング室の椅子（いす）に腰をおろした。途端に、黒井次長が「おっと」と声をあげ、作業着の胸に手をあてて、ちょっと失礼とあわてて立ち上がった。

胸ポケットの携帯電話が鳴ったのだ。次長は壁際に移動し、私に半分背中を向けて、電話に出た。てっきり業務だろうと思っていた私は、次長が電話に、ああ、俺だ、それでどうした早苗（さなえ）は、大丈夫か――と言ったことに驚いた。

自宅の、おそらく夫人からの電話なのだろう。家庭持ちの男なら容易に察しのつく事情が、私の頭のなかにも浮かんできた。早苗というのはたぶん子供の名だ。その子に何かあって、夫人が連絡してきたのだ。急病か、怪我（けが）か。またこの電話は第一報ではなく、その後の経過を知らせるものに違いない。

電話のやりとりはしばらく続いた。私は耳をそばだてたりしなかったけれど、狭い部屋だから聞こえてしまう。病院の名前や、人の名前が聞き取れた。そのうちに、早苗という（たぶん）子供の容態に、差し迫ったものがあるようではないと察せられてきて、安心した。

「いや、とんでもない失礼をしました」

黒井次長は携帯電話をしまうと、私に深く一礼した。

「普段なら仕事中にこんなことはしないんですが、どうにもこうにも、娘がね」

右手で汗を拭うように額をさすっている。やはり子供のことだったか。会ったばかりの人物に、急に親近感を覚えた。私は次長でさえない平社員だが、父親ではある。

「お気になさらないでください。子供さんのことなら、心配なのは当然です」

黒井次長は顔を上げたが、瞳の中心はまだ、どこかにある娘の病室へと向いている。

「喘息（ぜんそく）なんですよ。今朝方でかい発作を起こしまして」

救急車で病院に搬送されたのだが、空きベッドがないとかでほうぼうへ回され、やっと落ち着き先が見つかったというのだ。私は時計を見た。午前十時を過ぎたところだ。

「まったく、何でこんなことになったのか」

頭を振って、黒井次長は言った。

「ご存知ですか、シックハウス症候群とかいう、その――わけわからんシロモノを」

私は目を瞠った。ここでこの話題にぶつかるとは。

知っていた。知らいでか。

「実は今、我が家はその話で持ちきりです」

私は正直に答えた。黒井次長の細い目がぐっと広がった。

「じゃ、お宅でも子供さんが具合が悪くなってるとか?」

「いえ、幸いそういうことではないんです。中古住宅を買ってリフォームをしてまして、家内がひどく神経を尖らせているんです」

黒井次長は両手をテーブルに乗せると、深々とうなずいた。

「そりゃいいですよ。気をつけた方がいい。うちももっと注意してりゃよかったんですが」

そして話してくれたのだった。昨年秋に社宅を出て、横浜市内に念願のマイホームを得たこと。一般的な間取りの二階家で、県内では名の通った業者の建売住宅だったこと。

「一生に一度の買い物ですからね。私も家内も、それなりに勉強して、知識も持っていたつもりでした。だからシックハウス症候群についても、まるで知らなかったわけじゃない。新聞でもニュースでも取り上げてましたしね。ただ、やっぱりどこか他人事でね。ちゃんとした住宅業者の物件なら、こっちがそんなことまで心配しなくてもいいだろうと思ってたんですが」

住宅用の建材や塗料、壁紙の接着剤などに含まれている化学物質が人体に悪影響を与え、アレルギー性皮膚炎や喘息、頭痛など、さまざまな疾病を引き起こす——簡単に言うならば、それがシックハウス症候群だ。

「こういうことがあるんだって騒がれ始めて、もう四、五年にはなりますか？　最近は規制が厳しくなって、おかげで下火になったと思ってたんですけどね」

実際、新規の建売住宅や分譲マンションにからみ、この問題が大きく取り沙汰されることは少なくなったと私も思う。単にマスコミの関心が薄れ、報道される事案が減っただけだということはないだろう。都内のある小学校が老朽化した校舎を改装したら、学童のあいだにシックハウス症候群が発生し、全面的な再改装をすることになったというニュースを見たのは、一年ばかり前だったろうか。あの時も、「あのシックハウス症候群は、住宅だけの問題ではない」という取り上げ方をされていた。公共の建築物についても規制と監督を厳しくするべきだ、と。

「次長のお宅の場合は、原因がはっきりしているんですか？」

やや婉曲な言い方で、私は尋ねた。いきなり、業者がインチキや手抜きをしていたのか、とは訊きにくかったからだ。

「それがね、よくわからんのです」黒井次長は眉を寄せて、真実、辛そうな顔をした。「こっちはてっきり、業者がウソついてたんだろうと思ってね。責め立てましたよ。ところが検査すると、引っかかってきそうな化学物質の数値は、みんな基準以下なんです。ただ、黴が出てる。黴の胞子が。それが娘の喘息の素だろうと。他には考えられないというんですよ」

室内の空気中に含まれる黴の胞子や埃、いわゆるハウスダストは、確かにアレルギー症状の原因となる。が、これのみを指してシックハウス症候群とは呼ばないだろう。

「平均より、飛び抜けて黴の量が多いわけですか」と、私は訊いた。「こういうものの平均値があるかどうか知りませんが……」

「そんなのは私も知りませんよ」黒井次長は苦笑した。「業者だって知りゃしないんじゃありませんか。ただ、うちの場合、壁紙がカビてるとか結露がひどいとか、そういう状態ではないんです。少なくとも、目に見える場所はね。だから家内は、見えない土台のどっかに水が滲(し)みてて、それが黴を呼んでるんじゃないかって疑っています」

　業者は否定しているという。

「それまで元気だった子供が、引っ越した途端に喘息が出たわけですから、家内にしたら、こりゃもう家が原因だとしか思えないんですね。あなた、これこそがシックハウス症候群ってものなのよ、と。でまぁ、本を読み漁(あさ)ったりネットで調べたり、講演会を聞きに行ったりして、猛烈なにわか勉強をしましてね、これが始まってからもう一年近くになりますが、今じゃ業者が太刀打(たちう)ちできないくらい詳しくなってます」

　この一年のあいだに、検査会社が三社入ったそうだ。最初の一社は住宅販売会社が呼び、費用も負担してくれたが、あとの二社は黒井家の自腹である。

「それでも黴しか出ないんですか」

「会社によってバラつきがあるんです。ホルムなんとかかんとかという」黒井次長は苦笑した。「何度聞いても覚えられないんですがね、なんかそんな化学物質が出たこともありました。でも問題になるほどの量じゃない。それにこれは普通、喘息を引き起こす物質じゃないとかいう。家内はそれを聞いてヒステリーを起こす。そのあいだも娘はしょっちゅう発作を起こすで、いやもうたまりません」

救急車を呼んだのは今回で二度目で、最初のときも入院したそうだ。

「お嬢さんはおいくつですか」

「中二です。ぐずぐずしてるとすぐ受験期でしょう。だからなおさら家内は躍起になってるんですよ」

実は小児喘息があった子でしてね、と続けた。

「幼稚園のころです。でも学校にあがると症状が消えたんで、それっきり気にもしなくて」

「しかし今度の喘息は、それとは違うでしょう」

「とは思うんですよ。こっちはね。だけど業者の方は、もともと子供さんに喘息の気があったなら、普通の人間よりアレルゲンに過敏である可能性がある、うちとしては、定められた基準値をクリアしている以上、そこまでは面倒みきれないと、こういうわけです」

業者としては、そう言いたくなるのもわかる。

「家内は裁判を起こすと言い出してます。私はそこまでやらんでも……」

言い淀んでから、とにかく娘が元気になってくれりゃ、それでいいんですと言い足した。

「杉村さんのところのリフォームは、マンションですか一戸建てですか」

私の方に話題を振り向けてきた。

「一戸建てです。家内も私も家の造りが気に入ったんですが、前の持ち主が絨毯が好きだったのか、そこらじゅうに敷いたり貼ったりしてありまして。階段やトイレの床まで」

「そりゃまた手間だ」

「ええ。全部剝がさなくちゃなりません」

ひと目見て、「これこそダニの巣窟だわ」と、私の妻、杉村菜穂子は叫んだものである。ダニがうごめいてる音が聞こえてきそうだわ！

「で、さあリフォームだとなったら、うちの家内もにわか勉強を」

「そうそう」黒井次長は嬉しそうにくつくつと喉で笑った。「まるで、台風の前の年寄りみたいに張り切るでしょう？」

　言い得て妙な表現だ。さあ大変だ、やることがいっぱいあるぞ、備えあれば憂いなしだと腕まくりをする——台風が近づくと、私の祖父も父も、いつもそんなふうにやたら張り切った。台風がやってくることを楽しんでいるようにさえ見えたものだった。言われてみれば、今の菜穂子のハイテンションは、あれとそっくりだ。

「近頃じゃ、私が聞き取れないような難しい塗料の成分や化学薬品の名前をぺらぺらと」

「言うでしょう？　ね、言うんですよ。言い並べるんです。女が化学に弱いというのは、ありゃ間違った通説ですね。考えてみりゃ、女性はみんな化粧品に詳しいんですから。何でそんなことを知ってるんだというくらいよく知ってますからね。化学がわからんはずはない」

　壁紙の接着剤や床の艶出し剤と、乳液や美容液を一緒にするわけにはいくまいが、一理ある。

　こうして話し込んでいるうちに、テープがいっぱいになってしまったというわけだ。

　仕切り直してインタビューを終えると昼時だったので、黒井次長と一緒に、今多物流倉庫横浜支社の社員食堂へ行った。日替わり定食がけっこう旨いんですと勧められたからだ。

　物流の現場の忙しさは、事務職とは根本的に違う。それがいちばんよくわかるのは、食事時だ。みんな食べるのが早い。私と黒井次長の座ったテーブルでも、ほんの十分のあいだに、社員たちが入れ代わり立ち代わりした。大半が、次長と同じデザインの作業服を着た男性社員たちだ。襟元のストライプのあるなしと、その本数で役職がわかる。

「女子社員は、社食には来やしません」

焼き魚をつつきながら、次長は笑った。

「もっと旨いもん食いに外に行くんだろうってからかったら、怒られましたよ。ここの定食は塩味がきついし、脂っこいから嫌なんだって。今の女の子たちは、みんな弁当持ってきてるんです。で、むさくるしい男どものいない会議室とかカフェテリアに集まって食うんですよ」

食事の後、そのカフェテリアにも立ち寄った。先ほどの定食も、紙カップのコーヒーも、黒井次長の食券でおごってもらった。回数券のような綴りになっている。

「厚木支社じゃ、こっちよりひと足先にＩＣカード式になったそうなんですけどね」

話していると、次長の横の空いていた椅子に若い男が勢いよく腰をおろした。やはり手にコーヒーのカップを持っている。

「次長、晴れのインタビューはもう終わったんですか？」

目鼻立ちのはっきりした、いわゆる「濃い」顔の青年だ。作業着の襟元にはストライプがない。二十歳ぐらいだろう。

「無事に終わったよ。おまえらのために俺がどんなに苦労してるか、ちゃんと話しておいたからな」

次長の若い部下は、おどけたような仕草で上司の腕をぽんぽんと叩いた。「ダメですよ、そんな愚痴みたいなことを言っちゃね。〝プロジェクトＸ〟調でいかなくちゃ」

続けて何か言いかけながら、彼は私にも目を向けた。と、その表情の動きが止まった。

「あれ？　杉村さんじゃないですか」

私は彼の顔に見覚えがなかった。当惑して、ちょっとまばたきした。次長が尋ねた。

「何だおまえ、本社でお世話になったのか？　だったらちゃんと挨拶せんか」

若い部下はぱっと笑顔を咲かせた。

「違いますよ、次長。この方は、僕らなんかがお世話になれるような方じゃないんですから」

おおらかで明るい口調だった。私は微笑を浮かべた。この若い社員とどこで関(かか)わりがあったのか記憶にないが、この後、彼が何を言おうとしているのかはよくわかったからだ。私にとって、それはまったく珍しいパターンではなかった。

「次長、知らないんですか？　全然？　まったく？　そりゃヤバいですよ、マジほんと」

わざとのように気を持たせ、大きな目をぐりぐりさせている。黒井次長は当惑気味だ。

「ヤダなぁ。すみません。次長が何か失礼なことを言っても、それ、会長には告げ口しないでくださいね」

若い社員はわざわざ立ち上がり、深々と私に一礼してみせた。黒井次長は、部下と私の顔を見比べている。私は微笑(ほほえ)んだまま言い出した。

「彼は誤解してるみたいですが――」

「誤解なんかじゃありませんよ、嫌だなぁ。カンベンしてくださいよ」

周囲のテーブルに散っていた社員たちもこちらに視線を投げてくる。

「この杉村さんは、今多会長のお婿さんです！」

片手で上司の袖をぱんぱんと叩きながら、空いた片手を恭(うやうや)しく私の方に差し伸べて、若く濃い顔の社員は言った。

「我らが今多コンツェルンのトップのお婿さんなんですよ！　いえ会長がお婿をもらったってことじゃないですよ、違う、違う」

面白くもないが、ギャグのつもりらしい。

「今多会長のお嬢さんのお婿さんなんです、杉村さんは」

黒井次長はちょっと口を開くと、ああというような声を出した。私は軽く頭をうなずかせ、私の前で目を輝かせている制服の若者の顔を仰いだ。

「どこで会ったっけ?」

「入社式のとき、オレらの取材に来たでしょう」

「去年の春かな」

「そうです。あとで人事部の人に教えてもらったんですよ。カンゲキでしたよ、ホント」

だってめっちゃカンペキな出世だもんなぁと、また声を張り上げる。

「サラリーマンの夢じゃないスか。オレも頑張りますよ。杉村さんとこで娘が生まれたら、次はオレが婿候補ってことで、よろしくお願いしまぁす」

ぱしんと高い音がした。再び一礼した部下の背中を、黒井次長が平手で打ったのだ。

「何を調子に乗ってるんだ、バカもんが」

大げさに痛がって、部下はヘラヘラした。

「え、だけど次長、いいじゃないですか、言ってみるぐらいはさぁ」

「何が婿候補だ。おまえなんか、クビにならんようしっかり仕事を覚えるのが先だ」

次長は腕時計を見て立ち上がった。私も彼に従って腰を上げた。

「お邪魔したね」と、声をかけると、叱られた若い部下はまったく懲りた様子もなく、

「オレの顔、覚えといてくださいね。でも告げ口はなしってことで、くれぐれもよろしくぅ」

まだお調子者ぶっていた。周囲の社員たちも笑っていた。

正面玄関ロビーの方に向かって、黒井次長と私は歩いた。歩きながら、次長は言った。

「無作法なことで、申し訳ありません」

いえいえと、私は言った。ほかにどう言える？

「近頃の若い奴らには、ああいうのが多いんです。場をわきまえないし、身の程も知らない。冗談で言っていいことと悪いことの区別がつかない」

私は二、三度軽くうなずいた。そして渋い顔の次長に笑いかけた。

「私の妻は確かに会長の娘ですが、今多グループとはまったく関わりを持っていません。それは今多家の事情と申しますか」

今度は、次長が忙しなくうなずいた。私の言うことを耳に入れず、大急ぎで受け流してしまおうとするかのように。

「ですから、妻は会社に対して、何の影響力も持ち合わせていないんです。私もごく普通の一社員として働いています。最初に申し上げればよかったのかもしれませんが、普段はそんなことを意識していないもので――」

それは嘘だ。嘘だけれど、私はそういう看板を上げている。

「かえって失礼してしまいました。お詫びするのはこちらの方です」

いやとんでもないと、黒井次長は目を伏せた。

ロビーまで来ると、そそくさと事務的な確認を済ませ、挨拶を交わして私たちは別れた。両開きの自動ドアの方に歩み出してから、私は言い忘れたことを思い出した。

「お嬢さんのことですが、お大事に。早く原因がはっきりするといいですね」

黒井次長は目をしばたたかせ、カフェテリアのときと同じように、「ああ」というような顔をした。そんな話など忘れていたと、驚いているふうだった。素性がばれた瞬間に、私は彼にとって、まったくの別人になってしまったらしかった。小一時間前に、家を得る苦労について、リフォームの注意点について、シックハウス症候群について、こと家の問題になると台風の前の年寄りのように張り切ってしまう女房たちの性癖について、あんなに熱心に彼と語り合った相手は、私ではなく、もうこの場にはいない別の誰かであることになってしまったらしかった。

それでも彼は頭を下げて、「ありがとうございます」と言った。私も頭を下げ返し、自動ドアを通り抜けて外に出た。

駅に着き、横須賀線に乗り込んでシートに落ち着くと、私は考えた。

黒井次長は後悔しているだろうか。私にあれこれと打ち明けてしゃべったことを。心配もしているだろう。今多グループの社員の一人として、色合いの曖昧な「次長」というポストの人間として、会長に直につながる人間の前で、言ってはいけないことを口にしたのではなかったかと。軽率なことを言いはしなかったかと。やたらに上層部を批判したり、今の会社の方針に異を唱えたりしなかったろうかと。そして、やがて腹を立て始めることだろう。何だ、あの杉村という奴は。まるっきりスパイじゃないか。会長も悪趣味だ。娘婿に社内報記者をやらせるなんて。

グループ全体で数万人いる社員や準社員の発言を、いちいち会長が気にするわけもなかろう。杉村に告げ口をされたところで、いきなり自分の首が危なくなるということもなかろう。それでも面白くはない。騙された。

そして彼は考えるだろう。マイホームのリフォームが大変だの、やれ女房が口うるさいだの言っていたけれど、俺とはまるっきり違うじゃないか。大金持ちの資産家の家移り道楽と、安月給でやりくりしているサラリーマンのマイホームの夢と苦労を一緒にしてくれるなよ。偽善者め。

腹の底では、あんたと俺とじゃレベルが違うと笑っていたんだろう。

彼が本当にそう考えるかどうか、私にはわからないし知りようもない。だが、彼がそう考えるだろうと思ってしまう自分自身を――どれだけ慣れたつもりでいても――私は卑しいものに感じる。その卑しさが私を苛(さいな)むのを感じる。


九年前、銀座の映画館で、ちょっとしたアクシデントがきっかけになり、私は今多菜穂子という若い女性と知り合った。私は彼女に好感を抱き、幸いなことに彼女も私を好いてくれた。一年ほど交際し、我々は結婚した。

文章にすればたったこれだけだ。めでたし、めでたし。

現実はもう少しややこしい。

そもそも、私はとことん鈍だった。自分がすっかり菜穂子に熱を上げてしまう前に、互いにもう引き返せないと思い決めてしまう前に、途中のどこかで、一度でいいから、彼女に尋ねてみるべきだったのだ。

「ところで、君の〝今多〟という名字は珍しい字を書くけど、まさかあの今多コンツェルンと関係があったりしないよね?」

人生で大切なのは、正しい質問を、正しい時に、正しい相手に向かって問いかけること。私はそれを怠った。

今になって思えば、一緒に出歩いているとき、電車の中吊(なかづ)り広告や書店の店先のポスターで、何度となく彼女の父親の名前を見かけているはずだった。菜穂子の父、今多嘉親(よしちか)は財界の大立者であり、彼が会長として統(す)べる今多コンツェルンは、我が国でも指折りの一大グループ企業だ。

彼の発言が雑誌のリードに引用されたり、その肖像が経済誌の表紙を飾ることは、数え切れないほどあった。

一度でよかったのだ。彼の名前を、写真や似顔絵を指差して尋ねる。あの人が君の父親かと。菜穂子は正直に「そうなのよ」と答えたろう。

私は愕然としただろう。天まで舞い上がったことだろう。そして目が覚めたことだろう。どれほどこの女性が愛しく、共にいることが幸せでも、自分とは縁がないと悟っただろう。私にだってそれぐらいの分別はあった。

それなのに、私はその質問をしなかった。質問が必要だと気づきもしなかった。だから現実に、菜穂子が私に「そうなのよ」と答えたとき、私の心にはもう退路がなかった。少なくとも自分で作れそうな退路は。

そのかわり、追い払われることを覚悟していた。誰に？　今多嘉親に？　いいや、それほど自惚れてはいなかった。私を棒で叩いて、彼の愛娘のそばから駆逐するのは、彼の秘書に決まっていると思っていた。それも第三秘書ぐらいで上等だろう。今多嘉親に何人の秘書がいるのかさえ、当時の私には見当もつかなかった。

しかし私のそういう覚悟は、現実には空振りに終わった。今多嘉親は秘書を寄越さず、自身で乗り出してきた。私と会い、話をし、私と彼の娘の結婚を許してくれた。いくつかの条件はついていたものの、拍子抜けするくらいあっさりと。

もちろん、それまでに、彼は私の身辺を詳しく調べたことだろう。菜穂子とも話し合ったに違いない。さぞかし揉めただろう。だが、いったん娘の希望を受け入れ、結婚を許したら、それまでどんな経緯があったにしろ、私に対してそれを匂わすようなことを、彼は一切しなかった。

むしろ、私の親兄姉を説き伏せる方が、はるかに困難で辛いことだった。しかもそちらは、結果的には失敗した。両親は未だに私を許していないし、兄と姉は私に呆れている。

それでも私は菜穂子と結婚したし、その結婚は今も続いている。娘にも恵まれた。

義父が提示したいくつかの条件は、ひとつを除いては、私の方から進んで提案したいぐらいのものだった。どんな形であれ、菜穂子を担いで、今多グループの経営権を狙おうなどという野心を持たないこと。菜穂子をビジネスに巻き込まず、平穏な暮らしを保証すること。菜穂子の資産をあてにして、起業しないこと。

三つ目の条件には、付帯条項があった。それが私一人では思いつかない事柄だった。

今多コンツェルン総本部に職を得て、一社員となること。

当時私は、「あおぞら書房」という小さな出版社で働いていた。主に子供向けの書籍を作る編集者だったのだ。好きな仕事だったし、やりがいも感じていた。辞めなければならない理由はなかった。

今多コンツェルンで、私に何ができるでしょうかと、私は問うた。義父は答えた。私自身が発行人となり、グループ全体に行き渡る社内報を作っている編集部がある。君にはそこで働いてもらいたい。いい戦力になるだろう。

電車に揺られたり、風呂に入ったりして、一人でぼんやりしている時、私は今もときどき考える。義父は私のどこを気に入り、菜穂子の夫にしてもいいと判断したのか。最優先事項はどれだったのだろう。曲がりなりにも編集者だったことか。それとも、菜穂子を操って今多家に挑みかかり、巨額の資産を簒奪しようという野心の欠片も持ち合わせていない安全パイの男だったことか。どっちが先だったのだろう。

菜穂子が今多一族のビジネスに関わらないでいる理由を、黒井次長に、「今多家の事情」と説明したのは、その場しのぎではなかった。今多家にも、菜穂子にも本当に事情がある。

菜穂子は今多嘉親の娘ではあるが、彼の正妻の娘ではない。かつて財界では、菜穂子の母親の存在はよく知られていたらしい。画廊の女性経営者で、今多嘉親の長年の愛人。

彼女はすでに亡くなっている。心臓が弱かったのだ。そして菜穂子にも同じ弱点を伝えた。私の妻は心臓肥大の気味があり、幼いころから身体が弱かった。我々が子供を一人もうけることができたのは、医学の進歩と幸運のおかげだ。

今多家の正当な跡取りには、息子が二人いる。すでにコンツェルンの中枢でバリバリ働いているこの二人の兄と、菜穂子は仲良く付き合っている。義父は彼の倅たちに、早いうちから、おまえたちの腹違いの妹は、けっして、けっして、今多家のビジネスと財産をめぐって争う相手にはならないと教え込んでいた。一方で菜穂子にも、浮世の雑事に煩わされず、静かで豊かな生活を、生涯に亘って保証していた。菜穂子もそれに満足している。だから彼女の夫にも、そういう分を守る男が必要なのだった。

私はその必要を満たす、義父の望むとおりのでくのぼうだった。

おまけに編集者で、自分で言うのも何だが、編集者としてはでくのぼうではなかった。

私は「あおぞら書房」を辞め、逆玉の輿を祝ってくれたり冷笑したりする元同僚たちに見送られ、逆玉の輿に乗って今多コンツェルンの平社員になりに来た会長の娘婿を、いったいどんな顔をして迎えたらいいか困惑している新しい同僚たちのなかに入っていった。

「杉村さん、あなたは編集長になるつもりで来たんでしょうけれど、あいにく編集長はあたしなのよね」

園田瑛子編集長は、開口一番、そう言った。私は誰にも編集長になれと言われていないし、そんな話は耳にしていませんと言った。たとえそう命じられたとしても、児童書を専門に作ってきたので、社内報の編集についてはノウハウがなく、いきなり編集長は務まりませんと。すると彼女は納得した。

「そう、ならいいわ。あなたの机はそこよ」

当時も今も、彼女は変わらない。時に意地悪にもなるが、それは本人がそうなろうと意図したときだけだ。そういう人間は、案外少ない。

2

新橋駅から徒歩二分、今多コンツェルン本社ビルのすぐ裏手、高層のハイテクビルディングの裾にひっそりとうずくまり、社員たちには「別館」と呼ばれる三階建ての旧本社ビルに、「あおぞら」編集部はある。

階段をのぼっていると、ちょうど上から降りてきた同僚とすれ違った。入社五年目で、今多エステートから出向してきている加西君だ。これから巻頭カラー写真の撮影だという。約束の時間に遅れそうだとあわてているので、私もそのまま行こうとすると、

「そうだ、杉村さん」

ちょっとまわりを気にする表情をしてから、彼は私に寄ってきて小声になった。

「原田さん、また——」

大げさなしかめ面をして、

「編集長と」

コレですよと、左右の人差し指でバツ印をつくってみせた。

「またかい。いつ？」

「一時間ぐらい前かな。原田さん、泣き出しちゃって」

早退しちゃいましたよと言う。彼がいかにも劇画的に困った顔をしているので、私も調子を合わせ、平手で額をぺしりと打ってみせた。

「参ったね」

「このまま辞める気かもしれないですね。それはそれでいいですけど」

「うん……」

「もう、しょうがないですよ」

困った表情の割には冷たい言い草だ。その気持ちもわからないではない。

「嫌なところに帰ってきちゃったな」私は一階ロビーを見おろした。「もうちょっと時間をつぶしてから上がっていこうかな」

ロビーには、「睡蓮」というコーヒーショップがテナントに入っている。私の気に入りの店だ。

「いいんじゃないですか。今、編集長一人ですから」

じゃ行ってきますと、加西君は階段を駆け降りていった。私はそれを見送り、ちょっと考えてから、結局そのまま二階フロアに上がった。

園田編集長は机に向かい、足を組んで椅子の背もたれに寄りかかって、本を読んでいた。煙草をくわえている。漂う煙ごしに、目玉だけ動かしてちらりと私の顔を見た。

「ただ今戻りましたが、悪いタイミングで戻ったらしいと聞きました」と、私は言った。

「おしゃべりね」と、編集長は言った。加西君のことだろう。私はまだそんなにしゃべっていない。

そして本を机に置いた。表紙を開いたまま、べたりと伏せたのだ。私の妻は本読みで、けっして本をこのようには扱わない。背表紙が傷むというのだ。私はときどき編集長と同じようにやってしまい、そのたびに叱られる。

私は鞄をおろし、薄いコートを脱いだ。この夏は高気圧が正気を失ってしまったかのように暑かったが、長い残暑が終わると、秋を通り越していきなり初冬が来た。来週あたりには、もうこのコートでも肌寒くなるだろう。

「何がいけなかったんですか」

「言いたくないわ」

かなり気分を害しているらしい。

「彼女が言うには、あたしには人の上に立つ資格がないんですって。気分屋で無責任で無能だから」

さっきの加西君を真似て、私も劇画的にわかり易い困った顔をつくろうと思ったのだが、上手くいかなかった。

「それはまたずいぶんな非難ですね」

「自分のアシスタントぐらい、ちゃんと躾けてくれない？　口のきき方を教えといてよ」

「すみません」

原田いずみは、我が編集部の女性スタッフである。「杉村さん、よく平気ですね」と呆れた、あのアシスタントだ。時間給のアルバイトで、今多コンツェルンともグループ企業とも、まったく関わりはない。うちが出したアルバイト募集の広告を見てやってきて、うちで直に採用した。募集の際の業務内容は「編集庶務」だった。一人の募集に八十八人の応募があり、我々一同大いに驚いたものだった。

「あおぞら」編集部は、社員六名のこぢんまりした所帯である。社内報の編集部など、いくら会長室直属の組織であっても、閑職だ。望んで来ている者は誰もいない。選択の余地のなかった私を除いては。

しかし世間には、そこで働きたいという希望者がそんなにも大勢いたのである。送られてきた履歴書の束を眺めて、何だか急に、自分は選ばれし者だって感じがしてきますよねと言ったのは、確か加西君だった。

「あの娘(こ)、変わってるわよね？」

問いかけではなく確認として、編集長は私に尋ねた。煙草を消しながら、目を細めている。

「少し風変わりですね」

私は言葉を加減して答えた。

「前の彼女も変わってたけど、明るいから扱いやすかったの。なんか懐かしくなっちゃうわ」

前の彼女というのは、やはりアルバイトで来ていた椎名(しいな)という女子大生のことだ。パソコンマスターで、庶務どころか、レイアウトや色校まで任せることができた。編集長の言うとおりの明朗活発な娘さんだった。働き出してすぐ周囲に溶け込み、頼れる戦力になってくれた。皆、彼女をシーナちゃんと呼んでいた。

そのシーナちゃんが、学業の都合でうちでのアルバイトを辞めてしまったのは、この春のことだ。我々も残念だったが、本人もたいそう残念がって、ささやかな送別会の席では大粒の涙を落とした。

私はシーナちゃんに、個人的にも世話になったことがある。怪しげな意味ではない。昨年の夏の終わりに、義父からの依頼で、私はある事件に関わった。その際、シーナちゃんが手伝ってくれたのだ。彼女の助力がなく、私一人でうろうろしていたなら、あの一件があんなふうに落着することはなかったろう。

今でもときどき、シーナちゃんとはメールのやりとりをする。元気で忙しく暮らしているようだ。九州の大学に在籍する恋人との遠距離恋愛も、順調に進んでいるらしい。

我らが「あおぞら」編集部——正確に呼ぶならば「グループ広報室」では、いつでも互いに互いの顔がよく見え、手つきが見え、声も聞こえる。そういう場所では、アルバイト社員のポジションも、けっして軽くはない。しかも前任者が有能だったから、我々の側としても、どうしても期待値が大きくなる。

原田いずみは、そんななかで、八十八倍の競争率を勝ち抜いて採用されたのだった。年齢は二十六歳。履歴書によると、都内の有名な私大の文学部を卒業後、ビジネス関連書籍を扱う編集プロダクションで、三年余り働いた経験があった。仕事はやりがいがあったが、あまりの激務に身体を壊して退社せざるを得なかったのだという。現在では体調は万全だが、また同じようなことになっては嫌なので、正社員ではなくアルバイトや派遣で編集の仕事を探しているということだった。これは面接の際、園田編集長と並んで、私がこの耳で聞いた彼女の言葉だ。印象も悪くなかった。真面目(まじめ)でハキハキしており、表情が豊かで、落ち着いていた。

誰一人、彼女がこんなトラブルメーカーになろうとは、予想だにしていなかった。

具体的に何があったんですかと尋ねると、編集長は新しい煙草に火を点けて、話してくれた。連載コラムに添えるイラストの原稿が紛失したことが、そもそもの発端だったらしい。あわてて探して、ゲラの束のなかにまぎれていたのをすぐ見つけることができたのだが、その際のやりとりがきっかけになって、原田いずみが激高してしまったのだという。

「特に強いこと言った覚えはないのよ、あたし。彼女を責めたわけでもない。なのに、いきなりヒステリーを起こされてさ」

「さっき加西君は、原田さんはこのまま辞めるんじゃないかと言ってましたが」

「どうかしらね」編集長は顔をしかめた。「あたしはそれほど楽観してないわ。自分が辞めるより、あたしを辞めさせるつもりなんじゃない?」

「そんなバカな」私は笑ってみせた。「彼女に何ができるっていうんです?」

ちょっと考えてから、

「署名運動とか」

そう言って、編集長も苦笑した。「でも言ってたわよ。組合に訴えるって」

「どの組合に?」

今多コンツェルン内には、傘下の会社の総数よりも多い労働組合が存在するのだ。職種別、雇用形態別の分派があるからだ。

「さもなきゃ労働基準監督署に行く気かも」

「相手にされませんよ。だいいち、うちの誰も、訴えられるようなことをしてはいません」

「本当?」

「ええ。自信を持ってください」

「自信を失ってなんかないわよ、あたし」

と言いつつも、編集長は元気がなかった。いつもはきりりと上がっている口の両端が、への字に下がっている。腹を立てながらがっくりしているというのは、かなり辛いだろう。

　編集長だけではない。これまで、原田いずみのせいで、いったい何度、つまらない諍(いさか)いや口論が起こったことだろう。私たち全員が疲れている。

「もう仕方がありませんね」と、私は言った。「彼女には辞めてもらいましょう。それがいちばんいいと思います」

　編集長は私の顔を見た。煙草の灰が、口元からぽろりと落ちた。

　原田いずみがここで働き始めてすぐに、我々は気がついた。彼女は——少なくとも本人の自己申告ほどには、編集という仕事に詳しくないのではないか？　しばしば校正記号を間違える。パソコン上でPDFを使うことができない。それどころか、ワープロを使うだけでももたもたしている。原稿の整理ができず、スクラップブックをまとめさせればめちゃくちゃだ。原稿依頼や、受け取りの連絡をスムーズにすることもおぼつかない。

　指摘すると、以前の職場とはやり方が違うので、馴染(なじ)めないと言い訳する。パソコンはマシンの仕様が違うという。ここのはシステムも古いという。そういうこともあるだろうと、皆、最初のうちは鷹揚(おうよう)に構えていた。が、事態はいっこうに改善されない。

　そのうちに、彼女を除く我々六人は、ひそやかに囁きかわすようになった。確かに我々が編集しているのは社内報という身内の出版物で、広い世間を知らない。我流で処理している作業もあるだろう。それはよく承知している。だがしかし、繁盛している編集プロダクションで、体調を崩すほど忙しく働いていた元編集者が、そんな我々でも知っていることを知らず、そんな我々でも日常業務としてこなしていることができない——これはおかしくないか？

それでも、彼女に対し、直にその疑問をぶつけることは控えた。彼女が戸惑ったり、わからなくて困っているときには、進んで教えた。勝手が違うということは、誰にだってあるものだ。早く慣れてもらえばいいのだ。そう楽観的に考えた。コンツェルン内の全社員から、「島流し」と評されている我々「あおぞら」編集部員は、外に対する引け目があるから、内側の輪のなかでは互いに優しいのだ。結束も固いのだ。

しかし、やっぱり事態は改善を見ない。いつまで経（た）っても、編集業務の些細（ささい）なことを、彼女に一から教えてやらねばならなかった。

一方で彼女は、かつての職場がいかに忙しかったか、どれほど活気のある仕事場だったか、好んで語るのだった。

著名なライターを何人も知っているという。一緒に仕事をしたという。自分が取材を手伝ったという、それらのライターの著作名もぽんぽん挙げてみせた。企業のPR誌もたくさん手がけたという。どんな企業の、どういう内容のPR誌なのか尋ねると、やはり有名企業の名前が列挙される。

いよいよおかしい——と、我々は思い始めた。さらにひそやかに声を落として話し合った。

「原田さんが親しいっていうライターの本をいくつか読んでみたんだけど、彼女がいた編プロから出てる本なんか一冊もなかったよ」

「彼女のいた編プロでやったっていうPR誌、取り寄せてみたら、外注じゃなくて社内に編集部があった」

「ねえ、彼女、生保のA社とB社の両方のPR誌をやったって言ってたけど、ライバル企業が並んで同じ編プロに外注するってこと、ある？」

その時点で、最初の疑惑の波が頂点に達した。なぜか園田編集長が渋ったので、副編集長の谷垣さんが、原田いずみの履歴書を取り出し、彼女が働いていたという編集プロダクションに電話をかけてみた。

中央区にある「アクト」という会社である。電話にはすぐ応答があったが、最初に出たとても若い声の人物では要領を得ず、長いこと保留音を聞かされてから、ようやく、先ほどよりは年長の、ある程度の責任者であるらしい女性が出てきてくれた。

こういうときの谷垣さんはどこまでも礼儀を重んじるので、まず最初にしっかりと名乗り直し、そのうえで、御社に原田いずみさんという社員が在籍していたことがございますでしょうかと問いかけた。相手は、原田いずみの名前を問い返して確認した。それから、ごく簡単に「はい、いましたよ」と答えた。

「いたそうですよ」

受話器を押さえて声を落とし、谷垣さんは我々にひそひそと告げた。

「どのくらいの期間、働いておられたのでしょうか？」

今度の質問には、先方が長々しくしゃべっている。私は谷垣さんの手元に耳をくっつけて一緒に聞き取った。個人情報が何たらかんたらと言っている。要するに、すでに退職している人物に関することでも、大事な個人情報だから電話一本で漏らすわけにはいかないということだろう。

「事情を説明してみましょうか」

「じゃ、杉村さん代わってもらえますか」

私が受話器を受け取ったとき、相手の女性はちょうどこう言っているところだった。

「とにかく、うちとしてはお答えできませんので、ご了承ください」

そして電話は切られてしまった。我々は顔を見合わせた。

「まあ、もっともな言い分ではあるんですがなぁ」谷垣さんは困っている。

「直接行って、調べてきましょうか」

私の提案に、日頃（ひごろ）から「個人情報」というと敏感に反応する癖のある加西君が顔をしかめた。

「そこまでするのは、ちょっとどうかなぁ」

確かに気分のいいことではない。

「もういいじゃない。彼女がこの『アクト』ってとこにいたことはわかったんだから」

編集長の意見で、この件はそこで沙汰（さた）やみになった。履歴書の記述に嘘がないとわかった以上、我々だって、いろいろ問題があるとはいえ仲間の一員である原田いずみの身辺を探り回るのは、楽しい作業ではない。だからその場では、編集長の鶴（つる）のひと声に救われたような向きもあったのだ。

それでも燻（くすぶ）るものは残った。我々の側にそういう空気があれば、相手にも伝わる。そのころ――原田いずみが採用されて、二ヵ月は経っていたろう――から、彼女の態度が少しずつ変わり始めた。

ミスを指摘すると、以前はすぐ謝って直していたのに、言い返すようになった。手の込んだ言い訳を並べるようにもなった。やがて、それを通り越して攻撃的になってきた。

「だって、最初はこうやれって言ったじゃないですか。だからそのとおりにしたのに。わたしのミスじゃないですよ」

「そんなの、聞いてません」

「どうしてわたしばっかりのせいにするんですか？　わたしがアルバイトだからですか？　そんなの、不公平です」

彼女は私のアシスタントだ。だから何度も諌めた。仲介もしたつもりだ。それでいっとき、やや平穏になる。が、しばらくするとまた些細なことでトラブルが起き、元の木阿弥に戻ってしまう。これまで、それを繰り返してきた。

「もう限界だと思いますよ。編集長も、何かというと食ってかかられるのに飽きたでしょう」

とっくの昔にクビにしたってよかったのだ。アルバイトなのだから、正社員ほど難しい雇用規則に縛られることもない。

「ずいぶん辛抱しましたね。正直、不思議でしたよ」

園田編集長は、眉墨できれいな弧に描いた眉を持ち上げてみせた。

「なんであの人を追い出さないのか、みんながヘンに思ってるのはわかってたんだけどサ」

「理由があるんですね？」

「ちょっとね。まあ、あたしの――見栄かな」

灰色のコンクリートの天井を仰いで笑った。

「あたしだって、ああいう難しい人間をちゃんと使いこなせるってところを見せたかったの。うちはほら、ぬるま湯でしょ。あたし、好き勝手してるもんね」

私は察した。「誰かに何か言われたんですか」

「どうかな」と、惚けた顔をした。「たださ、お局ＯＬの流れ着く先としちゃ、ここの編集長は上等なポジションじゃない。あたし、お気楽な身分よ。何かそれがちょっとさ。たまには苦労しなくちゃいけないかなって。みんな大変なのに、我慢して頑張ってるんだから」

「どんな人たちです？　いますか、そんな人が」

「いるわよ。失礼ね」

園田編集長は、男女雇用機会均等法成立以前に就職した世代である。同期の女性社員の大半は、すでに辞めてしまっている。圧倒的に結婚退社が多いが、転職組も少数いる。そしてさらに少ない「居残り組」は、男性社員と肩を並べているならばそれだけ辛く、男性社員に置き去りにされていればその分淋しく、それぞれ身の置き場に困っている。以前、そんな話を聞いたことがあった。

キャリアウーマンも、お局も、みんな我慢して頑張ってる、か。

「たまに自己確認をするのは結構ですが、そのためにわざわざ厄介ごとを増やさなくても、うちの毎月の業務を仕切ってるだけで、編集長は充分立派に仕事をしてるんですよ」

「いいわよ、無理して褒めなくっても」

「別に褒めてやしません」

「愛想ないわねぇ」

二人で笑った。

「まさか編集長がそんなことを考えて我慢していたとは、夢にも思いませんでしたよ」

他の部員たちも同じだろう。

「原田さんみたいな人は、どこへ行っても似たようなトラブルを起こすでしょう。編集長のスキルが足りないから彼女を使いこなせないわけじゃないです。そこを勘違いして考え込むなんて、らしくないですよ」

「みたいね。うん、わかったわ」

ため息をついて、伏せていた本を取り上げ、ぽんと閉じた。書店のカバーがかかっている。私の目の前で、それを剝がしてみせた。

本のタイトルは『クビにする人、される人』だった。正しいリストラの方法を書いて、ちょっと前にベストセラーになったビジネス書だ。

「一応、勉強しとこうと思って」

「アルバイトなんですから、そんなに深刻に考えなくても」

「でもあたし、自分の意志で誰かをクビにするなんて初めてだからさ。あなただってやったことないでしょ？」

言われてみれば、ない。我々はそういうポジションにはいないのだ。

「手順がわかんないのよ」

「彼女が出てきたら、編集長と私で言い渡しましょう。手順も何もない。うちではもう働いてもらえないと言えばいい」

「アラ、付き合ってくれるの？」

「原田さんは私のアシスタントですからね。もっとも、それを決めたのも編集長だったということはお忘れなく」

「早くシーナちゃんの穴を埋めないと、一人じゃ大変だろうと思ったのよ」

「有難くて涙が出ます」

やっと仕事に戻れた。そのうちに、出かけていた部員たちが帰ってきた。六人揃うと、編集長があらためて、原田いずみのクビについて話した。皆、ほっとした顔になる。副編の谷垣さんは、今日、彼女が編集長に対して吐いた暴言だけでも、立派に馘首（かくしゅ）の理由になると言った。我々のなかでは最年長の五十五歳で、温和でいつもニコニコしている人だが、珍しく怒っていた。彼の年代の企業戦士にとっては、上司に対してそのような暴言を投げかけるなど、絶対に許されないことなのだ。

その晩、帰宅すると、私はいつものように妻子とテーブルを囲んで夕食をとった。五歳の誕生日を迎え、耳も目も聡(さと)くなり、言語能力がめきめき発達してきつつある我が娘の前で、会社でのトラブルを話題にすることは控えておいた。

そのかわり娘から、彼女が昼間幼稚園で描(か)いたというお花畑の絵のことや、新しく覚えた歌のことや、仲良しの友達と口ゲンカをしたことなどを、たっぷりと聞かせてもらった。ブランコの順番待ちをしていて、押したとか押されたとか押さないでとか、何だかんだこんがらがってしまったらしい。

我が家では、娘を寝かしつけるのは私の仕事だ。たいていの場合、枕元(まくらもと)に座って本を読んでやるだけで、三十分もしないうちに寝ついてしまう。ただ今夜は、少し様子が違った。読みかけの本はちょうど面白いところにさしかかっているのに、どこか上の空なのだ。枕の上で頭を動かし、布団を身体に巻きつけたり、足を突き出したりしてソワソワする。

「ねえ、お父さん」

私は本から目を上げた。「何だい?」

「桃子(ももこ)、明日、あかねちゃんにごめんなさいしてくれるかな?」

私の娘の名前が桃子で、あかねちゃんというのが、昼間幼稚園で喧嘩(けんか)した仲良しの名前である。

しかし、この言葉を聞いただけではわかるまい。混乱している。

娘は大きな目を見開いている。その瞳がとろんと潤んでいる。身体は眠いのだが、心の方は昼間の喧嘩の興奮をまだ引きずっていて、スイッチが切れないようだ。

私はちょっと間を置いて、

「桃子は明日、あかねちゃんに、昨日はごめんなさいって、上手に言えるかな、と心配なのかな」

ゆっくり、噛んで含めるように問い返した。

「うーんとね」

五歳の子の眉と眉のあいだのすべすべした皮膚には、どうやったって皺など寄らない。が、それでも、五歳の子が、我々大人が「眉間に皺を寄せる」と表現する表情を、浮かべてみようと試みる。どこで誰に習ったのか。それとも、我々人間の遺伝子には、「眉間に皺を寄せると難しいことを考えているしるしになる」という詳細情報が書き込まれているのだろうか。

「うん。桃子がごめんなさいするから、あかねちゃんもごめんなさいしてくれるかな」

「桃子は、あかねちゃんにごめんなさいをしたいの？」

娘は言いにくそうに口をすぼめた。

「うん……押しちゃったから」

「押しちゃったのはいけなかったと思っているんだね」

「うん」

「じゃあ、大丈夫だ。上手にごめんなさいと言えるよ」

「そしたら、あかねちゃんもごめんなさいしてくれる？」娘は目を輝かせた。「だってあかねちゃんも押したんだよ。桃子より先に」

口調が熱を帯びた。桃子より先にというところで。私は娘に微笑みかけた。

「桃子は、あかねちゃんを押しちゃっていけなかったな、ごめんなさいをしたいな、ごめんなさいをしよう――そう思ってるんだよね？」

「うん」

「だったら、まずそうしよう」

「でもあかねちゃんも押したんだよ」

「じゃあ、ごめんなさいをするのはやめるかい？　桃子も押して、あかねちゃんも押したんだから、おあいこだから」

娘は上掛けを両手でつかみ、鼻のあたりまで引っ張り上げた。さらに目が覚めてしまって、眠りかけていた感情が活気づいている。娘は五歳の子なりに筋道立てて考えているのだ。あたしが押して、あの子が押して、あたしは謝るんだから、あの子も謝るべきだ。

「桃子がごめんなさいして、あかねちゃんはごめんなさいしないの？」

つぶらな瞳を動かして私の顔を仰ぐと、ちょっとかすれた声を出した。

「それはまだわからないね。明日になって、桃子があかねちゃんにごめんなさいしてみないとね」

「あかねちゃんがごめんなさいしなかったら、桃子がごめんなさいすると、桃子が悪いって、あかねちゃん言わない？」

意味するところは、「桃子だけが謝ると、あかねちゃんとのあいだで、桃子が一方的に悪かったことになるのではないか」ということだろう。それでは不服だと。

「そうかな。よく考えてごらん。あかねちゃんは、桃子がごめんなさいしたら、ごめんなさいする桃子だけが悪いんだって言うかな。あかねちゃんは桃子の仲良しだろ？　桃子だけが悪い子だって言うかな？」

十分ばかりのあいだ、そうやって私と問答を繰り返して、やがて桃子は、とにかく明日あかねちゃんにごめんなさいをする、というシンプルな結論に達した。私はそれに満足して、娘が完全に寝入ってしまうまでそばにいた。

リビングに戻ると、妻に声をかけられた。

「何をにやにやしてるの？」

私は妻に、原田いずみの一件を話して聞かせた。妻はこれまでのトラブルのことも知っており（もちろん私が逐一話したからだ）、気にかけていたようだった。

「桃子とあかねちゃんの話と、つい引き比べてしまってね」

原田いずみは、今夜考えているだろうか。園田瑛子がごめんなさいをしないのに、わたしがごめんなさいをしたら、わたしが一方的に悪かったことになって不公平じゃない？　あるいは編集長も考えているだろうか。わたしの方からごめんなさいすれば、あの娘はごめんなさいをするのかしら。

考えてはいまい。大人と子供と、やることは同じでも、対処の仕方は違うのだ。

「それにしても、原田さんて人の扱い方を、そんなふうに悩むなんて、園田さんは生真面目な人だったのね。わたし、ちょっとビックリしたわ。もっとさばけてると思ってた」

私も同じように感じていた。その生真面目さは、見方を変えれば小心さでもある。園田編集長が気が小さいなどと、誰が思うだろう？

「もちろん、みんな苦労しながら頑張ってるんだから、自分だってこれぐらいはやらなくちゃ

――そういう気持ち、立派なことだと思うのよ」

妻は考え込むような顔つきで呟いた。最近、髪を短くカットしたので、角度によっては少年のように幼く見える。だが、光の加減で、実年齢の三十歳よりもはるかに老成して、私が写真でしか見たことのない、彼女の亡き母親に瓜二つに見えるときもある。

「でも、そういう頑張りを、原田さんなんていう問題児のために使う必要はないと思うわ。わたしは直接本人を知ってるわけじゃないから、こういう言い方はフェアじゃないけど」

そして彼女は、彼女自身にとって、今もっともフェアな話題を持ち出した。新しい家のリフォーム計画である。大きな綴じ込みファイルと、資料の入った新しい封筒を運んでくる。

「床と造作家具の塗料にね、これを勧められたの。舐めても大丈夫だっていう新製品で――」

我々親子三人が今現在暮らしているのは、麻布十番にある高層マンションの一室である。妻の資産――正確に言うならその一部――で、もとより私の給料では手の届かない物件だ。

妻はこの家を気に入っている。私は？　本来の自分には分不相応だと思いつつ満足している。

しないわけがない。そして桃子はこの家で育った。思い出がたくさんある。

では、なぜ転居しようとするのか。桃子の進学、くだいて言うなら「お受験」のため、そしてその後の通学の便のためだ。

その新しい家も、本来、私の稼ぎでは住むことのできない物件だ。

妻と頭を突き合わせ、ああでもないこうでもないと資料を検討しながら、私はふと、心の一部が自分から漂い出てゆくのを感じる。空いた部分に、非現実感がしみこんでくるのを感じる。これが本当に私の人生なのか。こんな状況を、享受していていいのだろうか。その見返りに、私は何かを差し出してしまったのではないか。

私の結婚を許さず、「あんたはもう死んだもんだと思う」と言い放った私の母は、私が差し出した見返りは、人間としての誇りだという。誰かの財産に寄生し、たかって生きるのを良しとしない、男の面子だという。

「あたしはあんたを、そんな情けない息子に育てた覚えはない。女に養ってもらうなんて」

私は妻に養ってもらってはいない。ちゃんと職を持ち、給料をもらっている。私は母にそう言い返すことができる。それが嘘ではないが、真実でもないことを知りながら。母が怒っているのはそういうことではないと知りながら、まぜっかえすことはできる。

「そんなに菜穂子さんと結婚したいんなら、駆け落ちしたらいいじゃないか。菜穂子さんも、お父さんのくれた財産なんか捨ててさ。どうしてそれができないの？　どうしてそうしようとしないのさ」

母はそう言った。至極まっとうな意見だった。どうして私はそうできないのだろう？　そうできなかったのだろう？

菜穂子の父、今多嘉親は、私と菜穂子の結婚を許してくれた。菜穂子が私という男を生涯の伴侶に選ぶなら、財産を取り上げるなどと言わなかった。だから菜穂子は私と駆け落ちする必要がなかった。これまでの人生を捨てる必要がなかった。彼女はただ、それに「夫」という要素を素直に加算するだけでよかった。

ごく単純な足し算だ。誰も結果を間違えたりしない。我々夫婦は幸せだ。ずっと幸せだ。

「わたし、杉村さんのお父さんお母さんは偉い人たちだと思います」

以前、シーナちゃんがそんなふうに言ったことがある。彼女は、社内に流布している噂よりもう少し多くのことを、私について知っていた。聡明な妹のような彼女に、私がときどき、ぽつりぽつりとではあるけれど、話したことがあったから。

「ご両親、杉村さんが奥さんと結婚するなら、縁を切るって言ったんでしょ？」

「現に切られたよ」

「それ、立派ですよ。三郎よくやった、これで杉村家は安泰だ、あんたの金持ちの奥さんに、みんなでぶら下がれるからね、なんて言わなかった。むしろ、そんなのは恥ずべきことだって、きっぱり――」

そこまで言って、あわてたように首を振り、

「誤解しないでくださいよ。杉村さんの今の奥さんとの生活が、恥ずべきことだって意味では全然ないんですから」

わかってるよと、私は笑ったものだ。明朗で公正なシーナちゃんでさえ、私と妻との生活を評価して表現するときには、余計な気を使ってしまうのだと思いながら。

私には兄と姉もいる。その二人も、「三郎よ、でかしたぞ」とは言わなかった。兄姉とは縁が切れたわけではないが、行き来はない。これまで、想定される限りのどんな形でも、二人が私の妻の資産をあてにする発言や行動をしたことはない。

兄は言った。「おまえはバカだ」

姉は言った。「いつか目が覚めるわよ」

可哀想（かわいそう）だけど、あんたのこの結婚は長続きしない。良いことがたくさんあるだろうけど、長く保（も）つ関係じゃないよ。姉はそうも言った。

桃子のための転居とリフォームに力を入れるようになってから、私はこの姉の予言を、意図しないときに、不意打ちのように思い出すことが増えた。私のなかの、今の暮らしに対する非現実

感とは裏腹に、この予言は、想起されるたびに現実味を増してゆく。私はそれを押し返し、振り払おうとしている。

3

原田いずみは、翌日もその翌日も顔を見せなかった。電話もない。こちらからは連絡せずに、様子を見ることにした。

そのまま週がかわり、口論沙汰（ざた）から丸一週間が経った。どうやら本気で辞めるつもりなのだろう。こちらとしても対処がし易くなった。

彼女は一人暮らしで、いわゆる「家電（いえでん）」を持っていないらしく、編集部が知っているのは携帯電話の番号のみだ。

「しょうがないわね。こういうときケータイにかけるって、何か重みを欠く感じがしちゃって嫌なんだけどさ」

ぶつくさ言いながら、園田編集長が連絡した。が、何度かけても彼女は出ない。留守番電話サービスが応答するわけでもない。呼び出し音が鳴りっぱなしなのだ。

「着信番号を見て、うちだってわかるから、わざと出ないでいるんじゃないですか」と、加西君が言った。「案外、もう次のバイト先を探してたりしてね」

「今の人はドライだからね」と、谷垣副編が応じた。谷垣さんから見れば、加西君も充分「今の人」の年代だが、二人が納得顔でうなずきあっているのは微笑ましい眺めだった。

我々みんな、まあ、もういいか——という気分になっていた。次の求人をかけるとしたら、一応、その前に会長室に報告と届出をしておかねばならない。朝、全員が顔を揃えたところで、やっぱり人手が欲しいか、それとも当面は社員だけでやりくりするかというようなことを、机を挟んで相談した。

印刷会社との打ち合わせや取材が入っていたので、私はミーティングが終わるとすぐに出かけた。戻ったのは夕方四時ごろだ。部員がみんな、なぜかげっそりとした顔を並べていた。園田編集長は、額に大きな絆創膏(ばんそうこう)を貼っている。本格的な医療用のテーピングがしてある。

「彼女よ」と言った。「一時過ぎだったかな。やっと連絡がついたから、アルバイト契約は解除だって伝えたの」

すると、一時間もしないうちに、本人がここに来たのだという。そしてまた口論になった。というより、原田いずみは最初からひどく興奮しており、まともな話などできる状態ではなかったそうだ。

「これ、投げつけられたのよ」

編集長は、机の隅にある、据え置き用の台座がついたセロハンテープを指した。

にわかに信じがたい気がした。こんなものがまともにあたったら、大怪我をする。

「医者に行きましたか？」

「あっちで診(み)てもらったわ」

隣の本社ビルの診療所だ。

「レントゲンも撮ってもらったけど、骨に異状はないって。こぶができてて、ちょっと切れてる」

「とっさに避けて、かすっただけだから、それぐらいで済んだんですよ」谷垣さんが言った。「園田さんの顔めがけて投げつけたんだよ。とんでもない女だ」

取り押さえようとしたが、喚(わめ)いたり叫んだりしながらそこらにあるものを手当たり次第に投げつけてくるので、手がつけられなかった。部員が一人、警備員を呼びに走り、皆がうろたえているあいだに、原田いずみは逃げてしまったという。

「警察には？　被害届を出した方がいい。立派な傷害事件ですよ」

しかし編集長は首を振った。「そこまですることはないわよ」

「でも——」

「会社に迷惑がかかるもの。もとはと言えば、あたしの管理不行き届きなんだし」

騒動の後、片付けたのだろうけれど、よく見れば、いつもより室内が雑然としている。ショックの余韻が、金属質の匂いのようなものになって、まだ辺りに漂っていた。

「いったい何が気に食わないって言ってきたんですか」

編集長の口は重く、だから説明は、部員たちが口々にしてくれた。曰(いわ)く、

——どうして誰もわたしに謝りに来ないんだ。悪いのはそっちじゃないか。

——電話一本でいきなりクビなんて、契約違反だ。

話すうちに、谷垣さんの顔色が青黒くなってきた。私は彼の血圧を心配した。

「あんまり勝手な言い分ばっかり並べるもんだから、ついね、言っちゃったんだよ。あんた、編集経験があるって威張ってたけど、実は何にもできなかったじゃないか。全部私らが一から教えなくちゃならなかった。本来なら、それだけでとっくにクビになってるところだよって」

すると原田いずみは（またぞろ）泣き出し、それは重大な侮辱だ、訴えてやる、今に見てなさ

いよというようなことを喚いたそうだ。

広い世間には、我々の常識の範囲内では理解できない思考を持ち、その思考に沿った行動をとる人物が、我々が漠然と予想しているよりもはるかに大勢いる。そのことは、とりわけ都会で生活していれば、嫌でも判ってくるものだ。が、それがこんなにも爆発的な形で至近距離に出現すると、やはりどう反応したらいいのかわからない。怒りを感じるし恐怖も覚える。が、それを具体的にどんなアクションに結びつけたらいいのかわからない。

その日は皆で一緒に編集部を後にした。心配だったので、私は園田編集長を彼女の家までタクシーで送り届けた。薬が切れてきたのか、車中では傷が痛そうだった。

いつもより帰宅が遅れたので、妻にも事情を話した。彼女は心臓が弱いだけでなく（あるいはそれが原因で）、たいそうな心配性だ。私は、原田いずみは屈強な男性ではなく、華奢な若い女性で、だからもしも私がその場にいたら、きっと取り押さえることができたろうから、つくづく残念だということを、かなり強調して訴えた。もし、もう一度彼女が怒鳴り込んできたって大丈夫だと。

「気をつけてね」

それでも妻はやっぱり心配してそう言った。

それから数日のあいだ、部員は皆、なるべく編集部を空けないように、特に編集長を一人にしないように気をつけて仕事をした。申し合わせたわけではないが、自然にそうなった。

週末が来た。土曜日、私は妻と共に桃子の「お受験」のための準備教室（洒落てプレップ・スクールと自称している）の授業見学会へ行き、さらに保護者の心得についてのレクチャーを受けた。日曜日には、家族でバスやシステムキッチンのショウルームを見て回った。ついでに少しドライブし、外食をして帰った。原田いずみのトラブルは、いっとき、心の外へ出てしまった。

我々は時計とカレンダーの虜だ。それが苦痛の元凶になる時もあるが、禊になることもある。これという理由も根拠もなくても、時が経ち日が進んだだけで、気がかりの素が薄れることがある。

週を跨いで、月曜、火曜と、何事もなかった。誰も進んで原田いずみの名を口にしない。むしろ、もう考えない方がいいか。何だかんだ対処などせず、このままもう一週間、十日、半月と過ぎれば、自然に事は終わるだろう——

甘い考えだった。

木曜日の朝のことだ。私が出勤して机につくと、電話が鳴った。内線だった。出ると、〝氷の女王〟の声が聞こえてきた。

「おはようございます、杉村さん」

おはようございますと、私も折り目正しく返事をした。〝氷の女王〟とは、会長室の第一秘書、遠山女史の通称である。命名者は私ではない。私の知っている誰かでもない。だがみんなが知っている。夜空に浮かぶあの天体を、「月」と名づけたのは誰か。誰でもない。が、誰でもあれは「月」以外の何ものでもないと知っている。それと同じだ。

「会長がお呼びです。重役会にお出になるまで三十分しか時間がありませんので、大至急会長室へお越しください」

彼女の〝お越しください〟は、すなわち〝来なさい〟である。私は立ち上がり、脱いだばかりの上着に袖を通した。

「なぁに?」と、編集長が目ざとく訊いた。

「赤紙(あかがみ)です」と私は答えて、そのまま編集部を離れ、小走りに別館を出た。

会長室は、本社ビルの最上階にある。物理的にも心情的にも雲の上だ。そこに上がるには手間がかかる。直通エレベータの前で警備員に社員証を提示し、急いで歩いた。移動にかかるこの時間も、重役会が始まるまでの三十分間に算入されるのだから。

最上階で降りると、エレベータホールで秘書室の女性が待ち構えていた。氷の女王の擁する精鋭部隊の一員だ。彼女の案内に従い、私は廊下を進んだ。

続いて二つの部屋を通過する。〝氷の女王〟は三つ目の、いちばん会長執務室に近いところにいる。今朝は燻(いぶ)したような銀鼠(ぎんねず)色のスーツをぴしりと着こなして、一枚板の机の脇に立ち上がり、彼女は、私の顔を見るともう一度おはようございますと言った。

「お急ぎください」

私は会釈して通り過ぎた。ドアを開けてもらい、入室した。

私の義父、今多コンツェルン会長の今多嘉親は、彼の娘がふざけて「巨人の腎臓(じんぞう)」と呼ぶ独特の形をした机に向かい、新聞を広げていた。

「おはようございます」

義父に会うのは何十日ぶりだったろうと思いながら——「公」の方ではなく、「私」の方で——私は挨拶をした。

義父は、朝刊の陰からひょいと顔をのぞかせた。老眼鏡が鼻筋に引っかかっている。

「朝っぱらから呼びつけて、済まんね」

「とんでもありません」

今多コンツェルン会長、今多嘉親。一九二四年生まれだから、満八十歳だ。小柄で痩(や)せぎす、頭髪もかなり淋しくなってきており、目の周囲の皺は深く、肌はかさついている。外見上は、けっして迫力のある人物ではない。

私はときどき夢想することがある。義父が仕立てのいいスーツを脱ぎ、よれよれのジャンパー姿になったところを。たとえば船橋や錦糸町（きんしちょう）あたりの場外馬券場のそばを歩いているところを。それでも彼のまわりには、やはり今と同じような威風が漂うものだろうか。今多嘉親が身にまとっている威厳の何割が自前で、何割が道具立てに由来するものなのだろう。

以前、晩酌で酔っ払った拍子に、菜穂子にこの質問をしてみたことがある。妻は笑いながら少し考えて、こう答えた。

「お父様のあの鉤鼻（かぎばな）は、どこにいたって目立つわね。場外馬券場っていうのは、競馬の馬券を買う窓口のことでしょ？」

「うん、そうだよ」

「きっとお父様は、カリスマ的な予想屋に見えると思うわ。一種異様な迫力は、どんな身なりをしてたって消えないはずだもの」

妻が「予想屋」などという単語を知っていることに、私は驚いた。

「経済小説で読んだの。そういう予想屋が、兜町（かぶとちょう）の大立者にのしあがってゆくお話」

ロマンティックな物語を好む傾向はあるものの、育ちの良い読書家にしては異例なことに、妻は読む本を選ばない。まさに手当たり次第である。また彼女の書架では、ブロンテ姉妹もジェイン・オースティンも、昨今の一発屋的ベストセラーの作家も、わけへだてなくすべて五十音順に並べてある。

「今朝、こんなものが来てね」

そう言いながら、義父は新聞を置き、目の前にあった白い封書を取り上げた。私の方に差し出す。私は軽く一礼してから近づき、その封書を手に取った。

白地の封筒の裾の部分に、パステルカラーの小花模様が散っている。表書きも女性的な字だ。ただ、あまり上等の手跡ではない。右肩上がりのクセ字で、「会長　今多嘉親様」と、刻みつけるように強く書いてある。

封筒を裏返し、思わずまばたきをした。住所はなく、同じクセ字でこう書いてある。

「グループ広報室　契約社員　原田いずみ」

私は顔を上げた。義父は老眼鏡を鼻の半分ぐらいまで下げて、私の顔を見ていた。

「読んでみなさい」

促されて、中身を取り出した。封筒と揃いの便箋（びんせん）二枚にびっしりと、表書きと同じクセの強い字が並んでいる。

読み終えても、今度はすぐには顔が上げられなかった。

「この原田というのは、契約社員というよりアルバイトだね？」

「はい。会長のお手元にも履歴書などをお届けしてあるはずです」

「さっき遠山に出させて、目を通してみた。半年程度の勤務だな」

「はい。先週、クビにしたのです」

私が事情を説明しようとするのを制して、義父は頬（ほお）を緩めた。

「まあ落ち着きなさい」

どうやら私の顔色が変わっているらしい。

「この手紙の内容は事実かね？」

私は声を強めた。「まったくの事実無根です」

原田いずみの手紙には、目を疑うような事柄が書き連ねられていた。彼女は、アルバイト入社以来、グループ広報室の社員たちからさまざまな虐めを受けたというのだ。契約にない内容の仕事をさせられ、休日出勤や残業をしてもその分の給料を払ってもらえなかった。正社員ではないということで何かにつけて差別され、仲間はずれにされた。

とりわけ、園田編集長と谷垣副編集長から受けた仕打ちがひどかった、という。管理職にある二人は、他の社員たちの虐めを止めるどころか、率先して差別行為をし、暴言を吐いた。園田編集長は、原田いずみに支払われるべき給与を詐取した。また谷垣副編からは執拗な性的嫌がらせを受け、抵抗すると「クビにする」と脅された——

「嘘八百です。園田も谷垣もこんな人間ではありません。我々は」

義父は軽く首を振り、私の言葉を遮った。

「そう興奮するな。わかっとるよ。私は一応、グループ広報室の室長だからな」

「あおぞら」の編集長は園田瑛子だが、発行人は今多嘉親その人なのである。

「申し訳ありません」私は頭を下げた。

そうだ。この手紙が今多嘉親宛に来ている意味もそこにある。

手紙の末尾で、原田いずみは弁護士を立て、この半年間で彼女が被った物心両面に亘る被害の回復のために、法的手続きを取る準備を始めたと書いている。

裁判を起こされたところで、我々「あおぞら」編集部は怖くない。彼女の主張は嘘ばかりだ。受けて立とうじゃないか。が、しかし、今多会長直属の社内報編集部内で悪質な虐めとセクシャル・ハラスメントがあり、被害者が訴訟を起こしたという「事実」が、もしも世間に知られたならどうなるか。

我々編集部員はどうでもいい。一時的であれ、事実無根であれ、今多嘉親の顔に泥を塗ることになるのが問題なのだ。

「我々が軽率だったために、会長にご迷惑をかけることになってしまいます。本当に申し訳ありません」

「そんなことはいいんだ」と、義父は言った。ずり落ちた老眼鏡を指で持ち上げる。

「君らの言うとおり事実無根なら、こんな件を引き受ける弁護士が恥をかくだけだ」

「しかし――」

「あわてなさんな」と、くだけた笑みを浮かべる。「君は本当にやわだな。弁護士を雇ったなんて、はったりだ」

「そうでしょうか……」

「そうさ。ちゃんとした弁護士なら、こういう場合、本人に手紙なんか書かせん。被害者からこれこれこういう訴えを受け、自分が代理人になったことを報せるために、弁護士の名前で文書を送ってくるものだ」

幸いにして、私はこれまでそういう経験をしたことがない。部員たちだって同じだろう。法的手続きに対する知識も免疫もない。

「で、どんな女性なんだね、原田いずみというのは」

彼女をめぐる一連のトラブルについて、私は急いで説明した。早口になるのは気が立っているせいではなく、ぐずぐずしていると〝氷の女王〟が義父を呼びに来てしまうからだ。まったく濡れ衣とはいえ、我々のこんな不名誉な話を、女史の耳に入れたくない。

義父は、天気予報でも聞くかのように呑気な顔をしていた。私が焦ったり怒ったりしているのを、少しばかり面白がっているようにさえ見えた。

「そうすると、園田とは特にうまが合わなかったようだね」

「と思います。しかし、編集長だけではありません。我々みんな、原田君とはぎくしゃくした状態でした」

「谷垣は？」

「私が知っている限りでは、原田君を叱ったり怒ったりしたことはありません。むしろ、いちばん辛抱強く付き合っていたと思います。温厚な人柄ですから」

「じゃあ、彼の名前が挙がっているのはなぜだろう」

思い当たる事柄と言えばひとつだけだ。

「彼女が乗り込んできたとき、腹を立てた谷垣さんが、思わず、あんたには編集経験などなかったじゃないか、本来ならそれだけでクビだったところだというようなことを言ったんです」

原田いずみは泣き出し、侮辱だ、訴えてやると言い返した。「今に見てなさいよ」とも言ったそうだった。

「ははぁ。それで谷垣も槍玉に挙げられたわけか」

「それしか考えられません。原田君は、部内では私のアシスタントだったんですが」

「前のアシスタントはいい娘だったな」

シーナちゃんのことだ。

「はい。ご存知でしたか」

「君から聞いたんだよ。梶田の娘たちのことで、いろいろ手伝ってもらったと」

私が義父から依頼を受けて動いた一件のことだ。

「同じようにはいかなかったわけだ」

義父は微笑して、会長席の背もたれに寄りかかった。

「君の教育ミスでもあったかな？」

「おっしゃるとおりです」

「まあ、対応を誤ったということだ。最初に、原田いずみが履歴書に書いてきたようなスキルを欠いているとわかった段階で、きっちり対処するべきだった。君ら、優しすぎたんだ。だから舐められた」

ひと言もない。アルバイト社員のことだから、深く考えていなかったせいもある。

「履歴書に嘘を書く人間なんぞ、ごまんといるよ。嘘と真実の際を見抜いて使いこなすのが、上に立つ者の役目だ」

厳しい言葉だ。

「責任をとって、この件は君が処置することだな」

「はい。申し訳ありません」

また頭を下げた。義父は笑った。

「そんな顔をするな。園田と谷垣には伏せておいた方がいいから君に頼むんだ」

「二人には報せなくていいでしょうか」

「報せると、騒ぐだろうが。対処にならん」

確かに。園田編集長は、バイトの給料を詐取したなどと言われたら、怒り狂うことだろう。谷垣副編は、性的嫌がらせの濡れ衣になど、一分だって耐えられないだろう。

「編集長は怪我をさせられていますし」

「そのとき、診断書は取ったか？」

「わかりません。こちらの診療所で治療を受けたそうなので、訊いてみます」

「あった方がいいな。それが必要な事態になるとも思えんが、まあ念のためだ」

わかりましたとうなずいて、私はポケットから手帳を出し、メモを取った。

「原田いずみと連絡はとれるのか？」

「住所と携帯電話の番号はわかっています」

「じゃ、すぐ本人に連絡して、今後は君が窓口になると伝えることだ。もちろん、本当に向こうが何らかの訴えを起こしてくるなら、こちらも法務部の出番になるわけだが、そんなことにはならんよ」

というより——上目遣いにちらと私を見て、

「そんなことにならんように収拾することだ」

「もちろん、そのつもりです」

「ただ、法務部の存在をちらつかせるのはいいかもしれんな。こういうトラブルメーカーは、案外気が小さいものだから、こちらが本気で受けて立つ構えを見せると、それだけでシュンとなる」

会長直々（じきじき）の、丁寧なレクチャーである。

「まずは、こちらが手紙を受け取ったと、きちんと報せることですね」

「そうだな。ただ本人と会うまでに、君も材料を用意しておいた方がいい」

「材料と申しますと」

「だからさ、履歴書の内容だ。何かありそうだというだけで、確認していないんだろう?」

なるほど。

「詳しく調べてみます」

「うむ。もっと早くやっておくべきことだったな」と言って、まあアルバイトだからなぁと付け足した。

「いずれにしろ、顔色を変えるほどの大事じゃない。いい経験だと思って、対処してみなさい。どんな形であれ人を使っていれば、こんな事態だって起こる」

私は研修期間を終えたばかりの新人社員のように襟を正し、わかりましたと答えた。

会長、お時間ですと呼びに来た〝氷の女王〟と入れ違いに、会長室を出た。別館に戻りながら、担任の先生に説教された小学生のような気分になっている自分に、苦笑が漏れた。

いい経験だと思って対処してみなさい。はい、そういたします。私は三十六歳の所帯持ちだ。

編集室に入ると、すぐ編集長に訊かれた。

「何だったの?」

部員たちもこっちを見ている。一同、発行人の意向には敏感にならざるを得ない。

「ワタクシ事です。桃子のことで。今週、一緒に出かけるものですから。ついでに、ちょっと調べものを頼まれました」

「お抱え婿殿も大変ねえ」

「ご声援ありがとうございます。ああ、それと」

私は気軽そうな声を出した。

「勤務態度のよくないアルバイトを辞めさせたという報告を、口頭ですが、しておきました。会長からは特にお言葉はありませんでしたよ。原田さんは私のアシスタントでしたから、もしも今後、彼女がまだ何か文句を言ってくるようでしたら、こっちで引き受けます」

「悪いねぇ」と、谷垣副編が言った。「まあ、あれ以上のことはないと思うけど」

「若い女の子は忙しいですからね」と、私は笑ってみせた。「それと編集長、怪我の方はもういいようですが、原田さんに治療費を請求するつもりはないんですか？」

園田編集長は目をぱちぱちさせ、反射的に額の傷の部分に手をあてた。ガーゼも絆創膏も取れたが、かさぶたが残っている。前髪を下げて隠していた。

「今さら、いいわよ。かえって面倒だし」

「腹が立ちませんか」

「そりゃ悔しいけど、ああいう人とは、あんまり関わらない方がいいと思うわけ。うっとうしいじゃないさ」

言葉つきは雑だが、口調は真面目だった。

「いなくなってくれただけで充分よ」

そのやりとりで、編集長が、今度のことに、私が察する以上に強いショックを受けているのだとわかった。もう、早く忘れたいのだ。

午前中の仕事を片付ける合間に、こっそりと人事ファイルから原田いずみの履歴書を抜き出し、書類ばさみのなかに隠しておいた。昼食を済ませると、外回りのスケジュールを部内の連絡板に書いて、出かけた。どれも急ぎの用件ではなく、時間を作りやすい。今が月中(つきなか)のヒマな時期で助かった。

別館を出ると通りを渡り、駅前の公衆電話ボックスに入った。内容が内容だから、電波状態によってはいきなり切れたりする可能性のある携帯電話を使いたくなかった。

「アクト」の電話には、すぐ応答があった。疲れたような女性の声だった。そちらに伺いたいのですがと尋ねると、慣れた調子で場所と道順を教えてくれた。編集プロダクションという職場には、人の出入りが多いからだろう、何の用件だと問われることはなかった。

住所は新富町（しんとみちょう）だった。近くに中央会館という区の施設があるという。そのあたりなら、私も若干の土地勘があった。ほとんど迷わずに、「アクト」の入っているビジネスビルを探しあてることができた。

老朽化の目立つ、五階建てのビルだ。古ぼけたエレベータに乗り、四階で降りると、目の前に「アクト」の表示が出ていた。開けっ放しの両開きのドアから中をのぞきこむと、いくつかの机とダンボールの山が、狭い室内にひしめいていた。人気（ひとけ）はない。

「ごめんください」

声をかけると、手前のダンボールの陰から、ひょいと頭がのぞいた。栗（くり）色に染めたぼさぼさ髪を、大きなヘアピンでとめてある。

「はい？　何でしょう」

さっきの電話の声の女性だった。

彼女は立ち上がり、机とダンボールの隙間（すきま）を器用に縫って近づいてきた。歳は三十前後だろう。ジーンズにセーターという気楽なファッションだ。私は会釈して名刺を差し出した。

「突然お訪ねして失礼します。先ほど、電話で道順を教えていただいた者です」

ああハイハイと応じながら、彼女は私の名刺をじろじろと眺めた。

「杉村さん。今多コンツェルンって——あの今多コンツェルン？」

「そうです。この、グループ広報室というのは、社内報の編集部なんですが」

「あら！」

彼女の顔がぱっと明るくなった。疲れて眠そうだった表情に、張りが出た。

そこらじゅうに積み上げられたり、転がされているダンボール箱のなかには蓋が開いて中身の見えるものがある。会社のPR誌やフリーペーパーだ。「アクト」で手がけている〝商品〟だろう。彼女は私が仕事の依頼に来たと早合点したのだ。

「すみません、実は仕事の話ではありませんで」

率直な人柄のようで、すぐ表情がしぼむ。

「あらまあ」と、気の抜けた声を出した。「そんな旨い話があるわけないってことね」

「申し訳ありません。半年ほど前にこちらで働いていた、原田いずみさんという人のことでお訪ねしたのです」

途端に、彼女の顔にさっきとは違う輝きが灯った。大きく目を見開いている。

「原田いずみ？」

「はい、こちらに勤めていた女性ですよね」

「いましたとも」力を込めてうなずくと、声を潜める。「あの人、また何かやったんですか？今はそちらにいるんですね？」

「いたんです。正確には。もう辞めてもらいましたから」

そうでしょう、そうでしょうと、彼女は嬉しそうに繰り返した。

「ちょ、ちょっと待ってください。今、社長を呼んできますから」

右手奥に、ドアのついたパーテーションで仕切られた小部屋があり、彼女はちょこまかとそこへ近づいていった。沼田さん、沼田さん大変よと呼んでいる。社長は沼田氏というらしい。パーテーションのドアが開いて、彼女と同じようなぼさぼさ髪の男性が顔を出した。私はそちらにも会釈をした。

三つの納期がいっぺんに終わって、今日はほとんどの社員が休んでいるのだという。

「電話も鳴りゃしないのは、そのせいなんです。いや、そのせいだけでもないんだけど」

私は社長室に通された。例のパーテーションの内側である。応接セットとコーヒーテーブルがあるが、実のところ空いているスペースはほとんどなかった。ダンボール軍団がこの部屋にも侵略しているし、平らな場所は、未整理のゲラや写真や刷り出しで埋め尽くされている。私が訪ねてきたとき、沼田社長は仮眠していたらしく、三人掛けのソファの上には毛布があった。今、彼はそれを尻の下に敷いている。

「片付いてなくって、すみません」

と、頭を掻いた。ラフな服装とヘアスタイルで、年齢の見当がつかない。ただ、「若く見える」のと「若作り」との、微妙な境目にいることに間違いはなさそうだった。

先ほどの女性は、「編集の岸井(きしい)です」と名乗った。ちょっと姿を消したと思ったら、缶コーヒーを三つ持って戻ってきて、混雑しているテーブルの上に、隙間を見つけてそれを置いた。

「このご時勢ですから、うちみたいな弱小編プロは、数をこなすしかないんです。おかげでみんな過労死寸前で」

言葉どおり、社長の顔も疲労でむくんでいた。

「せっかくお休みのところに、お邪魔してすみません」

「いえいえ、いいんですよ。どっちにしろ誰か電話番に出てなくちゃならなかったんだし。飛び込みの依頼ってのもありますからね」

「ほとんどないけど」と、岸井さんが言った。「さっきはごめんなさい。まさか今多コンツェルンみたいな大会社がうちに飛び込みで来るわけないんですけど、つい、白昼夢を見ちゃったんです」

私は笑った。経営が大変そうなのは見てとれるが、二人の話しぶりはおおらかだ。

「で、えーと杉村さんでしたっけ。原田さんが？」

沼田社長は、缶コーヒーを開けながら身を乗り出した。

「今度は何をやったんです？」

二人とも興味津々の目つきだ。

「その前に、教えてください。彼女がこちらで働いていたことに間違いはないんですね？」

社長と岸井さんは顔を見合わせた。社長が答えた。「ええ、いましたよ」

「三年ほど……ですよね？」

「とんでもない！　一年いなかったよな？」

岸井さんに確かめる。彼女はきっぱり言った。

「十カ月ちょっとですよ。でも、正味は九カ月ってとこかな。しょっちゅう休んでましたから」

二人でうなずきあっている。

「彼女がうちに提出した履歴書には、大学卒業後すぐこちらに就職して、三年あまり勤務したと書いてあるんです」

「あ、そりゃ嘘だ」社長は言い切る。「うちでもらった履歴書には、別のことが書いてありましたよ。何だったっけな、あの会社。やっぱりそこで編集経験を積んだって触れ込みだったんです。それも嘘でしたけどね」

岸井さんが席を立ち、急いで編集室の方へ戻っていった。「社長、あの人の履歴書、とっておいたでしょ？」

「どうかなぁ。けったくそ悪いから捨てちまったかもしれない」

私は沼田社長の顔を見た。無精ひげが浮いている。

「こちらでも、だいぶトラブルが？」

社長は、げっそりという表情をつくってうなずいた。「やられましたよ。さんざんでした」

「こちらは、ビジネス書籍の出版を？」

「彼女がそう言ったんですか？」

「ええ、まあ」

「そう見えますか？」苦笑いしながら、ダンボールの山の方に手を振ってみせる。

「PR誌が多いようですね」

「外注の、そのまた下請けですよ。卑下するわけじゃなくてね。ちゃんとした仕事しますよ。でも、零細だ。出版まで手が回りません」

「原田さんの話では、彼女はこちらで編集のイロハを覚えたそうです」

沼田社長は吹き出した。「イロハのイの書き順ぐらいは教えられたかもしれないなぁ。希望的観測。だって、どうでした？　原田さん、そちらで使いものになりましたか？」

「残念ながら」

「でしょ。ありゃ嘘つき女ですよ」

社長の寝起きの目に、怒りの色が濃く浮かんできた。ひょっとすると、ただ業務に関するトラブルだけではなく、個人的にも迷惑を被ったのではないか。

「ダメダメ、履歴書、見つからないわ」

岸井さんが戻ってきた。

「ああいうものは迂闊に捨てちゃ駄目だって言ったのに」

「もう見るのも嫌だったんだよ」

社長の険悪な顔色と、私の困惑を見比べて、岸井さんが私に向き直った。

「原田さん、仕事ができない、仕事を覚えようとしない、仲間と上手くやれない。何か注意されると、すぐトンガる。そうでしょ？」

「ええ」私は簡単に事情を話した。私の説明が、二人の頭と心にしみこんで具体化してゆくのが目に見えるようだった。音まで聞こえてきそうだった。

「ああ、同じだわ」

深い同情を込めて、岸井さんが言った。

「どんなことでも、わたしは悪くないって言う。みんなでわたし一人を虐めるって言うの」

「岸井さんも迷惑したんですか」

「そりゃもう、いろいろ」ため息をついて、社長を見た。「でも、社長ほどじゃありません。ね？」

沼田社長はうなずいた。「ストーカー呼ばわりされましてね」

原田いずみの勤務態度が悪いので、何度か注意をした。彼女が無断欠勤するので、何度も電話した。家まで様子を見に行ったこともある。それを「ストーカー」だと言われたという。

「彼女、警察に駆け込んだんですよ。僕が彼女に熱をあげてつきまとってるって、もっともらしい話をでっちあげてね。おかげで呼び出されちゃって」

警察には事情を説明したが、

「昨今は、こういうケースの場合、どうしたって女性の言い分の方が通るんですよ。どれほど潔白だって言い張っても、せいぜい灰色になるぐらいでね。灰色ってのはつまり、推定有罪ってことですから」

性的嫌がらせをしたという濡れ衣を着せられた、谷垣副編の顔が浮かんだ。原田いずみが大声でそれを訴えれば、彼もそういう扱いを受けることになるのだろうか。

「同じ手口だな」

私は、谷垣さんの名前は出さずに説明した。沼田社長の顔色が、いっそう嫌悪の色に染まった。岸井さんは深々とうなずいている。

「懲りねえ女だ」

「ホントね……」

「結局、どういう経緯で彼女は辞めたんですか。自分から辞めたんですか。それともクビ?」

「まあ、クビかな。こっちも反撃したんです」

ようやく、痛快そうな口ぶりになった。口調も生き生きと弾んでくる。

「彼女の身上調査をしたんです。そしたら学歴も職歴も、あろうことか年齢も詐称だったんですよ！　それを切り札にしましてね。ストーカー被害に遭ってるなんて嘘をつき通すなら、こっちも出るところに出るぞって脅したら、ぶつくさ言いながら辞めました」

「ぶつくさじゃなかったじゃない。泣いたり喚いたりしたわよ」

「そういやぁ、ガラスも割ったっけな」

「ひどいもんだったわ」

「ガラスって、窓ガラスですか？」

岸井さんはドアの方を指した。上部に四角いはめ殺しのガラスがはまっている。

「あれを割ったんです。何か投げて。ブックスタンドだったかしら」

これも同じだ。

「彼女は自分の感情をコントロールできないようですね」

「何もかもコントロールできてないですよ。いったいぜんたい、どうやったらああいう人間になれるんだろう。未だに不思議でしょうがない。親の顔が見たいですよ」

「実際、親御さんに連絡したことは？」

沼田社長は、顔の前で大きく手を振った。

「所在不明なんですよ。わからないんです、実家がどこだか」

「親との縁も切れてるみたいでしたよ」と、岸井さんは言って、社長の腕をつついた。

「ねえ社長。うちでごちゃごちゃ話してるより、紹介してあげたら？」

「誰を？」

「だからホラ、北見(きたみ)さん」

ああ――と、沼田社長の目が大きくなった。その顔のまま私を見返る。

「その、身上調査を頼んだ事務所があるんです。事務所ったって、個人営業の小さなとこなんですけどね」

「興信所ですか」

「う〜ん、どうかな。そう言い切っていいのかな」天井を睨(にら)んで考える。「僕としては、私立探偵と呼びたいんだけど」

岸井さんが笑った。「何か、大げさ」

「ああ、そういえば、あの女の履歴書も北見さんに預けてあるのかもしれないぞ」

会ってみますかと尋ねられた。私としては、行きがかり上、もういいですとは言いにくい。

「しかし、私がいきなり行っても、あなたが調査を頼んだ事柄を教えてはくれないでしょう」

どういう調査事務所であれ、まっとうなところなら守秘義務を負っているはずだ。が、沼田社長は気にも留めない。

「そりゃ大丈夫ですよ。僕が電話しますから。実際問題として、正式な看板掲げてるわけじゃないんで、だからあの人には何の制約もないんです。僕の知り合いってことなら、必要な事柄はみんな教えてくれます」

ずいぶんと融通のきく調査屋だ。

ためらっている私をよそに、沼田社長は電話をかけに行ってしまった。岸井さんは缶コーヒーを飲みながら、私に微笑みかけてきた。

「すみません。あんまり協力的で、かえって怪しい感じがしちゃうでしょう」

察しのいい人だ。

「社長、そちらのトラブルが他人事に思えないのね。今でも原田さんのこと怒ってるんだわ。わたしもビックリしちゃった」

「誰だって、濡れ衣を着せられるのは、たまらないですからね」

「離婚、しそうになったんです」

私は意味をつかみかねて彼女の顔を見た。

「ストーカー呼ばわりされたことで、奥さんとのあいだがおかしくなっちゃったんですよ」

「ああ、なるほど」

「一時は取引先からもヘンな目で見られましたしね。原田さんが、うちのお得意さんのとこに文書つくって送ったから」

そこまでやったのか。

「誰も俺の言葉を信じてくれないって。俺の信用はこんなものだったのか、ヒステリーの嘘つき女に太刀打ちできないのかって、自信なくしちゃって、ずいぶん落ち込んでました。可哀想でしたよ」

「今は落ち着いたんですね?」

「仕事はね。奥さんとはずっと別居してます。社長としては、原田さんの方が片付いても、奥さんに信じてもらえなかったことが、溝になっちゃったらしいんですよ」

そう言ってから、岸井さんは急にくるっと目を動かし、「あれ?」と声を出した。

「もしかして、前にこのことでお電話をいただいたことがありませんか」

あると、私は答えた。原田いずみについて問い合わせたが、個人情報なので詳しいことは教えられないと断られた旨を説明した。

「はいはいはい、覚えてます。ていうか思い出してきました」

頭を押さえ、笑いながらぺこりとする。

「ごめんなさいね。あの時はごまかしちゃって。あれ、わたしです」

契約のライターがたまたま電話を取り、何かよくわかんないけど前にここにいた原田って人のことだよと告げられた瞬間に、沼田社長も彼女も固まってしまったのだそうだ。

「うわぁ、きたきたきたよって感じ」

きっと原田さんの次の職場だよ、また揉めてるんだよ、どうしよう？

「ぶっちゃけてお話しする手もあったんですけどね。そりゃまずいよって、社長がビビっちゃって。それで原田さんがクビになったら、うちが告げ口したせいだって、彼女、またこっちに襲いかかってくるかもしれないでしょ？」

よくわかる。「ええ、ありそうですね」

その場合には、「アクト」の面々が事実を話したのではなく、あることないこと作り話をして原田いずみを中傷したという筋書きになるのだろう。彼女のなかでは、絶対にそうなるはずだ。

「だもんで、個人情報保護を楯(たて)に知らん顔しちゃえってことになったんです。本当にごめんなさい」

でも不思議ですねと、岸井さんは可愛(かわい)らしく首をかしげた。

「どうしてうちのこと、正直に履歴書に書いたんでしょう」

「もしも照会された場合、全部嘘だったということになるのを避けたかったんじゃありませんか」

それだと抗弁のしようがなくなる。屁理屈(へりくつ)をつけるのも、こっちにも言い分があると主張するのも難しい。

岸井さんは唸った。「そうですねぇ。わたしたちが彼女を怖がって、ホントのことは言わないってところまで先読みしてたとか。う〜ん、そこまで周到なことはないか」

自問自答している。

「嘘をつくって難しいですね。彼女を見てて、そう感じることはありました。すごく手間暇かけて話をこしらえても、どっかで本当のことを混ぜなくちゃならないし、それにはエネルギーも要るから、完璧にはできなくなるじゃないですか」

そうやってボロが出るのよねぇ……と、しみじみした口調で呟いた。

沼田社長が戻ってきた。勢い込んでいる。

「北見さん、つかまりました。今日これからでもいいそうですよ。事情は話しておきましたけど、僕も一緒に行こうかな」

「いえ、そこまでご迷惑はかけられません」

私は丁寧に断った。

「うちとしても、なかなか外には出しにくい話もありますし。ご紹介いただいただけで充分です。ありがとうございました」

あ、そうですかと、社長は、遊びの誘いを断られた子供のような目をした。

怒りが晴れず、仕返しもし足りない。大の大人でも、そんな気持ちを引きずることがあるのだ。寝た子は寝たままにしておけばいいのに、私が起こしてしまった。


興信所ではなく、調査事務所でもない。個人営業で看板を出していない。得体の知れない北見という人物は、フルネームを「北見一郎」といった。あるいは偽名かもしれない。根拠などない。ただの勘だ。字面だけなら、私の姓名「杉村三郎」と同じくらい平凡で目立たない。

教えられた住所は南青山二丁目だった。やはり、まったく見当のつかない町ではない。が、目的の番地にたどり着いたとき、私は沼田社長の書いてくれたメモを手に、しばらくのあいだ考え込んでしまった。

そこは、古びた都営住宅だった。

瀟洒でモダンなビルや邸宅が立ち並ぶなか、そこだけがひっそりと沈んでいる。唯一、生活感があると言ってもいい。六棟並んでいて、補修工事中なのだろう、向かって左端の一棟には足場が組まれ、灰色の壁がシートですっぽりと覆われていた。

公営住宅は、思いのほか足の便の良い場所に存在するものだ。南青山にあったところで、格別驚くほどのことでもない。

だが、ますます「北見一郎」の正体が見えなくなったことも事実だ。どういう人物で、何が正業なのだろうか。

都営住宅の敷地内には、駐車スペースと小さな公園があった。砂場とブランコがある。子供たちの姿は見えない。庭や歩路のそこここに花が咲き、植え込みには緑が溢れている。秋も終わりで、街路樹は葉を落としているのに。住人たちが熱心に丹精して、秋には秋の樹木を植えているのだろう。なかには、小さな栗の木もあった。たわわにイガイガをぶらさげている。

三号棟の二〇三号室。私は急な階段をのぼっていった。

インターフォンはない。古風なのぞき窓に、内側からカーテンがかかっていた。だいぶ色あせているが、可愛い花柄だ。ノックした。

ひと呼吸おいて、「はい」と返事があった。

近づけば近づくほど、さらに正体不明になる。北見一郎はそういう人物だった。

ドアの内側に立っていたのは、五十歳代半ばか、あるいは還暦に達しているだろうか。痩せて小柄で血色の悪い、病人のような男性だった。とてもとてもやり手の調査人には見えない。胃潰瘍に悩む役所の窓口係という感じだ。

「北見さんでいらっしゃいますか」

「お電話をいただいた、今多コンツェルンの方ですね？」

私の返事を待たず、どうぞと通してくれた。靴脱ぎのスペースに目を落とし、そこに、履き古した男もののサンダルと並んで、学生靴が二足揃えてあることに気がついた。どちらも女の子の靴だ。

「申し訳ありませんが、先客がありまして。もう帰るところですが、ちょっとここでお待ちいただけますか」

北見氏は穏やかな声でそう言った。白いシャツに灰色のベストを重ね、ジャージのような黒いズボン。足元はふかふかした室内履きだ。彼が私に差し出してくれたのは、来客用だろう、清潔だが普通のスリッパだった。

間取りは2DKだった。部屋が横に並んでいるので、玄関口から奥まで見通せてしまう。北見氏は、ダイニングとリビングを兼用したような部屋の、ダイニングとリビングを兼用したようなテーブルと椅子で、二人の女子学生と向き合っていた。

というより、正確には、さっきまで向き合っていたのだろう。彼は私のそばから女子学生たちのところに戻ると、そこに立ったまま、腰掛けて彼を仰いでいる少女たちに、

「そういうことだから、悪いけれど、もうお帰りなさい」

やはり穏やかに諭すような口調で、そう言った。

一人の女子学生がもう一人に、「ミチ、帰ろう」と囁いた。彼女は私の存在に気づいていて、

ちらちらと視線を寄越す。私は壁の方へ目をそらした。

ミチと呼ばれた女子学生は、テーブルに視線を落としてじっと動かない。二人は揃いの制服を着ていた。胸のリボンの色だけが違う。

「ね、ミチ。しょうがないよ」

ミチは根が生えたように動かない。最初の女子学生は、彼女の腕を取り、そっと揺さぶった。

「次のお客さんが来てるんだ。悪いよ。ね？」

二人は黙って立ち上がり、黙りこくったまま出て行った。「ミチ」ではない方の女子学生は帰り際に頭を下げたが、「ミチ」はうなだれていて、北見氏が「済まなかったね」と声をかけても、振り返りもしなかった。

「お取り込み中のようで、すみません」

私の紋切り型の言葉に、北見氏は微笑した。

「近所の子なんですよ。相談事があるといって来たんですが、未成年者の依頼は受けられません」

最小限の説明だが、用は足りている。

私は北見氏の後に従い、さっきまで女子学生たちがいたポジションについた。型どおりに名刺を出して挨拶をした。

「私にはお出しする名刺がありません。北見一郎と申します」

北見氏は悪びれる様子もなく言った。自己紹介の際にこの台詞（せりふ）を口にすることに、慣れきっているようだった。

「おかけになってください」

私はさっき「ミチ」がいた椅子に座った。突然、保険会社や銀行の顧客担当になった気分だった。知らない家にあがりこみ、テーブルについて、その家の主人と向き合う。

室内には、暮らしに必要なものはひととおり揃っているようだった。家電も家具も、使い込まれているが清潔で、けっして居心地の悪い部屋ではない。

が、事務所ではない。オフィスでもない。どこからどう見ても「住まい」だ。これほど濃い日常の匂いのなかで、いきなりてきぱきと話ができるほど、私は鍛えられたサラリーマンではない。

「びっくりされてるみたいですね」

北見氏に笑いかけられて、バツが悪かった。

「皆さん驚きます。当然です」

「『アクト』の沼田社長から伺って参ったのですが」

「はい、だいたいのことは彼からの電話で聞きました」

北見氏は立ち上がると、狭い台所へ入って食器棚を開けた。グラスをふたつ出す。おかまいなくと声をかけたが、彼は続いて冷蔵庫を開けた。取り出したのは冷茶のペットボトルだ。

どうぞ、と供された冷茶は旨かった。この室内は暖かい。南向きなのだ。隣の六畳の和室にはうらうらと午後の陽(ひ)があたっている。

「沼田さんはせっかちな人だから、ちゃんと説明しなかったんじゃないかと思うのですが」

親しげに弁解して、北見氏はやわらかな表情を私に向けた。

「私は正式に調査を仕事にしているわけではありません。昔、警察にいたものですから、多少のノウハウがありますので、友人知人に頼まれることがあると、調査の真似事(まねごと)をするという程度なんですよ。ですから、それで生活しているわけでもありません」

元警官だったのか。定年退官なのか、あるいは病気で職を退いたのか。

尋ねにくい。北見氏の方も、それを言う気はないようだった。すっと本題に入った。

「原田いずみさんのことなら、『アクト』で採めたときに、頼まれていろいろ調べました。沼田社長は、何でも洗いざらい教えてさしあげてくれと言っていましたが、私としてはそうもいきません」

「おっしゃるとおりだと思います」と、私はうなずいた。

「どういうご事情で原田さんの経歴を知りたいのか、詳しくお尋ねすることも控えます。初対面の私のような者に、大手の会社にお勤めの方が、いきなりぶちまけた話をするわけにはいかないでしょう。沼田さんは、一応社長という地位にあるのに、そのへんの常識がどうもわかってないんですね」

また微笑が浮かぶ。もともと一重まぶたの細い目だが、笑うと糸のようになってしまう。

警察官時代はどんな勤務ぶりだったのだろう。どの部署にいたのだろう。想像しにくい。もっとも、小中学校を回って交通安全指導——というのなら目に浮かぶ。そうだ、この人には教師のような雰囲気がある。

「原田いずみさんという人には、どうやら、自分の経歴を偽る習慣があるようです」

「そうらしいですね」

「私が調べた限りでは、彼女は『アクト』以外にも、いろいろなところで働いています。形だけでも正社員だったのは『アクト』の十カ月間だけだったようですね。あとは皆、契約社員やアルバイトです。フリーターというのですかね。どの場合でも経歴を偽っていました」

私は彼女の履歴書にあった学歴と経歴を説明した。

「彼女はさいたま市の出身で、地元の公立中学を出ています。高校は私学で、一年で中退しています」

「はあ。編集経験があると言っていたんですが」

「それは怪しいですね。ただ、どんな形にしろ彼女が働いた場所は、そちらと同じように、出版や編集に関係のあるところが多いです。好みなんでしょう。書店もありました。たいてい、半年程度で辞めたり、クビになったりしていました。『アクト』は長続きした方です」

とはいえ、調べ切れなかった部分もありますから、と言った。

「実家がわからないと、沼田さんに聞いたのですが」

「場所はわかるんですよ。ただ、転居してましてね。両親とお兄さんがいるんですが、連絡がとれません。たとえ連絡がついても、あてにはならないような気がしますね」

娘は家を出たきりで、親も家をそのまま放置して転居している。確かに、そういう家族関係では、トラブルの収拾に協力してもらえる可能性は薄いだろう。

「家でも何かあったのかもしれないですね」

私の言葉に、北見氏は微笑しただけで答えなかった。

「原田さんが現在、そちら様でも『アクト』の場合と似たようなトラブルを起こしているのだとしたら、また、警察や裁判所に訴えると騒いでいるんでしょうね」

「そういう風向きです」

「彼女は口で言うだけで、本気で事を起こしたりはしませんよ」

「でも沼田社長は警察に呼び出されたと聞きました」

北見氏の笑みが苦笑になった。

「あれは、沼田さんの対応も拙かったんです。平たく言うなら、ビビり過ぎました。あわてたせいで、彼女にしつこく電話するとか、何度も家を訪問するとか——それも常識外の時間帯に——見ようによっては本当にストーカーのように見える行動をとってしまったのがいけなかった。だから警察も疑ったわけでして」

私も苦笑をしそうになったが、沼田社長の真剣な怒り顔が目に浮かび、何とか抑えた。

「原田さんは確かにトラブルメーカーですが、実は小心者です。今多コンツェルンという大企業相手に、全面戦争をする気はないでしょう。しようにも弾がないことを、彼女自身がいちばんよく知っているのだし。あんな嘘は、調べられればすぐに露見ます」

可哀想な女性ですよ、と言った。

「この件は、杉村さんが責任者として対処にあたられているのですね？　それとも、グループ広報室の上の方の人も動いているのですか」

私が出した名刺は、テーブルの上に置いてある。が、北見氏はそれに目をやることもなく、私の名前と所属部署とをするりと口にした。

「いえ、私に一任されています」

「それでしたら、余計なお節介を申しますが、彼女に会って、諄々と理を説いてやれば、それで済むのじゃないかと思いますよ。何でしたら、私の名前を出していただいてもかまいません」

「北見さんは彼女にお会いになったのですか」

「彼女が『アクト』を辞めるときに、話し合いをしました。あのときは、ずいぶん反省しているようなことを言ってたんですがね」

元の木阿弥だったんですなぁと、少し遠い眼差しになった。

「ただ、彼女と会うときは、昼間、まわりに他人が大勢いる喫茶店のような場所をお薦めします。彼女は、騒ぎを起こせばそれに驚く関係者がいる場所でないと、騒ぎません。ただ、ホテルのティールームはいけませんよ。なぜかはおわかりになると思いますが」

今度こそ、私は苦笑してしまった。北見氏もニコニコしている。

「まさかそんなことはないと思いますが、彼女が言いがかりをつけるのをやめる対価に、金銭を要求してきたら、撥ねつけられる方が賢明だと思います」

「どういう意図で払ったのであれ、それが実績になってしまうからですね。〝実績〟というのもおかしいですが」

「本当ですねえ」

世の中、いろいろな人間がいるものですと、北見氏は言った。私もその一人ですがと言い足して、楽しそうに笑った。

冷茶を最後の一滴までいただいて、時間をとってもらった礼を述べ、私は腰を上げた。

帰り際に、何か説明の難しいあてずっぽうのような衝動が頭をもたげてきて、こう尋ねた。

「失礼かもしれませんが、もしかすると北見さんのお名前は筆名ではありませんか？」

「筆名？」

「ご本名ではないような気がしたのです。本を書いておられて、ですからそれで――」

北見氏はちょっと目を瞠った。

「杉村三郎さんはご本名でしょう？　北見一郎も本名ですよ」

そして、ずっとテーブルの上に置いたままにしてあった私の名刺を取り上げると、こちらに差し出した。

「お返ししましょう」

私は戸惑った。北見氏は続けた。

「私のように素性のはっきりしない初対面の者に、大企業の広報室の人が、あっさり会社の名刺を渡してはいけません」

遠まわしながら「偽名ではないのか」と尋ねたことで、気を悪くされたのだろうかと思った。が、北見氏の顔はにこやかなままだ。

「いいえ、お受け取りください。北見さんの素性なら、ちゃんと伺いました」

「私は嘘をついてるのかもしれませんよ」

どうやら、からかわれているらしい。

「たいていの人間は、自分の素性を偽ったりはしない」

私の名刺に目を落として、彼は言った。

「我々はみんなそう思い込んでいます。そんなことをするのは詐欺師とその同類のみだ。普通の人間なら、けっしてしない。でも現実には、普通の人間が普通の顔でそういうことをする場合もあるんです」

私は義父の言葉を思った。履歴書に嘘を書く人間などごまんといる。が、北見氏の言うことは、それとは少し意味が違うような気もする。

「原田さんの場合は――少々きつい言い方になりますが、普通とは言えません」

口元に微笑を刻んで、北見氏はきっぱりと私の言葉を退けた。

「いいえ、普通です。今時の、もっとも普通の、正直な若い女性ですよ。正直すぎると言ってもいいくらいです」

続けて、どちらの駅から来られましたか、あるいはお車ですかと尋ねられたので、もう会話は打ち切りなのだとわかった。私は、道はわかりますと応じて戸口へと向かった。

来たときよりも陽が陰り、薄暗くなった階段をおりた。

建物のあいだを抜ける歩路を歩いてゆくと、先ほど北見氏の部屋で見かけた女子高生が、公園のブランコに腰かけていることに気づいた。「ミチ」と呼ばれていた少女だ。胸のリボンの色でわかる。足元に鞄を置いて、一人きりだ。友人の姿は見えない。

彼女はうなだれていた。

しかも泣いていた。涙が制服のチェックのスカートの上にぽたりぽたりと落ちる。

公園のそばで、私は足を止めた。彼女は私に背を向けているが、距離は二メートルほどしか離れていない。

困ってしまった。

何があったか知らないが、私には関係のないことだ。通り過ぎてしまえばいい。

だが、忍びない。「ミチ」は肩を震わせて泣いているのだ。

「あの……」

まことに芸のない声のかけ方をした。

「君は、さっき北見さんのところで会った子だよね」

「ミチ」は下を向いたままだ。振り返らない。

「北見さんにどういう相談に来たか知らないけれど、だから余計なお節介だけれどね、こんなところに一人でいちゃいけないよ。そろそろ暗くなってくるしね」

秋の今頃は、むしろ真冬よりも陽が短い。現に、灰色のブロックを積み上げたような建物の落とす影のなかに、この小さな児童公園はすっぽりと呑み込まれてしまっている。

「ミチ」は深くうなだれたまま、右手をあげて顔を押さえた。目元を拭っている。

それじゃね、と不器用に言い置いて、私は立ち去ることにした。歩き出し、公園を離れる。気にかかるから、ちょっと後ろを振り向いた。

と、その時、「ミチ」の身体がふわりと横倒しになり、ブランコから転げ落ちた。

私は文字通り飛び上がった。ブランコのそばに駆け戻ると、おい、君、君と呼びかけながら「ミチ」を抱き起こした。蒼白で、目が閉じている。顔にも髪にも砂がついている。とっさに脈をみようとつかんだ手首は冷え切っていた。

誰かが駆けてくる足音がした。見上げると、北見氏だ。サンダル履きで走ってくる。一直線に我々のそばまで来ると、「ミチ」の傍らにかがみこみ、

「古屋さん、古屋さん」と呼びかけた。少女は反応しない。ぐったりしている。

「救急車を呼びましょう」私は携帯電話を取り出した。「ここは何という団地です?」

「南青山第三住宅と言えばわかるはずです」

私が電話をかけているあいだ、北見氏は少女を守るように抱きかかえていた。うっかり落として壊してしまった人形——自分のものではないけれど、誰かが大事にしている——を拾い上げて、取り返しのつかない失策に怯えている、小さな男の子のように見えた。

4

「あなたは一緒に救急車に乗っていかなかったのよね？」と、妻が問いかけた。

私は箸を握った手で自分を指した。「乗っていったら、今ここにはいないよ」

「ミチ」を乗せた救急車には、北見氏が乗り込んだ。私はそれを見届けて、駅へと向かったのだった。

「キュウキュウシャ？」と、桃子が発言した。「お父さん、キュウキュウシャにのったの？」

「乗らないよ。お父さんは元気だ」

「桃子、きちんと座ってご飯をお食べなさい」妻がぴしりと言う。「お父さんとお母さんは大事なお話をしているの。少し静かにしていてね」

ハイと、我が娘は答えた。妻の子育てはかなり厳しい。

「じゃ、そのまま帰ってきたのね」

「もちろんさ。気になったけど、どうしようもないからね」

そこまで関わる間柄でもないしね、と言い足した。

「そうね。その言葉を聞きたかったの」

ようやく気づいたのだが、妻は少しばかり私を怒っているようなのだった。

「あなた、知らない人のことに首を突っ込み過ぎよ。その女子高生だって、最初から声なんかかけないで通り過ぎてしまえばよかったと思うわ、わたし」

「それは僕もそう思うよ」

ただ、見るに見かねる感じがあったのだ。

「どんな素性の女の子なのかわからないわ。大人の男の人が一人でいる家に、ノコノコ訪ねてくなんて」

「一人じゃなかった。友達と二人で来ていたんだよ」

「それだって」妻は頬をふくらませ、「常識的なふるまいには思えない。それともわたし、今時の女子高生に偏見を抱いてるのかしら？」

「多少、ね」と、私は答えた。「でも、君の言うことはよくわかるよ。今後はお節介をやめにする」

妻が機嫌を直すまであと十五分ほどかかった。それはつまり、私が彼女の頭を、新しい家の改修計画の進捗状況と、転居に向けた準備のあれこれに関する話題へと切り替えさせるまでに要した時間である。

私自身、本当にこの時点では、もう北見氏にも「ミチ」にも会うことはないだろうと思っていた。そんな機会もないだろう。

それよりも、原田いずみの方が問題だ。もともと、そちらが本題なのだ。

翌日、今度は午後になってから彼女の携帯電話にかけてみた。本人が出た。

私は名乗り、用件を話そうとした。彼女は聞いてくれなかった。

「そのことだったら、弁護士さんに相談してますから」

「そのことというのは、手紙に書いてあった事柄ですか」

「決まってるでしょ」

今日もうららかな好天だが、彼女の心境は嵐のままのようだ。

「あのような事柄が、本当に起こったと主張するつもりでいるのですか」

「手紙、届いたんですよね」

「確かに受け取りました」

「だったら、どうして会長の秘書の人とか、顧問弁護士とかが出てこないんですか。なんで杉村さんなの？　わたしのこと軽く見てるわけよね。それが問題だって言ってるの」

きつい口調で早口に言い放つ。彼女はいつもそうだったが、まず自分で腹を立て、それを言葉にして口に出し、その言葉に自分で自分を煽って（あお）てしまってさらに怒る。その悪循環が疾走する車輪のような速さで回るものだから、周囲の人間は、あれよあれよという間に怒りの頂点まで上り詰める彼女についていくことができず、一方的に言いまくられてしまうのだ。

「とにかく、こっちは弁護士さんからいろいろ通知してもらいますから。正式に裁判を起こすまでは、わたし、そちらの人と一切話をしないようにって言われてるし」

電話は切れた。こちらだって法務部が腰を上げる可能性があるんだぞと、匂わせる手もあると忠告してくれたのは誰だったかな。会長、私はそんな隙を与えてもらえませんでした。

まあ、しかし、本当に原田いずみが弁護士を雇っているならば、むしろ話は早い。少なくともその弁護士は、彼女よりは落ち着いて対話のできる人物だろうから。

それを待とうと、私は決めた。何ひとつ抗弁できなかったのが歯がゆい。彼女の経歴が嘘ばかりで、今までにも数々のトラブルを起こしていることを、こっちはちゃんと知っているんだと突きつけてやれなかったのも不甲斐（ふがい）ない。だからといって電話をかけ直しても、また同じ羽目になるだけだろう。それこそ大人気ない。

私は日常の業務に戻った。

それから三日後の午後、突然、古屋暁子という女性から電話をもらった。瞬間、原田いずみの雇った女性弁護士だと思った。だから、相手が話し始めると、ぽかんと拍子抜けした。

「北見一郎という方からご紹介をいただいてご連絡をしております。わたくしは古屋暁子と申しまして、古屋美知香（みちか）の母親です。このたびは、美知香がたいへんご迷惑をおかけしまして」

非常にてきぱきして明瞭（めいりょう）な話し方なので、かえって、すぐついていくことができなかった。無駄を省いた説明のなかに、初めて聞く名前が二つ入っている。「北見一郎」だって、先週耳に入ったばかりの名だ。

「古屋さん、ですか」

「はい。先週の木曜日に、美知香が北見さんのお宅をお訪ねしまして、具合が悪くなりました。そのとき、杉村さんにもお世話になったと」

ああ、あのと、私は大きな声を出した。編集部員たちが何事かとこちらを見る。何でもない何でもないと、私は手振りで示してみせた。

「そうでしたか。あのお嬢さんが美知香さんとおっしゃるんですね」

美知香。「ミチ」だ。

「はい。本当に申し訳ございません」

「とんでもない。僕は迷惑などしていません。それより、お嬢さんの具合はいかがですか」

「おかげさまで、たいしたことはありません。病院で点滴を受けたら、すぐよくなりました」

「ああ、それはよかった。重いご病気ではなかったんですね」

「はい、ただの栄養失調でした」

ちょっと切り返す言葉に困った。風邪でも貧血でもなく、

「栄養失調――ですか」

「はい。少々事情がありまして、娘はこのところ満足に食事をしていなかったんです。わたくしも心配していたのですが、親の言うことを聞いてくれませんで。それで、外出先であんな騒ぎを起こすようなことになってしまいました」

あくまでも明瞭なビジネス口調で言う。心配する母親というよりは、顧客に業務上のミスについて釈明する社員という印象だ。

「お時間をいただくのは恐縮なのですが、一度娘を連れてお伺いしまして、きちんとお礼とお詫びを申し上げたく存じます。ご都合はいかがでございましょうか」

とんでもない、お気遣いなくと言った。

だが先方は譲らない。この声と口調から推すに、物堅い女性なのだろう。娘に対する躾も厳格そうな感じがする。

結局、会うことになった。私も少し、興味を惹かれたせいもある。

今日これからでもかまいませんと、古屋暁子は言う。ならば早い方がいいと、私は、それでは午後二時に、このビルの一階にあるコーヒーショップ「睡蓮」でと申し出た。彼女は礼もてきぱきと述べて電話を切った。

隣のパソコンで加西君がキーを叩いていたので、私は小声で尋ねた。

「年頃の女の子が栄養失調になるというのは、どんなケースだろうね？」

彼はディスプレイから目を離さず、即答した。

「摂食障害ですね」

「拒食症ってやつか」

「そうです。でもあれは、たいてい、拒食と過食とが交互にくるものだとかって」

マウスを操る手を止めて、さっと私を見た。

「まさかお嬢さんが？」

「いやいや。うちの子はまだ幼稚園児だ」

「ですよねえ。でも近頃じゃ、小学校の高学年ぐらいから起こる場合もあるそうですよ」

不安な話である。

「睡蓮」は馴染みの店だ。コーヒーも軽食も旨い。昼休みに電話番を買って出て、一時から休みをもらい、クラブハウス・サンドイッチで昼食にした。二時にここで客に会うので奥のボックス席を頼むとマスターに言うと、

「お客さんて、女性？」と訊かれた。

「そうだけど」

「じゃ、美人だね。杉村さん、美人に縁があるからよ」

マスターは、黙っていれば一流ホテルの支配人のような紳士なのだが、しゃべるとくだけたおっさんになってしまう。

「もうだいぶ前のことだけど、ほら、同じボックス席で美人としょっちゅう会ってたじゃないの。美女が二人、代わりばんこに来てさ」

ほぼ一年前の出来事——梶田姉妹のことだろう。私には薄い苦味のついた思い出だ。

そういえば、確かに彼女たちともあのボックス席で会ったのだった。

「今日これから会う人は、お母さんと娘さんの二人連れですよ」

「そういうのもまたいいねぇ」

マスターは妙に美しい誤解をしている。

一人の昼食にかかる時間などたかが知れている。二時までの時間を、「睡蓮」備え付けの新聞各紙をじっくりと読んで過ごした。東京新聞の生活面で、「お受験」についての特集記事を見つけたので、とりわけ熱心に読んだ。やはり、面接では、受験する児童よりも、むしろ両親の人となりや態度が重視されるらしい。

広げた紙面の上に、にゅうっとマスターの影が落ちたので、私は顔を上げた。

「お約束のお客さん」

マスターは彼の後ろにいる長身の女性に道をあけた。女性がきれいな仕草で私に頭を下げた。すると、彼女の陰に隠れていたミチ――古屋美知香の姿が見えた。今日は私服姿だが、表情は、あの児童公園で見かけた日と同じように暗かった。

私はあわてて新聞をたたみ、立ち上がって一礼した。長身の女性は半歩下がり、私よりもはるかに優雅に挨拶を続けた。

「お電話いたしました古屋暁子です。急なお願いでしたのに、お時間を割いてくださいましてありがとうございます」

あのてきぱきとした電話の主は、肉声でも淀みなくしゃべった。耳がそっくり見えるショートカットの髪。今年流行の、細身のツイードのスーツと、黒のパンプス。かなり使い込んだ様子の黒のショルダーバッグは、Ｂ４サイズのファイルが入る大きさだ。一見して「働く女性」であり、有能そうに見えた。四十歳くらいだろうか。

「杉村です。かえってご丁寧にすみません」

私が彼女たちに椅子を勧めると、母は娘を促して窓際の席に座らせ、自分はするりと隣に腰かける。流れるような美しい動作だ。高校生の娘は、座るとすぐに、窓の外へと目をやった。眩(まぶ)しそうだった。

マスターがお冷やを運んできて、古屋美知香の眼差しに気づいた。

「ああ、眩しいね。日除(ひよ)け下げましょう」

親しげにそう言った。と、美知香が素早く目を転じて彼を見上げ、きっぱり言った。

「いいです。このままで」

私が初めて耳にした、彼女の声だった。

ひとしきり、古屋暁子の独演会で、私は彼女の丁重な詫びと礼に聞き入った。私は、そこまで謝られるような迷惑を受けていないし、そんなに感謝されるようなこともしてはいないが、彼女の口調には実(じつ)があり、耳に快かった。

差し出された名刺を見ると、彼女はトワメル・ライツという外資系証券会社の社員であり、同社のファイナンシャル・プランナーであり、セカンド・マネジメントという部署に所属しているということだった。つまり、この快い声と口調の、半分は持ち前の美質だろうが、あとの半分は職能なのだろう。

話しながら、彼女の眼差しが、隣にいる静かな娘の横顔へとすっと逸(そ)れることがある。美知香はそれに反応しない。眩しげな表情も消えて、また視線を落としている。

「それにしても、元気になってよかったね」

話の区切りに、私はできるだけ大きな笑顔をこしらえて、美知香に話しかけた。

「あのときは、本当に驚きました。頭のなかが真っ白になってしまった」

申し訳ありませんでしたと、母親がまた頭を下げる。その横に並んで、美知香はただうなだれているだけだ。

「北見さんが駆けつけてくれなかったら、私一人じゃおろおろするだけだったでしょう。あのあと、北見さんには会ったのかな?」

私は美知香に話しかけているのに、答えるのは母親の方だった。

「つい昨日、お詫びに伺ったばかりです。あの日、病院でお会いしたときには、わたくしもうろたえていて、ろくにご挨拶もできなかったものですから」

「ああ、でもそれは無理もないですよ。お母さんがあわてるのは当然です。美知香さんは北見さんと話せたの?」

私の頭には、あの日、美知香が何事かを北見氏に依頼し、それを断られたあとに、一人で泣いていた——ということが引っかかっている。彼女が「満足に食事をせず」栄養失調になどなったのも、その「依頼」と何らかの関わりがありそうな気がした。

また、母親が答えた。「いいえ、昨日はわたくしが一人で参りました。北見さんに、あまりお時間がなくて」

「ああ、そうでしたか。私も北見さんとはあれ以来ぷっつりなんですが——」

「親切な方ですわね、本当に」

古屋暁子は端正な笑顔をつくって、私にうなずきかけた。私は遮られた気がした。ええ、北見さんはとても良い方です。それ以上、お話しすることはありませんわ。

一方、美知香は黙りこくっている。

よくある過干渉な母親のように見えて、ちょっと違うと、私は気づいた。なぜなら古屋暁子は、娘に向けられた問いかけに先回りして答えたあと、当の娘に向かって、いちいち押し付けがましく「ね、そうよね？」とおっかぶせたりしないのだ。自分の言葉を言うだけ言いっぱなしである。また美知香も美知香で、母の勝手な返事を黙殺している。お互いに承知の上で、互いを無視しあっているかのようだ。

マスターが通路をこちらに近づいてきて、目顔で私の注意を引いた。

「杉村さん、電話」

ちょっと失礼と女性たちに声をかけて、私はマスターの後について行った。この店の電話はカウンターの奥にある。が、カウンターの内側に入るとすぐに、電話が保留状態になっていないことに気がついた。

考えてみれば、妻であれ部内の誰かであれ、私に用があるとき、ここに電話してきたことはない。携帯電話というものがある。

マスターは私の袖を引っ張り、古屋母娘(おやこ)から隠れるように、ずらりと並べたコーヒー豆の缶の列の陰に入った。そして声を潜めた。

「杉村さん、あんた、あの人が誰だかわかってないよね？」

「誰って？」

あ、やっぱりわかってないねと、マスターは色めき立つ。

「私(あたし)も声しか聞いてないけど、間違いないと思うんだ。あの記者会見は、ニュースでさんざん見たから」

「記者会見？」

何を言っているのだ。

「あの人、もしかすると古屋さんというのじゃない？　古いに、屋上の屋と書く」

「ええ、そうですよ」

「ああ、それじゃホントにあたりだよ」

マスターは肉厚の掌で、私の肩をぱんぱんと打った。

「ほらほら、覚えてない？　例のさ、青酸カリの事件さ。無差別に何人も殺されたじゃないか。古屋さんて人も、その被害者の一人だよ」

私は目を瞠った。

「ちょ、ちょっと待ってください」

マスターは待たなかった。「古屋さんの件はね、確か九月のなかばだったと思うよ。何日だったかな。日にちまでは忘れちまったけど。犬の散歩に行ってさ、コンビニでウーロン茶だか牛乳だかを買って飲んで、道端で倒れたんだ」

「じゃ、そのウーロン茶に青酸カリが？」

「そうさ。杉村さん、まさか本当に事件のこと何も知らないっていうんじゃないだろうね？　一時は、テレビのどのニュースもこれで持ちきりだったんだよ」

もちろん私も、一連の青酸カリ混入による無差別殺人事件のことなら知っている。最初の事件が起こったのは春先のことだったはずだ。それからひと月、いや、ひと月半ほど経ってからだったろうか、二つ目の事件が起こり、三つ目が起きてまた犠牲者が出て、その後——

記憶があやふやだ。近頃では、この一連の事件の続報を、新聞やニュースで目にすることさえなくなっている。解決したという報道があったわけではないから、捜査中なのだろうが。

「だけどマスター、古屋さんはあそこでぴんぴんしてるんですから」

マスターは目を剝いた。「だから、私だってあの人が青酸カリで殺された人だなんて言ってないよ。あの背の高い美人は遺族ですよ。亡くなった人のお嬢さん」

「あ、はぁ」

「事件が起きた時、あの人、記者会見に出てきたんだよ。私はそれを見たの。もちろんテレビだけどさ。顔は出してなかったけど、声は肉声だったからね。あの人、ちょっとハスキーな良い声してるでしょう?」

言われてみればそうかもしれない。

「耳に覚えがあったんだ。古いに屋と書くフルヤさんて名字は珍しいしね」

何度かうなずいて、私はマスターの顔を見た。

「それはわかりましたけど、で、何です」

「何ですって」

「いや、だから僕は」

マスターはまた私の肩をぱしりと張った。

「嫌だなぁ、杉村さん。しっかりしてくださいよ。去年は、あんた一人で見事に轢き逃げ事件を解決したんでしょ?」

私は大いにうろたえた。「マスター、何を言ってるんです? 何か勘違いをしてますよ」

「勘違いって、会長の運転手を轢き殺した犯人を捕まえたんでしょ、杉村さん」

マスターは、グループ広報室がこの古い三階建てのビルのなかにできる以前から、ここでテナントとして商売している。通算すれば十二年というから、立派な先輩だ。店名は何度か変わり、その都度営業内容も少しずつ変えてはいるが、基本的にはコーヒーと軽食の店で、どの店も評判がよく、客がついていた。だから折々のリニューアルは、純粋にマスターの気分転換のためのものだろう。

　客商売でひとところに永くいれば、それだけの人脈ができる。結果としてマスターは、居ながらにして、今多コンツェルンという企業とその周辺に関する事情通になった。私などまるで関知しない本社の細かい人事異動や、取引先とのトラブルについて、マスターが詳しく知っていて驚かされたことが何度もある。

　が、マスターのつかむ情報はやはり流動的で、噂が主体だから、どうしても細部が不正確なことがある。今のがその典型だ。

「僕は刑事でも探偵でもないんですから、轢き逃げ事件を解決なんてしてませんよ」

「あらそうなの？　私は、犯人が挙がったのは杉村さんのお手柄だって聞いたけどね」

「誰がそんなことを言ったのか知りませんが、それは間違いです。僕は何もしていませんよ。轢き逃げ事件は、警察がちゃんと捜査して解決したんです。それに、轢き逃げ轢き逃げというのも大げさだ。自転車だったんだから」

　マスターはちょっとムッとしたようだった。

「四輪だろうと二輪だろうと、轢き逃げは轢き逃げだよ。自転車だって、人を撥ねたらえらい怪我をさせるんだよ」

「知ってますよ。僕も撥ねられたことがありますから」

「あらそうなの。よく無事だったね」

　ドアが開いて、男女取り混ぜたグループ客がどやどやと入ってきた。品のいい年配の紳士淑女たちである。この近くには、著名な銀行家が集めた美術品を展示した個人美術館があるので、昼間はよくこういう客が来る。マスターは首を伸ばし、愛想よく、「いらっしゃいませ」と挨拶を投げた。

「今の話、誰に聞いたんですか」

「だからテレビの記者会見」

「そうじゃなくて、轢き逃げの話の方です。うちの編集長ですか」

園田編集長はここのメキシカンピラフが好物なのだ。

「忘れちゃったなぁ。はいはい、只今(ただいま)参ります」

メニューを持って、新来の客たちのテーブルへ行ってしまった。

仕方がない。私はカウンターから出て自分の席へと引き返した。こちらに背中を向けて座っている古屋母娘が見える。美知香は依然うなだれており、母親はわずかに小首をかしげた姿勢になっている。二人きりになっても、やはり会話はないようだ。

私は困った。今聞かされた半端な情報を、顔に出すわけにはいかないし、さりとてどこにしまったらいいのかもわからない。

「失礼しました」

元の席に座る。とりあえず冷めたコーヒーを飲む。古屋暁子は小首をかしげたまま私の顔を見ている。

「すみません、お話の腰を折りまして」

私は愛想笑いをした。

「えーと、そうそう北見さんですね。実は私は、あの日初めてお会いしたんですよ。仕事でちょっと、紹介してくれる人がいましてね」

「先に美知香がお邪魔していたそうですね」

「そうなんです」

私はまたコーヒーを飲んだ。どうにもこうにも居心地が悪い。

すると、古屋暁子がうっすらと微笑んだ。

「あの、もしかしたら」と、首を真っ直ぐに起こして、正面から私を見た。

「わたくしどものこと、ご存知なんですね。お店の方が気がついたとか？」

図星である。しかし私は、うなずいたり返事したりする前に、思わず美知香を覗（うかが）ってしまった。

彼女は微動だにしない。秋の日差しを受けてうつむく少女の像だ。

「あ……はあ」

間抜けな声を出してしまった。

古屋暁子はふうっと大きく息を吐いた。口元が緩んで微笑が広がる。

「やっぱり、記者会見なんてやめておけばよかったわ。上司に勧められたんです。マスコミに対して、一度きちんと会見をする。そのかわり、これ以降の取材は断る、自宅や学校まで追いかけてくるなと取引しろって。あちらじゃ、そういうドライなやり方も通用するんでしょうけれど――」

彼女の勤めるトワメル・ライツ社は米国資本の会社である。上司はあちらの人なのだろう。

「申し訳ありません」私は謝った。

「いいえ、いいんです」

古屋暁子は軽く指先を振った。その仕草は、とても外人的だった。それでいて様（さま）になっていた。

彼女の姿勢の良さ、てきぱきとした口調と立ち居振る舞いに、美しさと同時に何かしら珍しいものを感じていた私は、やっと得心がいった。間違いなく英語も堪能なのであろうこの女性は、日本にいながら、英語圏の文化に馴染んでいるビジネスウーマンなのだ。

「青酸カリで殺されたのは、わたしの父なんです。古屋明俊と申します」

ここで、この店に来て初めて、労わるような優しい眼差しになり、傍らの娘を見返った。

「美知香の祖父です。とても……優しい人でした」

私は姿勢を正して頭を下げた。「お慰めする言葉も見つかりませんが、深くお悔やみ申し上げます」

「ありがとうございます」

彼女は美知香から目を離さず、穏やかな声で応じた。

「どう嘆いても憤っても、父は還りません。しっかり暮らしていくしかないのですが」

彼女の眼差しと、頑なにうつむき続けてひと言も発しない美知香とを見比べていると、その先に続く言葉がわかった。

(でも、それは容易なことではありません)

出し抜けに、美知香が立ち上がった。テーブルの上のカップやグラスが揺れた。

「あたし、帰る」

しゃにむに母親を押しのけて、テーブルから離れようとする。

「美知香!」

「先に帰るから。どいて」

私はあわてた。「あ、ちょっと待って。いやその」

不用意に彼女に触れてはいけないので、私はおろおろと手を振った。

「僕はその、こんな辛い話を面白半分に聞くつもりなんかないんですよ。僕なんかたいしたことをしたわけじゃないのに、わざわざこうして来てもらって、かえって恐縮です。ありがとう」

そして古屋暁子の目をとらえ、「どうぞ、もう——」と、促した。

古屋暁子は私にうなずき、椅子から横にすべり出た。美知香はそれを待ちきれないように、母親を押しやり、通路に出ると、振り返りもせず走るように出て行った。

母親がその後を追いかけてゆく。パンプスのヒールが床を打ち、ドアがあわただしく開閉する。

私は突っ立ったまま二人を見送り、それからすとんと腰をおろした。

カウンターの奥から、マスターも乗り出すようにしてその様子を見ていた。私が一人になると、今にも跳ね板を持ち上げて出てきそうになって、実際カウンターに手をかけたのだが、どういうわけかすぐくるっと回れ右をして、とってつけたようにグラスを磨き始めた。

私は驚いた。ドアが開いて、古屋暁子が通路を戻ってくるのだ。

「失礼いたしました」

手短にそう詫びて、私の向かいに腰をおろす。私は面喰(めんく)らっていた。

「あの、お嬢さんは」

「近くを散歩してくるそうです。本屋さんにでも行くでしょう。昼日中ですから心配ないわ」

少し強張(こわば)った笑みを、私に投げた。

「大丈夫です。ああいうときは、むしろ一人にしておいてやった方がいいみたいで」

窓の方に目をやって眩しそうな顔をした。

「杉村さん、もう少々お時間をいただいてもよろしいでしょうか」

「は？　はい、私ならかまいません」

「ありがとうございます」

彼女は初めてコーヒーカップに手を伸ばした。まったく手付かずのまま冷めてしまっている。

私は手をあげてマスターに合図した。コーヒー、二つ。マスターはぶんぶんとうなずいた。

「ちょうどよかった、と言ったら語弊がありますが」

カップをソーサーに戻し、古屋暁子は言った。

「今日、美知香を連れてくるかどうか迷っていたんです。お礼を申し上げるならあの子も一緒に来るべきですが、実はわたくし――杉村さんにお伺いしたいことがありまして、それには美知香が同席しない方がよかったので」

マスターが速攻でコーヒーを運んできた。手早くテーブルの上を片付け、新しいカップを並べる。ついでに日除けも半分下げていった。

マスターが去ると、古屋暁子は続けた。

「美知香は倒れたとき、北見さんのお宅にお邪魔していたんですよね？」

「そうですが……お母様は詳しい事情はご存知ないのですか」

「美知香が話してくれないんです。そのせいか、北見さんもおっしゃりにくいようでした」

私は、私が北見氏の家を訪ねてから、児童公園で美知香が倒れるまでの経緯を説明した。

完璧に描いた眉をかすかにひそめて、古屋暁子は呟いた。「やっぱり……」

「やっぱり？」

「ええ、たぶんそうじゃないかと思っていたんです。美知香と一緒に北見さんをお訪ねしたのは、木野(きの)さんだと思います。美知香の同級生です」

「仲良しの友達ですか」

「ええ、まあ」

苦味を含んだ返事だった。母のわたくしとしては、歓迎できる友達ではないのだというニュアンスがある。

「木野さんはあの団地に住んでいるんです」

「ああ、それで」

北見氏が私に、二人の女子高生を指して「近所の子だ」と言ったのだ。

「わたしは最初から反対でしたし、美知香にもきつく言い聞かせたんですが、やっぱり木野さんに頼んで連れていってもらったんですね。あの子、病院では木野さんの木の字も言わなくて」

苦味を通り越して、怒気をはらんでいた。事情はまだよくわからないが、美知香が救急病院で、駆けつけてきた母親に、木野という友達のことを言わなかったのは、まさにこうなることがわかりきっていたからだろう。

「北見さんという方は、何かの調査員をしているそうですね?」

ナニカノチョウサインという言葉に、若干の棘(とげ)があった。

「そのようです。私もあの日会ったばかりで、詳しいことは知らないのですが」

「でも、杉村さんはお仕事でいらしたのですよね。それは今多コンツェルンのお仕事なのでしょう?」

私は苦笑いをしてみせた。「そうなのですが、本社とは何の関係もないんです。うちで雇った――うちというのは、私の所属しているグループ広報室という意味でして――アルバイト社員の職歴のことで、照会に行っただけでして」

まあ、と、古屋暁子は目を見開いた。

「そうなんですか、ああ、それならねぇ」

やっとすっきりした、という顔だ。

男女を問わず、会社組織に属している人間は、個人を判断する際にも、その個人がどんな組織と関わっているかという要素を、ことのほか重大に受け取る。古屋暁子もそうだ。

彼女にしてみれば、個人で営業している「何かの調査員」北見一郎という人物は、それだけで充分以上に怪しい。だから、美知香が友達に紹介してもらって彼に何かを依頼しようとするのを、きつく叱って止めた。が、美知香の昏倒（こんとう）騒動があって、北見一郎という人物は、今多コンツェルンという大企業の仕事をしているらしいという新しい要素が出てきた。それをどう解釈したらいいか、ずっと困っていたのだろう。場合によっては、北見一郎の人物採点を考え直さなければならないかもしれない。

「じゃあ、杉村さんも、北見さんがどんな人物なのかご存知なくて当然ですね」

「はあ、まあそうです」

「その照会は済んだのですか」

「ええ、用は足りました」

「じゃ、今後何か依頼されることは」

「ないでしょう」

古屋暁子は、大きく二度うなずいた。私はその動作のなかに、彼女が「北見一郎」という人物をくるくるっと丸め、ぽいとゴミ箱に捨てる様子を見て取った。

結局、わざわざ私を訪ねてきたのも、この一点を明らかにしたいからだったのだろう。それが証拠に、彼女は急にひと仕事終えた感じになり、今度は冷めないうちにコーヒーに手を伸ばした。

しかし、私の方はそうもいかない。北見氏の家で見かけた美知香の顔と、児童公園で倒れたのが「食事がとれなくて」栄養失調を起こしたせいだということと、彼女の祖父の横死の事実とを思い合わせるならば――

「詮索するつもりではないんですが」

前置きして、私はゆっくり切り出した。

「北見さんのところで会ったとき、美知香さんは真剣そのものというか、かなり思いつめた様子でした。現に、北見さんに断られても、ああして一人で公園に残っていたのですしね」

古屋暁子の目つきが険しくなった。

「あの子が倒れたとき、木野さんも一緒だったんでしょう?」

「いいえ、そのときは彼女はもういませんでした。北見さんに断られたときも、なかなか諦めがつかない様子の美知香さんを、木野さんが宥めて、連れて出たんです。私にはそのように見えました。木野さんは心配そうでした」

一度会ったきりの女子高生だが、かばうような気持ちになってしまった。

「美知香さんは、木野さんから、同じ団地に住んでいる北見さんが腕のいい調査員だと聞いて、何かを依頼しに行ったのでしょう。ああ、そうそう」

私は「アクト」の沼田社長の言葉を思い出した。「私に北見さんを紹介してくれた人は、彼は私立探偵だと言っていました」

「私立探偵」

片眉をちょっと吊り上げて、古屋暁子は繰り返した。ナニカノチョウサインと言ったときよりも、さらに棘の数が増している。

「美知香さんは何を依頼したんでしょうね」

たとえそう聞こえたとしても、これは修辞的な質問だった。私には答がわかっていた。古屋暁子も、私がわかっていることをわかっていた。

この店のコーヒーは、普段ブラックで飲まない人でも宗旨変えをしたくなるほどに旨い。砂糖やミルクを入れてはもったいないと思うくらいだ。が、そのコーヒーを飲み干し、彼女が寄越した返事は、苦味に溢れていた。

「父の事件を調べてくれと頼んだそうです」

それ以外にはないだろう。

「美知香さんは、お祖父さんを失ったことで、とても深く傷ついているようですね。食事がとれないというのも、それが原因ではないんでしょうか」

「ええ、そうなんです」

怒りと疲労に染まったため息が、古屋暁子の口から漏れた。

「事件があるまでは、健康優良児みたいな子だったんですけれど。ちょっと太り気味でしたけど、ダイエットするダイエットするって言っては、続かなくて。甘いものが大好きで」

今の美知香は、痩せ細ってこそいないが、とてもダイエットを気にしなくてはならない体型には見えない。

「父が死んでから二カ月で、あの子、八キロ痩せました。一時は何も食べられなかったんです。何か口にすると、すぐ吐いてしまって。それでも、この半月ぐらいでやっと持ち直してきて、一日一食は何とか食べていたんです」

「あの年頃に、それじゃとても足りません。栄養失調にもなるわけですね」

古屋暁子は目を伏せた。すると、少しうつむいた顔が、たいそう美知香と似て見えた。

「わたしは、社でカウンセリングを受けているんです。メンタルケア専門の契約医がいるので」

いかにも外資系企業らしい福利厚生だ。

「父のことがあって、わたし自身も一時はおかしくなりそうだったんですよ。眠れないし食べられないし」

「無理もないことです。お察しします」

ありがとうございますと、古屋暁子は几帳面に返してきた。

「わたしが何とか立ち直れたのは、カウンセリングのおかげです。いい先生なんですよ。だから美知香も診てもらえないかと上司に相談したら、ＯＫが出たんです。それなのにあの子、病院には行かないって」

あたしに必要なのはお医者なんかじゃない。それはお母さんだって同じはずだと、美知香は怒って叫んだそうだ。

「何が必要なのだというんでしょう」

私の問いに、古屋暁子は息を止めた。ぐっとこらえるようにして宙の一点を見つめ、言った。

「正義だと」

痛ましい。

「犯人を捕まえてくれ、ということですね」

「早く捕まえて、死刑にしてほしいと」

古屋暁子は首を振った。前髪が乱れて額に落ちかかった。

「わたしだって同じ気持ちです。でも、いくら願ったたって、空頼みだという気がするんです。だって日本の警察は、ああいう事件を解決できたことがないじゃありませんか。似たような毒物混入事件は過去にも起こってるけれど、犯人が捕まったなんて聞いたことないし」

「捜査の進み具合はどうなんでしょう。ご存知ですか」

「ほとんど何も教えてもらえません。わたしたち遺族なのに、蚊帳の外です」

近頃では、そうした警察の秘密主義も少しは緩和されてきたと、何かで読んだ記憶がある。が、それはあくまでも概観すればの話であり、まだまだ理想論なのだろうか。

「というより、遺族だからなおさら教えないのかもしれないけど」

私がその意味を問おうとする前に、口元をひん曲げて笑いを浮かべながら、彼女は続けた。

「わたしは容疑者なんですよ。今でもそうだと思います」

「とおっしゃいますと……」

「警察のなかに、わたしが父を殺したんじゃないかと疑う向きがあるんです」

私は大仰に驚いた仕草をしてみせた。

「そんなバカな話はない。無差別毒殺事件なんですから」

「だから、父のケースは無差別ではないという解釈をしてるんですよ。以前の事件に便乗して、無差別殺人に見せかけて、わたしが父を殺したと」

私は黙ったまま古屋暁子の顔を見つめた。

「ひどいでしょう?」と、彼女は微笑んだ。突っ張ったような笑みだが、取り乱してはいないし、怒ってもいない。ただ疲れたような目だ。美知香がそばにいたときは、こんな目の色はしていなかった。

「実を申しますと、私はあの一連の事件の詳しいことをよく覚えていないのです」

私は正直に白状した。

「しかし、新聞やニュースでは、もっぱら、同一犯による連続無差別毒殺事件だと報道されていたと思います。それ以外の説を耳にしたことはありません。もしその可能性があるなら、それはそれでまた大騒ぎになったでしょうし……」

古屋暁子はうなずいた。「杉村さんのおっしゃるとおりです。だいたい、このごろでは、事件のことがニュースにならなくなってるでしょう？　それで助かりましたけどね。父親殺しの疑いがあるなんて書き立てられたらと思うと、ぞっとします。でも、警察がわたしを疑ってることは事実なんです。美知香は根掘り葉掘り訊かれてましたし」

これまた外人的に、とても上手に肩をそびやかせると、

「わたしも、父があんな目に遭うまでは、それ以前の事件のことを、さほど気にしてはいなかったんです。三件とも、都内で起きたわけじゃなかったし」

「そうでしたっけね」

「ええ。最初の事件がさいたま市で、次は横浜でしたよ。三件目がまた、さいたま。最初の事件と三番目の事件は、距離的にも近いところで起きてるんです。ああ、ですから」

声を落とした。

「いろいろ質問攻めにされているときに、わたしも少しは探りを入れてみたんですけど、その感触では、警察は、二件目の事件のことも疑ってるみたいですね。あれは別件だと。やっぱり、亡くなった方の身近な人の仕業だと思っているようでした」

最初の事件への便乗ということか。

「ですから、何ていうんですか、捜査本部？　それも、てんでんバラバラに活動してるみたいで

すよ。あくまでわたしの感じたところでは、ですけど」

爆心地にいる人の観測だ。まったく見当違いというわけではないだろう。

「そんな現状にイラついて、美知香さんは探偵を雇うことを思いついたんですね」

「子供ですわよね」

言葉とは裏腹に、古屋暁子の口調がやわらかくなった。娘の怒りと焦燥を、この人はちゃんとわかっているのだ。

「痩せても枯れても警察という大きな組織にできないことを、個人に解決できるわけがないのに」

「場合にもよるでしょうが」

そんなわけないわと、シニカルに返された。

「あの子、わたしがカウンセリングを受けたり薬をもらったりしていることにも、イライラしているようです。そんなふうにして自分の傷を自分で舐めて、治ろうとしてる。逃げてるんだ、ごまかしてるんだって。あんなひどいやり方でお祖父ちゃんを殺されたのに、お母さんは悔しくないの、腹が立たないのって」

片手をぐっと握り締めた。

「わたしだって悔しいですよ。腹が立ちます。父を返してほしい。犯人を見つけ出して殺してやりたいですよ。だけど、わたし一人に何ができます？　残された人間は、何とかこれから先も生きていかなくちゃならない。それだけで精一杯なんです」

私は言うべき言葉を持たなかったし、彼女を慰めることさえこの手には余った。

「すみません」

しばしの沈黙の後、古屋暁子はバッグからハンカチを取り出すと鼻を押さえた。

「杉村さんには何の関係もないことですのに、申し訳ないです」

「いいえ、気にしないでください」

「わたしどものゴタゴタに巻き込むつもりはないんです。本当にお礼を申し上げたかっただけで。ごめんなさい。もう失礼しなくては」

あわただしく立ち上がろうとする彼女に、私は言った。

「さしでがましいようですが、お嬢さんにお伝え願えませんか」

きょとんとした顔で、古屋暁子は私を見た。

「私はご覧のとおり、ごく普通のサラリーマンで、格別犯罪捜査に詳しいわけでも何でもありません。ただ、ちょうど去年の今頃なんですが、轢き逃げでお父上を亡くした方を、ちょっとお手伝いしたことがありました」

「お手伝い？」

「その方が……やはり若いお嬢さんですが、お父上の思い出をまとめた本を出したいという希望をお持ちだったんです。たまたま、亡くなった父上は、私の義父の知人でして、それと私は編集者の経験があるもので」

我ながら要領を得ない。

「本を書くのを手伝ってやってくれと、義父に言われまして」

中腰になっていた古屋暁子は、バッグを膝に載せて座り直した。

「それで、そのご本はできましたの？」

「いいえ、出ませんでした。結果として必要がなくなったので。犯人が捕まりましたし」

轢き逃げをしたのは未成年者だったので、正確には捕まったわけではないのだが、細部はまあいい。

「美知香さんのおっしゃるとおり、正義は大切です」と、私は言った。「正義がまっとうされることが、まずお祖父様の無念を晴らされるためにも必要ですし、古屋さんにとっても大切なことです。ただ、それとはまた別に、美知香さんがご自分の気持ちを癒（いや）すというか、鎮めるというか、そういう手立ても要ると思うのです」

古屋暁子は真っ直ぐ私を見つめている。

「私がお手伝いしたそのお嬢さんは、言っていました。本を書くことを進めている段階では、まだ犯人がわからなかったのですが、それでも、いろいろと考えたことを書いてゆくうちに、自分の気持ちの整理がついて、落ち着いてきたと。書くという行為が、ちょうどその、カウンセリングを受けるのと同じような慰めになったのだろうと思います」

古屋暁子の視線がちょっと逸れて、表情が揺れた。

「美知香さんも、そうしてみたらどうかと思うのです。いや、私は素人ですから、まったく見当違いのことを言ってるのかもしれません。ただ、美知香さんが一人で苦しんでしまっているのは、大部分、ご自分の気持ちが混沌（こんとん）としたままで、どこがどのように傷んでいるのかさえもわからなくなっているからじゃないかという気がします。それをその……何とかするために」

「本を、出すのですか」

「いえ、そこまでする必要はないでしょう。書いてみるだけでいいんだと思います。他人に見せなくていいんです。自分の気持ちを言葉にして記すだけで、落ち着くものがあると思うんです。口で言うのじゃなくて――というより、口では上手く言えないからこそ苦しんでおられるわけですから」

真顔のまま、わずかに首をかしげて、

「失恋したとき日記をつけるようなものですかしら」

「そうですね……いや、それはどうかな。そんな牧歌的なものとは次元が違う」

古屋暁子は微笑んだ。「でも、失恋して死ぬ人もいますからね」

「ああ、そうですが」

私は冷汗をかいていた。なんでこんな余計なことを言い出したんだろう。

「上手く説明できないんです。すみません。でも、もし私に何かできることがあったなら、喜んでお手伝いします。文章を書くというのは、私の仕事の一部でもありますので」

「わかりました。美知香に話してみます」

今度こそ、彼女は席を立った。

「いろいろありがとうございました」

店を出る彼女を、出口のところまで送っていった。しばらく見送っていると、彼女はビルを出るところで、私を振り返って一礼した。私も礼を返した。

気がつくと、すぐ後ろにマスターが来ていた。目で彼女を追いかけている。

「背中が悲しそうだね」と言った。

「我々他人にはわからないですよ」

「てことは、やっぱりあの古屋さんだったんだ」

「そうです。あたりでした。やりきれないですよ」

「なんで警察は、とっとと犯人を捕まえないんだろう」

「千里眼でもありゃいいんですが」

ホントだよねと言って、マスターはしげしげと私を見た。「しかし杉村さん、事件に縁があるよね」

「ないですよ。古屋さんとはもうこれ限りでしょうし、今日だって、マスターがあんなこと言い出さなきゃ、僕は何も気づかなかったんだ」

「そうかなぁ。私はそうは思わないね。杉村さんが呼び寄せてるんだよ、事件を」

とんでもない、と思った。

5

編集部に戻ると、仕事はさておいて、私はパソコンに向かった。犯罪事件関係のサイトを検索すれば、無差別毒殺事件の報道記録を調べることができるだろう。

五分もかからなかった。プリントアウトして、じっくりと読んだ。記憶に残っている記事もあれば、初めて見るものもあった。

最初の事件は、今年の三月十四日に、さいたま市で発生していた。コンビニで買ったパックの緑茶を飲んだ二十歳の大学生が、自宅で急死したのだ。検死の結果、死因は青酸カリによる中毒死と判明。パックのなかからも青酸カリが検出された。被害者にはまったく自殺の動機が見当たらず、パックの上部に注射針の痕跡（こんせき）が残っていたことから、第三者による毒物混入殺人事件として、一気に大きく報道されることになった。

五月一日に発生した二番目の事件の被害者は、五十五歳の自営業者だ。場所は横浜市神奈川区。自動販売機で買ったドリンク剤を飲み、昏倒した。発見されたときにはすでに死亡していた。死因は青酸カリで、やはりドリンク剤の瓶に毒物が混入されていたらしい。問題の自動販売機は、被害者の経営する事務機器リース会社のビルのすぐ近くにあり、被害者を始め、社員たちはよくここで飲み物を買っていたという。

ゴールデンウイーク中のこの日は、会社は休みで、社長である被害者一人だけが、帳簿の整理のために出社していたのだそうだ。発見者は彼の妻で、買い物のついでに立ち寄ったのだった。

三番目の事件は、同じ五月中に起こった。五月二十日、場所はまたさいたま市内に戻る。毒物が混入されたのは、住宅街にあるパン屋の冷蔵ケースのなかのウーロン茶だった。やはり紙パックの飲料で、後で調べると、最初の事件と同じように、パック上部に注射針の跡が残っていた。毒物は三度、青酸カリだ。

このパン屋は四坪ほどしかない狭い店舗で、冷蔵ケースがひとつしかないし、出入りする客はほとんど地元の住民たちだ。毒物入り飲料を仕掛けた人物の割り出しは容易に進むように見えたが、案に相違して捜査は難航した。家庭的で小さな店だから、店内には防犯カメラがない。店員はレジにいるだけで、冷蔵ケースは客が自由に開け閉めして、商品を取り出す。確かに常連客の多い店だが、何度も雑誌に取り上げられたことがあり、評判を聞いて遠方から来る客もいた。被害者がウーロン茶を買った正確な日時を割り出せなかったことも響いた。どうやら、買ってすぐ飲んだのではないようなのだ。

青酸カリ入りのウーロン茶が、このパン屋で買われたものだという推測を裏付けるのは、被害者である二十八歳の女性の夫の目撃証言だけで、レシートなどは残っていない。店の側にも記録がない。

この夫婦は結婚二年で、生後半年の長女がいた。私がプリントアウトした週刊誌の記事の再録には、妻の葬儀にこの赤子を抱き、途方にくれた表情で棒立ちになっている夫の写真が添えられていた。気の毒で見ていられなくなって、私はこの写真の部分を隠してしまった。

そして、四番目の事件の被害者が古屋明俊氏である。場所は東京都大田区。コンビニで紙パックのウーロン茶。青酸カリ。パックの上部に注射針の痕跡。九月十七日、午後四時過ぎの発生だ。

プリントアウトした記事を時系列で並べてみて、気がついた。最初の事件は、発生から二週間ぐらいで続報がなくなる。二番目の事件が起こると、連続無差別毒殺ということで、最初の事件よりも大きく扱われる。が、また二週間ぐらいで消える。少なくとも社会面からは見えなくなる。三番目の事件が起こるとまたぞろわっと沸き、今度は十日ばかりで続報が断たれ、四番目の事件で、数日のあいだはこれまでで最大の取り上げられ方をするのだが、今度は一週間で続報がなくなってしまった。これには理由がある。ちょうどそのころ、東南アジアのリゾート地で大規模な爆破テロがあり、日本人観光客が巻き込まれて、怪我人が出たのだ。

以降、めぼしい報道はない。捜査が進んでいるのかどうか、犯人の目星がついたのかどうか、皆目わからないまま現在に至る、と。

「何やってるんですか、杉村さん」

脇から加西君がのぞきこんできた。

「あれ、この事件」

「覚えてるかい?」私はプリントアウトした用紙を彼の方に広げてみせた。「最近じゃ、すっかり報道されなくなってるよね」

「そういえばそうですねえ」

プリントを手に取って、加西君はしげしげと眺めた。

「ダメですねぇ、人間て。自分に関係ないことだと、すぐ忘れる」

「まるっきり関係ないわけじゃないんだけどさ。自分だって、同じ目に遭うかもしれない」

「そうそう。一時は僕、コンビニで買い物するのを控えてました」と、彼は笑った。「だけど、それじゃ保たないんです。僕みたいな独り者には、コンビニは命の綱ですから」

彼は、一年三百六十五日、食事がコンビニ弁当でも平気だと言っている。

「でも、紙パックの飲料を買うのはずっとやめてますよ。ペットボトル一本やり」

「うちもそうしているな」

私が何か買って帰るときには。妻は、食料品の買出しは家政婦さんに頼っている。

「この事件、確かネット上に犯行声明が出ましたよね」

「というほどはっきりした内容のものじゃないけどね」

複数のサイトに、いくつか思わせぶりな書き込みがあったというのだ。そのことは、私がピックアップした記事のなかでも触れられているが、警察もマスコミも、その後を深く追及した様子はない。立ち消えだ。

「調べてみたら、人騒がせなイタズラだったってことかな」

「そんなところだろうね」

加西君はプリントをめくりながら記事を飛ばし読みしている。

「それよりもむしろ、犯人が青酸カリを手に入れるためにネットを使ったんじゃないかということの方が大きく取り上げられてるだろ？」

「ネット取引の無法と闇」とか、「中学生でも銃を買える!」とか、太い見出しが出ている。

「そうそう! まあ、それはまず間違いないでしょうね。でも、だからって、毒物の入手先から足がつくってことはないんだよなぁ。その気になりゃ、身元を隠して取引する方法なんて、いくらでもあるから」

青酸カリ混入による無差別毒殺事件なら、昔にもあった。私が中学生ぐらいのころだったろうか。当時は、医療関係者や化学者ではない一般人が青酸カリを手に入れるルートなど、ごくごく限られていた。板金塗装などの工場関係だ。

インターネットがかくも広範に普及した現在では、事情がまったく違ってしまった。相応の金を用意できて、ちょっと慎重に検索、取引するならば、毒物だろうが脱法ドラッグだろうが、銃器の類(たぐい)でさえも、簡単に手に入れることができる世の中だ。警察も捜査しにくかろう。もっとも、私が覚えている過去の事件でも、犯人逮捕には至らなかったのだから、この種の事件はもともと捜査が難しいのだろうが。

「それよりこの店、防犯カメラがちゃんと設置されてなかったんですよ」

プリントアウトを手に、加西君が呟く。事件があったのは「ララ・パセリ」というコンビニである。

「商品の陳列棚をすべてカバーしてなかった。だから、問題のウーロン茶が置かれていた冷蔵ケース付近の映像がなくて……」

今度も、犯人に通じる手がかりは得られなかったのだ。ネット上に偽の犯行声明が出されたのは、そのことが報道されたあとだったはずだ、という。

「〝ララ・パセリ〟って、後発で超マイナーなチェーン店だからなぁ。コンビニでも、買い物するなら大手でって教訓ですかね」

「そんなわけでもないだろうけど」

「杉村さん、これで何か書くんですか？」

真面目な顔で、加西君が訊いた。今風のお調子者の若者だが、気は優しい。グループ社内報「あおぞら」の編集部がこの事件について取り上げるということは、被害者か関係者に、グループ社員がいるということを意味する。だから心配しているわけだ。

「全然違うんだ。仕事には関係ない。サボってたんだよ」

「ああ、ならよかった」

私はそそくさとプリントを片付け、仕事に戻った。そのうちに、出かけていた谷垣さんが帰ってきて、私を呼んだ。

「秋山さんの原稿がもらえたんだ。ちょっと見てもらえますかね」

ほくほく顔だ。

「例のエッセイですか？　よく書いてくれましたね！」

「だろう？　とにかく見てみてよ」

秋山省吾という、売り出し中の若手ジャーナリストである。四、五年前から、社会問題を題材にした硬派なルポを発表し始め、一社員による自社の腐敗の内部告発の顛末を扱った最近の著作はベストセラーリストにも入った。まだ三十二、三の若さで、たいしたやり手だ。

そんな人物が、ライターだけでは食っていくことのできなかった時代に、アルバイト社員として、ほんの半年ほど今多コンツェルンの傘下で働いていたことがある。別の記事のために、その系列会社の重役をインタビューしていて、たまたま谷垣さんがそれを聞きつけた。

以来、谷垣さんはこの売れっ子ジャーナリストを追いかけ回して、何とか寄稿してもらおうと粘ってきたのである。

驚いたことに、手書き原稿だった。用箋(ようせん)のようなものに書いてある。千字ぐらいあるか。

「彼は手書きなんですか？」

「いやいや」谷垣さんは手をひらひらさせて、苦笑した。「パソコン使いだよ。普段は原稿もメールでやりとりしてるんだそうだ」

このエッセイは、彼が仕事で人と会うスケジュールの合間に、喫茶店でぱっと書いてもらったのだそうだ。

「粘り勝ちですね」

「うん。根負けしたって、秋山さんも笑ってた」

谷垣さんは、最初のうち「秋山君」と呼んでいた。私と加西君で、相手はもう社外の人なのだし、ちゃんと名前の出ている物書きなのだから、君付けは失礼だと説得したのだ。

「しかしなぁ、一度は同じ釜(かま)の飯を食った社員同士じゃないか」

谷垣さんはかなり渋った。こういうところが古武士のサラリーマンであり、若い者にはカチンとくる。我々なら笑って済むが、人によっては問題になる。

有難くいただいた原稿をどう載せようか、大いに沸いたおかげで、私は、連続する毒死の暗い気分を振り払うことができた。加西君の言うとおり、人間は自分に関わりのない事象なら、すぐに忘れる。ただ、運が悪ければ、自分の身にもその災厄が降りかかっていたかもしれない——という事柄については、忘れる際に、一抹の後ろめたさを覚える。そういう心のざらつきは、私のなかにもしばらく居座っていた。

その週の日曜日に、新しい家の引渡し前最後の内見があり、私は妻と現地に出かけた。私の目から見ると、リフォーム完成間近の新しい家は、何から何まで完璧に仕上がっているように見えたが、現場で落ち合った設計士と、互いにチェックリストを見比べながら、家の隅々まで点検して回る妻の様子から察するに、これではまだ足りないらしい。

私は、台所や洗面所などで詰めの細かい作業をしている工務店の社員たちに愛想笑いをして、できるだけ慎ましく控えていた。

それでも手持ち無沙汰なので、邪魔にならないよう、家の外回りを見学することにした。ベランダから外へ出る。庭木の植え付けは完了していたが、どう見ても造園のデザインからはみ出したような場所に、厚ぼったい葉に黄色い花をつけた植物が、縦横に十字を描いて植えられているのを見つけた。全体を見回すに、ここは通路になる場所のようだが——

「あ、失礼します」

声をかけられて振り向くと、作業着姿の若者が、庭の一角に置いてある道具箱の方に歩み寄ってゆく。ご苦労さまと応じてから、私はその植物を指して尋ねてみた。

「これはここに植わっていていいんですか」

「お引渡しのときまでに撤去します」

ああ、それはと、彼はにこやかに答えた。

「でも、花が咲いてるよ」

「試験用のプラントですから」

「試験用?」

「土壌汚染の試験です」言ってから、彼は急いで付け足した。「もちろん、念のためということです。正規の調査でパスしてますので」

私は記憶をたどってみた。そういえばこの家の購入を決める際に、妻が何だかんだ言っていなかったか。第一種住居専用地域だし、ずうっと家が建っていた土地ではあるけど、念のために土壌汚染がないかどうか調べてもらうとか。

「土壌汚染なんてないよね、ここには」

「はい、もちろんです。まっさらです。まったく安全です」

若い作業員は姿勢を正した。

「ただ、うちの社長は慎重なものですから。この手の植物は、土に異常があると、すぐ花や葉っぱに出てくるんですよ。形が変わったり、色がおかしくなったり」

初耳だった。

「ですから、杉村さんがこちらを購入された直後に植えておいたんです。奥様からもご希望がありましたし」

となると、半年近く経っている。私はかがんで、可愛らしい花々に手を触れてみた。

「異常はないようだね」

「はい、よかったです」

道具箱から小型ドリルのようなものを取り出し、また、失礼しますと丁寧に断ってから、彼は屋内に戻っていった。

試験用プラント。いわゆる「炭鉱のカナリア」のようなものか。私たちに代わって、新しい家の毒見をしてくれていたのか。

ことこの家に関しては、妻は本当に完璧主義者である。ただ私が感心するのは、完璧になるために、設計士や施工会社に任せっきりにはせず、自分も熱心に勉強したということだ。おかげで、私はのほほんとしていられる。

庭で日向ぼっこをしていると、携帯電話がメールの着信を報せた。桃子からだった。今日は義兄夫婦と従兄姉たちと、赤坂のホールへクラシックのコンサートを聴きに行っているのだ。文面を見ると、今は「おやすみじかん」で、アイスをたべてます、とある。誰かに手伝ってもらって打っているのだろう。ファミリーコンサートだと聞いていたが、なにしろ幼稚園児だ。休憩時間のアイスの方がトピックになる。

きれいな曲があったら覚えておいて、あとでお父さんに教えてねと、ひらがなとカタカナで返信した。妻にも伝えようと腰を上げたら、今度は電話の着信を報せる音が鳴った。

原田いずみからだった。

忘れかけていたので驚いた。出ようとしたら切れてしまった。そして、すぐまた鳴った。

今度は間に合った。「はい、杉村です」

いきなり切れた。おやおや。

また鳴った。出る。切れる。鳴る。出る。切れる。二階で呼んでいる妻のそばに行くまでに、そのパターンを五回も六回も繰り返した。

「あなた、こっちよ」

廊下の奥、予定では我々の寝室になるはずの部屋から声がする。こちらですと、工務店の社長が笑顔で手をあげる。

「どうぞ」

部屋に入ると、妻が設計士の先生と並んで、満面の笑みを浮かべていた。

「こっちに来てみて。こっち、こっち」

私の手を引っ張る。陽の差し込む窓の前を横切り、部屋を突っ切る。

「そっちは納戸だろ？」

「以前はね。でも、南側の部屋だもの、もったいないから改装したの」

妻はウキウキしている。

「そこ、足元に気をつけてね。段差があるから」

なるほど、三段ほどのステップがある。

「開けてみて」

ちょっと見には壁に見える。ここは妻の希望で飾り板を張ったのだが——いや、取っ手がある。引き戸になっているのだ。

するりと、音もなく開いた。私は掛け値なしに驚いた。その奥には、六畳ばかりの空間が広がっていたのだ。

造り付けの書棚に机。照明もついている。天窓があり、陽が差し込んでいる。机の脇の空いているスペースには、私が新居のために購入したパソコンデスクがぴったり収まりそうだ。

「あなたの書斎。隠れ家みたいでしょ。気に入った？」

「隣の部屋のクロゼットになっていた部分を壊して、スペースを広げたんです」と、設計士が説明した。

「本当は屋根裏部屋にしてあげたかったんだけど、そこまでの改造は無理だったの。でも、屋根が斜めになってるところの下だから、ちょっと屋根裏風でしょう？」

子供のころ、私は屋根裏部屋に憧(あこが)れていた。故郷の、親しい友達の家が古いわらぶき屋根で、昔、養蚕が盛んだったころに蚕棚を置くために使っていた屋根裏のスペースがあり、そこが子供部屋になっていた。遊びに行くたびに羨ましくて仕方がなかった。

妻は、その思い出話を覚えていてくれたのだ。

「すごく気に入ったよ。ありがとう」

子供みたいな声を出してしまった。実際、私の心は子供時代に戻っていたのだ。

「よかった！　成功でしたね、先生」

妻は設計士に微笑みかける。

設計士も笑顔で、「奥様が、ご主人には内緒でなさりたいというご希望でしたので、この部屋の詳細は、確認申請の図面には描いておかなかったのです」

確かに、私が見た図面では、納戸のままになっていた。

「内装はわたしの好みで仕上げちゃったんだけど、まだ変更できるのよ」

「いやいや、このままでいい」

「桃子も入りたがるでしょうけど、ダメよ。ここはあなたの聖域なんですからね」妻は私の脇腹をちょっと突いた。「そのかわり、お掃除も自分でしてね」

「うん、きれいに使うよ」

靴下の足の裏に、新品のフローリングの滑らかな感触がひんやりと心地よい。空調と照明のスイッチはここと ここ——などと説明を聞きながら、私の心は上滑りしていた。

と、またぞろ携帯電話が鳴った。画面を見ると、やっぱり原田いずみだ。

出る。こちらが何も言わないうちに、また切れた。一瞬ためらったが、私は思い切って電源を切ってしまった。

「あら、いいの？」

「うん、かまわないんだ。さっきから間違い電話がかかってて、うるさくてしょうがない」

原田いずみが何を考えているか知らないが、今この時には、彼女のことなんかどうでもいい。知ったことか。

「それじゃ、桃子の部屋の方も見てみる？」

私は夢心地のまま妻に手を引かれていった。

それから一時間ばかり、私はひたすら周遊、妻は確認とチェックをして、来週の引渡し時刻を決め、現地を離れた。赤坂まで移動し、義兄たちと合流した。そのまま、その晩はにぎやかに外食をした。

私の妻菜穂子は、今多嘉親の愛人の娘である。いわゆる外腹の子だ。今多家には、嘉親が正妻とのあいだにもうけた息子が二人いる。妻にとっては腹違いの二人の兄だ。

菜穂子の母親は、菜穂子が高校生のときに亡くなった。以来、菜穂子は父の手元に引き取られて育ち、二人の兄たちとも温和に付き合ってきた。

長兄は菜穂子より二十歳、次兄は十八歳年長である。その年齢差が幸いしたのだろう。また今多嘉親が、早いうちから、菜穂子を今多一族の一員としては数えても、事業の継承者としては認めないという方針を打ち出していたこともよかったのだろう。兄たちは、年若い妹を何かと保護し、可愛がってくれてきた。

妻は、成人するとまもなく、父親から莫大（ばくだい）かつ継続的で運用可能な財産を分け与えられたが、今多コンツェルンに対しては、一片の発言権も持ち合わせてはいない。五年前、義父は七十五歳の誕生日を機に社長職を退き、会長になった。後を継いだのは長兄で、現在は彼が社長、次兄は専務取締役の座にある。二人と比べたら、菜穂子の地位は羽毛のように軽いけれど、彼女がそれに対して不満や不審の念を漏らしたことは一度もない。

今多嘉親が、よりにもよって私のような男を娘婿として迎える気になった最大の理由が、ここにくっきりと浮かんで見える。無用な野心を抱かぬ凡人。義兄たちと張り合おうなどという、分不相応なやる気も能力も持たない人物。おとなしく菜穂子を守り、彼女と家庭を築いて、彼女に平穏な幸せを約束することのできる男。

当然のことながら、長兄も次兄も立派な家庭持ちであり、長兄の一人息子はすでに成人し、大学を出て、昨年、都市銀行に就職している。もちろん、何年か他家の釜の飯を食って修業を積んだ後、グループの跡継ぎとして呼び戻されるのだろう。次兄には年子の一男一女があり、高校生と中学生だ。

二人の義兄とその妻たちは、それぞれに適度な距離感と親切心を保って私たち夫婦に接してくれている。が、桃子のお受験問題が出てきて以来は、妻は、同じ経験をしてまだそれほど年月が経っていない次兄夫婦、今多孝之(たかゆき)と恵理子(えりこ)夫妻の方を何かと頼りにしているようだ。連れ立って出かける機会も増えた。今日の桃子のコンサート行きとこの集まりも、恵理子姉に誘われたものだった。

孝之兄は、やはり多忙な身で、食事を中座して仕事に戻っていった。恵理子姉が言うには、日曜日の日中にまとまった時間を家族と過ごせただけで「めっけもの」なのだそうだ。

私は、恵理子姉と妻の陽気なおしゃべりと、従兄姉たちにかまってもらって嬉しそうな桃子の笑い声に囲まれて、ただただ多幸感に浸(ひた)っていた。

携帯電話の電源は、ずっと切りっぱなしになっていた。翌朝、出勤間際に気がつくまで。

出社すると、早速そのツケがきた。

来たばかりであるらしい谷垣さんが、まだ鞄もそのへんに置いたままで、電話に出ていた。私の顔を見ると、急いで手招きする。

「ちょっと待ってくださいよ。今、杉村が出てきましたから」

電話を保留にして、私に向き直る。

「原田さんだよ」

私は手で自分の額を打った。「昨日、携帯に連絡があったんです」

「何度かけても切られたと言ってる」

「そりゃ、あんまりだな」

私は事情を話した。谷垣さんの口元がへの字になった。

「まずいね……。いや、そんな嫌がらせみたいなことをされたんじゃ、杉村さんが電源切っちゃったのも無理ないけど」

「私が話しましょう」

受話器に手を伸ばしかけた私を遮って、谷垣さんは言った。「原田さん、電話に出たのが私だってわかると、セクハラおやじって言ったんだよ。どういう意味だろうね」

私はちょっと言葉に詰まった。「彼女のことです。意味なんかないでしょう」

そうかな、と、不安そうだ。

「すみません、あとは私が引き受けます。気にしないでください」

保留を解除し、穏やかに、もしもし杉村ですと呼びかけた。返事がない。

「原田さん？　杉村です。電話代わりました」

鼻息のような荒い雑音がして、声が飛んできた。「何で電話切るの？」

「昨日のことですか？」

「そうよ。決まってるじゃない。どうして電話を切るんですか？　どうして逃げるの？」

「逃げたわけではありませんよ」

電話の向こうで、原田いずみが叫んだ。

「逃げたじゃない！　電源切ったでしょ？　何回かけたと思ってるのよ！」

谷垣さんの怯えたような顔を見たときには、正直、私もヒヤリとした。が、そういう狼狽はさあっと静まって、私はかえって落ち着いてしまった。

案外、そういうものだ。対人関係は秤だ。一方が最初からあまりにもテンションを上げると、反対側は下がる。

原田いずみの声は震えていた。怒りのせいというより、むしろ涙のせいだろう。幸か不幸か、私は電話で女性に泣かれた経験には乏しいが、それでも見当がつく。

どうして泣く？　私が電話に出なかったというだけで。恋人でもないのに。

おかしな話だ。弁護士を立てた、訴えを起こす、話し合いの余地などないと、あれほど強気なことを言っていた彼女が。

弁護士なんか、いやしないのだ。彼女は独りだ。やっぱり、そうに決まっている。

私は編集室の窓に目をやった。今日も秋晴れだ。青空が広がっている。

こんな気持ちのいい日に、若い女性が、朝っぱらから、自分の巻き起こしたトラブルの相手に向かって、泣きながらがなりたてている。

私はまだ昨日の多幸感を保っていた。それはつまり、その多幸感の源に隠れている一抹の羞恥のようなものからは上手に逃げているということでもある。だから、何だか彼女が可哀想になってきてしまった。

「原田さん、お目にかかってお話をしましょうか」

返事がない。荒い呼気が聞こえてくる。受話器を握る彼女の手も、わなわなと震えていることだろう。

「我々の問題は、電話でちょちょいのちょいとやりとりできるようなものではないでしょう。どこかでお会いしましょう。あなたが頼んだ弁護士の先生にも、そうお願いしていただけませんか。その先生の事務所に、私が出向きましょう」

意地悪ではなく手順として、私はそう申し出た。さあ、彼女はどう応じるか?

ちょっと間があって、震える声が返事を寄越した。「弁護士はいません。クビにしたから」

ははぁ、そうくるか。

「代理人がいなくなったわけですか」

「だってちっとも役に立たないんだもの。理屈ばっかりこねて。弁護士ってみんなあんなふうなのかしら。がっかりしたわ」

私に文句を言われても困る。

「それじゃ、私とあなたとで話し合いをしましょう。ご都合はいかがですか」

原田いずみは、しばらくのあいだ、時間がないだの気が進まないだの、わたしを丸め込もうとしてるんだろうだの、余計に腹が立つから嫌だだのと、御託を並べた。私は何も言わず、じいっと黙っていた。

「もしもし?　聞いてるの?」

焦れたのか、またがなる。

「聞いていますよ。今日の午後三時ではいかがでしょう」

「そんな急に――」

「急いだ方がいいと思います。原田さんも、ずっとこんなことで煩わされるのはお嫌じゃないですか。早くけりをつけて、新しい仕事に就いた方が気分がいいでしょう」

彼女がもごもごご言っているので、私はさっさと続けた。

「場所は、ご足労願うことになりますが、うちのビルの一階にあるコーヒーショップの『睡蓮』にしましょう。あなたもご存知の店だ」

「睡蓮」で、私は何度か彼女にランチをおごったことがある。もっと皆に溶け込んでもらおうと、空しい努力をしていたころだ。

また何か文句を言おうとするので、

「交通費はこちらでお支払いいたします」

そう宣告し、時間と場所をもう一度復唱・確認して電話を切った。

電話しているあいだに、園田編集長を始め、部員たちが顔を揃えていた。私は一同に事情を話し、本日の午後三時以降は、「睡蓮」に近づかないようにと言った。

「こっちだって彼女に会いたくなんかないけど」

くわえ煙草で、園田編集長が言った。

「あなた一人で大丈夫？」

「心配しないでください」

「でも、杉村さん一人に押しつけるのは悪いな」と、谷垣さんが言う。「私も同席しますよ」

「いいんですよ。原田さんは僕のアシスタントだったんだから。それに、実は会長からも言われていまして」

場の空気が、すうっと引いたような感じになった。皆がちらりと視線を交わす。

「会長に、直々にですか」と、加西君が訊く。

「うん。ちょっと家の方で会ったときに話したらね、君が責任持って対処しろと」

「あら、そ。だったらいいわよ」園田編集長が口の端を曲げて、おかしな笑い方をした。「任せときゃいいじゃない。ここには、誰よりも偉い会長の全権大使がいるんだからさ」

誰も、そんな言い方をしなくてもいいじゃないですかとは——冗談まじりにしろ——口にしなかった。一同、私も含めて、気まずいような安堵したようなえへらえへらという笑いに紛らせて、やり過ごしてしまった。

ランチタイムの多忙な時刻が過ぎたころを見計らい、「睡蓮」へ降りていって、マスターに、奥のボックス席の予約を頼んだ。

「今度は麗しい美人でもないし、犯罪がらみの話でもありませんよ。念のため」

「嫌だなぁ。まるで私が野次馬みたいじゃないの」

私は笑って、原田いずみのことを話した。マスターは、当たり前のように、この騒動について知っていた。編集長から聞いたのだろう。

「テーブルのまわりから、つかんで投げられそうなものを取り除けておくからね」

三時十分前に、私は「睡蓮」に行き、マスターが麗々しく「予約席」のプレートを置いてくれていたボックスに座った。

十五分後も独りで座っていた。

三十分後も。

四十五分後も。

一時間経つと、マスターがやってきて、コーヒーを替えてくれた。

「来ないねぇ」

予想はしていた。原田いずみはうんと遅刻するか、あるいはすっぽかす可能性があると。

彼女は主導権を握っていたいはずだ。私（と私が代表している編集部）を振り回したい。怒らせたいし、心配もさせたい。不安な状態で宙吊りにしておきたい。

なぜなら、彼女がそうであるからだ。彼女は自分の引き起こした現実に振り回され、怒り、不安に怯え、宙吊りになっている。それが腹立たしいから、自分を囲むそれらの感情を、我々の方に投げつけて抱えさせようとしている。

私には、だんだんと、原田いずみというトラブルメーカーの心の動きがわかってきた。たぶん、万事において、彼女は解決など望んでいないのだ。トラブルがずっとそこにあり、誰かが彼女に関わって、心配したり怒ったり、彼女に謝罪したりしている状態――それこそが彼女の望みなのだろう。電話をかけては切るというのは、それの象徴だ。

ならば、こちらとしては、それを断ち切るように動かなくてはならない。私は、彼女が私に待ちぼうけを喰らわせた、こちらの設けた話し合いの場に出てこなかったという「実績」を作るために待っているのだった。必要なら、同じことを何度か繰り返したっていい。

そして充分に土台ができたら、「もうあなたとは関わらない」と言ってやればいい。

結局、六時まで待った。コーヒーを三杯飲み、買ってひと月になるのに読み進めなくて困っていた経営分析の本をほとんど読んだ。

今日はここまでだなと、立ち上がったときに携帯電話が鳴った。案の定、原田いずみからである。

杉村です、と応答する。彼女は何も言わない。私は切った。と、すぐかけ直してきた。

「杉村です。原田さん、どうしたんですか。いらっしゃらなかったですね」

気のせいではなく、含み笑いのような声がかすかに聞こえた。

「都合が悪くなったんです」

「そうですか。それなら、もっと早くご連絡をいただけると助かったんですが。すっかり待ちくたびれてしまいましたよ」

「え？　まだお店にいるんですか」

明らかに嬉しがっている。

「てっきり編集部に戻ったと思ってたわ」

「大切なお約束ですから、待っていました」

私は彼女の顔を思い浮かべた。さぞかしご満悦であろう。

「日時を決め直しましょう」私は事務的に続けた。怒った声にも、苛立(いらだ)った声にもなっていないはずだ。私は怒っていないし苛立ってもいなかったから。むしろ、苦笑いが浮かんでくるのをこらえていた。

「私は明日は無理なんですが、明後日でしたら午前中から大丈夫です。いかがですか」

するすると、明後日の午前十時に決まった。原田いずみには、最初(はな)から来る気がないからだ。

私もそれを承知の上だった。場所は、今度は別の喫茶店にした。社の近くで、やはり彼女も知っている店だ。

その日も彼女は来なかった。四時間待って、帰ろうとしたところで携帯が鳴った。

「体調が悪くなって……」

愉快そうに言い訳を並べた。

次の日取りと場所を決めた。さらに別の喫茶店にした。

その日も彼女は来なかった。今度は五時間、私は粘った。最長不倒距離だ。会計を頼んだら、携帯が鳴った。予期していたから、私は携帯電話を取り出して待ち受けていた。

彼女は楽しそうに言い訳を始めた。「急に都合が悪くなったんです。それでね――」

「原田さん」私は穏やかに呼びかけた。「今日もいらっしゃいませんでしたね」

私は口調を変えず、彼女の話を退けた。「いえ、ご説明は結構です。今回で、話し合いの場が流れたのは三度目になりました。最初のお約束から、今日でちょうど十日です。私としては、もうあなたとお話し合いはできないと判断するしかありません」

さえずるように機嫌のよかった彼女の声が、いきなり失速して裏返る。「な、何よ、ちょっと待ってよ。何よその言い方は」

私は淡々と自分の言うべきことを告げた。

「過去三度のお約束で、どういうご事情ができたにしろ、当日になって都合が悪くなったならば、すぐご連絡をくだされば、私も時間を無駄にしないで済みました。しかし、どうやらあなたにはそういうお考えはないようだ。もともと、話し合いをお望みではないのでしょう」

「誰がそんなこと言ってるの？」

「これまでの経緯から、私はそう判断します」

「勝手じゃないの。あたしは――」

「あなたのご意見と主張を伺うべく、私は努めてきました。充分に待ちました。当方としては誠意を尽くしたと思います」

「誠意って何よ！　何をしたって言うのよ！」

「これから報告書を書いて会長に提出し、ご判断を仰ぐことにします。では失礼」

通話を切った。ついでに電源も。この喫茶店の経営者である老夫婦が、心配そうにこちらを見ている。「睡蓮」と同じく、私が重宝している店で、日替わりランチが安くて旨い。

「すみませんでしたね」

私は笑って頭を下げた。老夫婦には事前に事情を話してあった。もし、あとで必要が生じたら、私がここで何時間も待っていたことを証明してもらうためである。前回の喫茶店でも同じように下準備をしておいた。「睡蓮」については言うまでもない。

「おかげで仕事がはかどりました」

パソコンだの原稿だのゲラだのを持ち込んでいたのだ。

「大丈夫ですか？」

「はい、ご心配なく」

「いや、うちはかまわないんだけど」老夫の方があわてて言う。「大変ですなぁ」

その晩家に帰ると、携帯電話の取り扱い説明書を引っ張り出した。番号指定の着信拒否ができるはずだ。私はこうした機器類のマニュアルに弱く、妻は強い。結局、彼女に設定をしてもらった。ついでに事の次第を話した。

「大変だったのね」

「そうでもないよ。最初から待ちぼうけになることがわかってるんで、自分の仕事をしてりゃよかったんだからさ」

「でも、一度はやりあわなくちゃならなかったんでしょう？　あなたはそういうの、苦手な人だから」

「電話だからね。顔が見えないから」

「このまま静まるとも思えないけど」妻は心配顔だった。「こういう設定をしておいても、原田さんが公衆電話とかからかけてきたら、つながっちゃうのよ」

「その場合には、話し合うことはないと言って切るよ」

「本当にお父様に判断を任せるの？」

「報告書を上げて、相談してみる。どっちにしろ、僕ももうそれしか動きようがないんだ」

こんな話題よりも、大事なことがある。引越しだ。いよいよ今度の土曜日に迫った。すでに見積もりは済み、我が家のなかには着々とダンボール箱の山が増えている。いわゆる「お任せパック」というやつで、荷造りも業者に頼んであるのだが、やっぱり自分たちで箱詰めしたい種類の品物もある。

「天気予報だと、土曜日は晴れときどき曇りなの。とにかく、雨さえ降らなければいいわよね」

妻は張り切っている。運動会を楽しみにしている子供の顔だ。

「菜穂子さん」私はおどけて、あらたまった声を出した。「あなたは心臓が弱いということをお忘れにならぬように」

妻はコロコロと笑った。子供のころから病弱で、ちょっとした風邪でも体力が保たず、何度も死にかけて、小学校を卒業するのに七年かかり、中学でも高校でも体育の授業は見学ばかり、大学も通いきれずに諦めなければならなかった。そんな女性にしては、大いに元気な笑い声だった。だからこそ心配だった。新居に落ち着いて興奮が冷めたら、しばらく寝込んでしまうかもしれない。

「大丈夫。わたしだって一家の主婦なんだから、任せておいて」と、本人は意気軒昂だが。

翌日、私はねじり鉢巻で義父への報告書を書き、〝氷の女王〟に託した。グループ広報室の編集室に、原田いずみが怒鳴り込んでくることはなかった。電話もない。彼女は彼女なりに、今回の戦略的失敗を噛み締めているのかもしれない。少なくとも、それができるくらいの知恵のある女性なのだろうと思いたい。

帰りがけになって、〝氷の女王〟から内線電話がかかってきた。

「お預かりした報告書の件で、会長から杉村さんにご伝言を言付かりました」

早期回答だ。私は恭しく聞き入った。

「しばらく経過観察をするように、とのことです」

「わかりました」

「杉村さん。実は会長はこうおっしゃったのです。ほっとけ、と」

思わず、私は笑った。〝氷の女王〟の音質が、さらに五度ほど冷えた。

「これは、どういう事案についてのご指示なのでしょう。秘書室でも把握しておいた方がよろしいのじゃございませんか」

「いいえ、その必要はないと思います。会長からそちらにご指示がない限りは」

さすがに私は、「ほっとけ」とは言えない。

土曜日は晴天に恵まれた。引越し業者も大勢来たが、義父と義兄の家にいる家政婦さんたちも助っ人(すけっと)として来てくれたので、人手が余るほどだった。それでも妻は勇ましく陣頭指揮を試みたが、最初のうちだけでくたびれてしまい、あとはお任せということになった。

桃子は朝からはしゃぎまくり、私は大汗をかいて彼女を抑えなければならなかった。幼いなりに思い入れのある古い住まいとの別れ。新しい家の、新しい自分の部屋への喜びと好奇心。この引越しは、彼女のこれまでの五年の人生で、もっとも感情の高ぶるイベントなのだ。

日曜日いっぱいまでかかって、とりあえず、新居のなかからダンボール箱が消えた。収納すべきものはすべて収め、台所や風呂場が使えるようにもなった。妻と私はセキュリティ装置の使い方を覚え、パスワードを忘れたときのために、思い思いの場所に書きとめた。

「でも、ホントに大変なのはこれからよ」

満足げに家のなかを見渡しながら、あらためて腕まくりをし直していた妻が、深夜になって熱を出した。私は、近所のコンビニの場所を、早々に覚えた。氷を買いに行ったから。

6

月曜の朝は忙しかった。園田編集長に連絡して遅刻の断りをし、まず桃子を幼稚園に送って、一度帰宅。それから妻をかかりつけの病院に連れていった。政財界の要人や芸能人がよく来る私立病院で、設備は豪華、雰囲気も明るい。事前に電話を入れて、妻の担当医に予約をとっていたので長く待たされることはなかったが、念のためにいろいろと検査をしたので、結局は昼までかかった。

「引越し疲れが出たのでしょう」

診断を受けて妻を家に連れ帰り、家政婦さんに託してようやく出勤。いきなり、

「会長からの預かりもののお守も大変ね」

編集長に嫌味を飛ばされた。

「で、大丈夫だったの？　お嬢様、心臓が弱いんでしょ」

「ええ、でもそっちは問題ありません。ただ疲れただけです。今朝は熱も下がってましたし」

「ドリンク剤でも飲ませてみたら？　ああ、そんな下品なものは駄目だっけ。大変ねぇ」

ええ大変ですと、私は苦笑いを浮かべて同意した。

机の上に三枚の伝言メモがあった。二枚は仕事関係だが、一枚は違う。午前十一時三十分にかかってきた電話。「クワタの窪田喜代子様」とある。私の三歳年上の姉である。

桑田は山梨県内にある町で、私の故郷だ。姉はそこで小学校の教師をしている。

姉の夫の窪田氏は中学校の教頭だ。桑田は小さな町なので、小学校も中学校もひとつずつしかない。だから姉夫婦は、町の子供たちの顔を全員知っているし、何でも覚えている。彼らには子供がいないが、そのかわり、町中の子供たちの先生なのだ。

姉のことだから、引越しはどうだったか聞こうとかけてきてくれたのだろう。面白いことに、私と「絶縁」した父と母は、それでも稀に、ぶっきらぼうに私の家に電話をかけてくることがあるのに、私との縁を保ってくれている兄と姉は、必ず会社か携帯電話にかけてくる。けっして自宅には連絡しない。

いや、兄と姉は、私との兄姉の縁を保つために、弟が娶った身分違いのお嬢様妻の存在を無視

しなくてはならないのか。

折を見てかけ直そうと、私はメモを目立つところに貼った。そのうちに今度は兄から電話があり、引越しの件を少し話した。菜穂子が寝込んだことは、話さなかった。

原田いずみの動向を気にしていたから、私は極力外出を避け、編集部にいるように心がけた。出版の世界では、「編集長」とは「電話番」の別称だという。やれ取材だ何だと動き回るのは部下の仕事で、編集長は編集部にいるのが仕事だ。それは社内報でも同じである。だから今週は、いきおい、編集長と二人でいることが多くなった。

そうして二人きりのとき、原田いずみのことを尋ねられた。その後、何かあったかと。

私は前段のあれこれを省略し、彼女と会おうと試みたが、三回もすっぽかされたので放ってあるということだけを報告した。たぶん、これで終わりでしょうという希望的観測を添えて。

「変わった人ね」

「ええ、変わっています」

「杉村さんの読みはあたってるよ」

「どの読みです?」

「彼女にとっては、トラブルがあって、誰かが彼女に関わってる状態が理想なんだって」

「ああ、それですか」

「寂しいのね、きっと」

少女のような目の色になって、そう言った。

「何か起こってないと、寂しくてつまらないのよ」

「それならみんなそうですよ。毎日の生活はそういうものでしょう」

「うん。だけど、それが我慢できないのよ。自分の人生がそんな退屈なもんであるわけがないって思うからさ」

「原田さんはそんな高尚なことを考えてないと思いますよ」

「いや、考えてるよ」と言って、編集長は笑った。「まるっきり退屈じゃない人生をおくってる杉村さんには、わかんないかな」

二人でいても、編集長の冗談半分の嫌味や毒舌は変わらないが、二人でいなければ出てこないのはこういう言葉だ。

「僕の人生はそんなに波乱万丈に見えますか」

「見えますとも。劇的よ」

「逆玉だから？」

「そうそう」

「でも日常になってしまえば同じですよ」

「そうなんでしょうね。でもね」

ちょっと考えて首をかしげる。

「原田さんは知らないと思うのよ。あなたのこと。あなたが会長のお婿さんだってこと」

たぶんそうだろう。

「誰とも親しくしてませんでしたからね。噂も耳に入らなかったでしょう。僕が言わない限り、知らないはずです」

「言ってみちゃったら？　実は僕は権力者ですよ、怒らせたら大変ですよって」

「権力者ではないけど……」私は真面目に釘を刺した。「でも逆効果じゃないですか。僕が会長直属だとわかったら、彼女、もっと騒ぐんじゃないですかね。劇的だから」

「どうかなぁ。うーん」

唸っていたかと思うと、唐突に「悪いわね」と言った。

「何がです?」

「面倒を押しつけちゃって」

そして、トイレに行ってくるわと立ち上がり、話はやめになった。

その日の帰り際、谷垣さんに声をかけられた。

「たまに、ちょっと一杯どうです?」

驚いて、私は承知した。

今多コンツェルンに入社、イコールこのグループ広報室に入って八年、歓送迎会や忘年会などのイベントは別として、私は部員の誰かと誘い合わせて飲みに行くという経験を、数えるほどしかしていない。まず誘われないのだ。無理もない。誰が会長の婿を誘う? 会社のグチをこぼすことのできない相手と飲んで楽しいか?

グループ広報室は、実はたいへん人事異動の激しいところだ。開設以来、ずっといるのは園田編集長と私だけである。

そのもっとも大きな理由は、ここが「会長のゲシュタポ」だと思われているからだ。会長直属のスパイである。開設時にそういうデマが飛び、それが今でも根強く残っている。

進んでそんな部署に行きたがる者はいない。いたとしたら、そういう者は逆に、人事の方でグループ広報室には行かせない。何を企んでいるかわからないからである。

実際には、我々が八年間出してきた「あおぞら」を見て、「ああ、スパイなんかじゃないな」と認識している社員も多いことだろう。が、今多グループは広大で、社員数は膨大で、最初の悪印象は鮮やかで、何より、「会長室直属」の肩書きが未だ強大すぎる。だから今でも我々は「ゲシュタポ」だ。

それが証拠に、一部で「園田瑛子は会長の愛人だ」という噂が流れていることを、私は知っている。本人も知っている。なぜなら、それを私に教えてくれたのは彼女だから。

その時、一緒に聞いた。園田編集長は、当時の上司と、「期限五年」の約束でこの役職に就いたのだということも。

「五年経ったら、人事の研修担当に回してもらって、最後はたぶん、資料室か社史編纂室に行く。それまでに辞めてなければね」

五年というのは、「あおぞら」に形がつくのにそれぐらいの年月が要るだろうから。そして彼女に白羽の矢が立ったのは、

「これは上司が言ったことで、あたしの自画自賛じゃないからね。あたしは口が固いってこと。それと、もう習ったことなんか全部忘れちゃったけど、一応、大学の新聞学科を出たからね」

五年を過ぎたところで、彼女は会長室にお伺いを立てた。期限が来たと。が、留任を命じられて、現在に至る。

「ほかになり手がないんでしょう。で、なりたがる奴は、危なくて駄目なんでしょうよ」

園田さんは適任ですよと私は言った。彼女は笑って、失うものがないからねと答えた。

「あたしが会長の愛人だって噂があっても、あたしは何も損しないし、得もしない。会長ももちろんそうだわ。ただビックリして面白いだけの噂で済んじゃう。そういう人材、うちみたいな大

きな組織じゃ、案外いないものよ」

同じことは部員の選択についても言えるわけで、だからグループ広報室に来るのは、加西君のような若者か、谷垣さんのように定年退職を控えた老兵か、ということになる。新兵は、ここで今多グループの全体像をつかむとすぐ他所へ回されるし、老兵は順番に退職してゆく。

のどかだ。が、どれほどのどかでもここは職場であり、外部から「ゲシュタポ」と思われている職場の人間でも、「ゲシュタポ中のゲシュタポ」である会長の婿とは、腹を割って酒など飲もうとは思わない。

もっとも、加西君だけは別だ。彼は私が会長の婿殿だから付き合わないのではなく、最初から会社の上役（一応は私もそうだ）と飲もうなどとは思ってもみない、今の若者なのである。お付き合いは勤務時間中だけ。

谷垣さんは、「行きつけの店があるんです」と、一軒の居酒屋に連れていってくれた。新橋駅裏の、焼き鳥の匂いの香ばしい、小さな店だった。店主にやあやあと挨拶をして、慣れた様子でカウンターのいちばん奥に座った。私は、出版社時代に同僚たちと通った居酒屋を思い出した。

「こういう店には、あまり来ないんでしょう？」

おしぼりで顔を拭きながら、谷垣さんが訊く。私もおしぼりを使いながらうなずいた。

「ええ、懐かしいですね。昔は入り浸ってたもんですが」

「いろいろ、気を使いますな」

「使いますか」ではなく、「使いますな」だった。私はただ「はあ」と笑った。

突き出しをもらい、生ビールを取った。谷垣さんは、来年三月いっぱいで退職だ。しばらくのあいだは、彼がグループ広報室に来る以前にいた職場の話を聞いた。コンツェルンの本流である物流部門の営業だ。最前線である。

「灯台下暗しだったなぁ」と、私は言った。

「一度、谷垣さんをインタビューして記事を作るべきでした。僕にやらせてくださいよ」

「いやいや、そんな。ワタシなんぞのサラリーマン人生にゃ、何のドラマもありません」

谷垣さんは照れくさそうに、しきりと手を振る。ビールからすぐ焼酎に切り替えたのだが、それほど量を飲んだわけではないのに、もう顔が真っ赤になっている。

「それでもねぇ、凡々たる人生でしたが、会社を去るとなると、やっぱりそれなりの感慨が湧いてくるもんです。自分でも意外でした」

こりこりと軟骨焼きを噛みながら言う。谷垣さんのお薦めどおり、驚くほど旨い焼き鳥だが、今彼が噛み締めているのは、たぶん軟骨だけではないはずだ。

「当然ですよ。だって勤続何年ですか」

「三十七年」即答だった。「私は高卒で入りましたから。最初の四、五年は倉庫で、ラインチェックって、一日じゅう走り回ってね。フォークリフトの試験に受かったときは嬉しかったなあ。やっと一人前になった気がしたです」

私はうなずいて合いの手を入れるだけで聞き入った。

「それからもずっと現場で、営業に移ったのは四十過ぎてからです。大きな編成替えがあってね。慣れなくて辛かったですよ。得意先まわりって言われたって、何やったらいいかわからんのだもの。営業取って来いって言われたって、どうしたら取れるのかもわからん。五里霧中どころか五十里霧中。思い出すと、今でも穴掘って隠れたくなるような失敗がいっぱいでね」

失敗談でさえ、思い出話は明るく楽しい。なのに笑えば笑うほど、酔えば酔うほどに、谷垣さんは淋しそうだった。

二時間ほど経ち、谷垣さんの焼酎のボトルが半分ほどに減ったころ、彼は急にまばたきをして、つと座り直した。

「すみません、爺の思い出話なんぞをお聞かせするために誘ったんじゃないのに」

「とんでもない。いい話を聞かせてもらってます」

「まあその、何だ」少々呂律が怪しい。「ワタシもうすぐ定年です」

いろいろお世話になりましたと、急に私に向かって頭を下げた。

「それもとんでもないですよ。僕らこそお世話になってきた」

「いやいや、私はグループ広報室じゃ役立たずです。それはわかってます。副編集長なんて肩書きもらっとるけど、それは形だけでね」

感謝しとりますと、また頭を下げる。

「会社は小僧っ子だった私を一人前にしてくれた。おかげさまで嫁もらえて子供持てて、家も持てて、今じゃ孫までいます。そんでもって退職間際には、副編集長なんて花道つくってもらった。有難いです。会社辞めたって、これからもずっと、私は会長には足向けて寝られません。家内もそう言ってます」

私は黙って笑っていた。

「私、皆さんの足引っ張っておりませんか」

「え？　どういうことです？」

「編集部で。社内報作るなんて、私にゃできんことだから」

「ちゃんとやってるじゃないですか」

谷垣さんは、酔っ払い特有の緩んだような真顔になった。

「あの……原田さんね」

「ああ、はい」

「あれから、大丈夫ですか」

それを気にしていたのか。

「大恩ある会社にね、最後に会長室直属なんて部署に入れてもらってね、そこで会長にご迷惑をかけるようなことをやったら、ワタシゃ腹切らなくちゃなりません。本当に大丈夫ですか。あの人はワタシに文句があったんでしょうに」

私は胸を突かれた。同時に、義父の慧眼(けいがん)にも今さらながら驚いた。原田いずみからの手紙を私に託し、園田と谷垣には教えるなと、きつく命じた。義父は、忠勤一筋に生きてきた谷垣さんのような社員には、ああいう中傷の告発がどれほどこたえるか、よく承知していたのだ。

腹を切らねばならぬと思うほどに。

「大丈夫ですよ。心配しないでください」

私は谷垣さんの肩を叩いた。大丈夫でなくても、必ず私が大丈夫なようにしよう——と、心に誓いながら。

「それに谷垣さん、さっきから定年の話ばっかりしてますが、それまであと四カ月近くあるんですよ。『あおぞら』を四回出すんです。まだまだ頑張っていただかなくちゃ」

はい、しっかりやりますと、谷垣さんは答えた。やらせていただきます、と。

「杉村さんね、杉村さん。それじゃね、爺の繰言(くりごと)のついでだと思って聞いてくださいよ」

「はい」

「うちの編集長ね、園田さん。あの人は、口が悪いよね」

いやいや、私らにはそんなことないけどと、あわてて言い足す。

「杉村さんには、きついこと言うでしょう。婿殿、婿殿って」

「あれは冗談ですよ」

「冗談だって、言い過ぎのことがある。杉村さん、腹が立つでしょう」

「谷垣さん、心配してくださってたんですか」

「私はね、杉村さんのこと、いい同僚だと思ってます。ホントに、ほんとぉにそれだけ思ってます。会長のお嬢さんと結婚してようが何だろうが、職場じゃ関係ない」

「ありがとうございます」

愛想ではなかった。私はその言葉を嬉しいと思った。真実ではないだろうけれど、それでもそう言ってくれることが。

「けど園田さんは、こだわってるよね。やっぱり女子社員は、私らとは違うのかな」

園田瑛子は、谷垣さんに「女子社員」と呼ばれることの方にこだわるかもしれないと、私はちらりと思った。

「あれはよくない。会長に対しても失礼だよ。そう思いませんか杉村さん」

「編集長は――」

「でも怒らないでやってください。お願いします」

谷垣さんは私の合いの手を聞いてない。どんどんしゃべる。

「園田さんはね、あの人、結婚もしなかったし、会社しかないですよ、会社人間です。それは私らと一緒だけど、女子社員の会社人間てのは、男より寂しいの。会社、クビになったりしたら、もうどうしようもなくなります」

これにも異論があるだろう。が、今は頭のなかにいる園田瑛子に黙ってもらって、私は拝聴した。

「杉村さんは知らんと思うけど、あの人ねぇ、自分が会長の愛人だって、言いふらしてる」

いやそれは違いますと言いかけて、やめた。

「知ってる人はみんな知ってます。私はそれ、まずいと思うよ。会長の名誉に関わる。けども、噂は噂だから、誰も正面きって咎められないでしょ。でね、あの人は杉村さんにはきつくなる。何かこう、対等なんだって感じに見せようとするんだね」

悪い娘じゃないんだけどなぁと呟く。とうとう「娘」になってしまった。

「怒らないでやってください。たぶんあの人も、そろそろ異動でしょう。そしたら杉村さんが編集長になるんだ。それまでの辛抱です」

もっと飲みましょうと、谷垣さんは焼酎のお代わりを作り始めた。私の分も一緒に作ってくれる。この話は終わりという意味なのだろう。

そのままにしてもよかった。が、私の頭のなかの園田瑛子のために、ひと言ぐらい弁護をしたいと思って、言った。

「編集長は、私のために、わざとああやってくれているんですよ、きっと」

「はぁ？」

「私が会長の娘婿だってことを隠し通せない以上、自分が先頭に立って私を肴にすれば、他の社員は何も言えなくなる。だから、わざと憎まれ役を買って出てくれているんですよ」

とろんとした目で宙を見て、ちょっと考えてから、谷垣さんは破顔した。私の背中をどんどんと叩き、それから撫でた。

「杉村さんは優しいなぁ。あんた、好い人だ。ほんとぉに好い人だなぁ。会長は良い婿さんを持ったなぁ。飲みましょう、飲みましょう、飲みましょう」

飲みましょう、飲みましょうと、飲んだ。

酔っ払いの谷垣さんは、しかしずるずる引きずる酒ではなく、終電が近くなると、ちゃんと締めにする人だった。勘定は彼が払ってくれて、私は有難くご馳走になった。ここは谷垣さんの店だ。

私は彼を新橋駅の改札まで送り、そこで別れた。コンコースを歩いてゆく谷垣さんの後ろ姿は小さかった。地味な背広と手提げ鞄。

しばらくそれを見ていると、急に故郷の父のことを思った。私の父はサラリーマンではない。イメージは共通しない。なのに、思い出した。

7

翌日、宿酔いでフラフラしながら出勤すると、物流倉庫の黒井氏から郵便が来ていた。

先週、彼のインタビューを原稿に起こしたものを送り、目を通してチェックしてくれるよう頼んでおいた。それが早々に戻ってきたのだ。開けてみると、ほとんど手直しらしい直しはなく、丁重な手紙が添えてあった。「あおぞら」に載せてもらえるのは大変な名誉だ、よろしくお願いいたしますと結んである。

追伸があった。

「あの節は、お会いしている最中に自宅から電話が入るという失礼があり、お恥ずかしい限りです。あれから娘は病院を替え、医師も代わり治療法も薬も変わり、それが功を奏したのか落ち着いていています。しかし家内の心労はやまず、戦いは続いております」

黒井氏の肉声が聞こえてくるようだった。これもインタビュー原稿であるならば、末尾の部分に（笑）と付けるところだ。

谷垣さんは何事もなかったように仕事を始めていた。私は午前中いっぱいはゾンビのような状態だった。年季が違う。コーヒーをがぶがぶ飲んで、何とか頑張った。

午後からはパソコンの前に陣取り、新製品に更新されて機能が追加されたというレイアウト用ソフトと格闘した。シーナちゃんがいてくれたらなと、後ろ向きなことを思う。

お客さんが来ていますと呼ばれたのは、三時過ぎのことだ。顔を上げると、編集部の出入口のところに、高校の制服姿の古屋美知香が立っていた。いきなり目が合った。少女はぺこりとお辞儀をした。

とっさのあいだにいろいろ考えたが、結局、彼女を連れて「睡蓮」に行った。ちょうど編集長が席を外していたので、言い訳しないで済んだのは助かった。

先日と同じボックス席に座った。彼女は母親が座っていた位置に腰かけた。ファンシーグッズをたくさんぶら下げた大きな紺色の鞄を脇に、ほとんど表情らしい表情を浮かべず、黙っている。くちびるに塗ったリップグロスが、窓越しの陽を受けてうっすら光る。

「こんにちは」

バカみたいだと思いながら、私はそう切り出した。興味津々のマスターが、私のコーヒーと彼女の紅茶を運んできて、しきりと目配せするのを頑なに無視して。

「すみません」と、美知香は小声で言った。「来ちゃってから、思ったんです。先に電話した方がよかったですよね。お仕事中ですから」

「かまわないよ。ちょっとビックリしたけど」

私はにこやかに言ったつもりだ。

「お母さんに、聞いたんです」

「うん」

「なんか書いてみるといいって、勧めてもらったんですよね」

「うん」

お祖父さんのことだよねと、私は言った。美知香は目を伏せたままこっくりとした。

「あたし、作文とか苦手で」

「そうなの」

「書いてみようと思ったんですけど、どうしていいかわからなくて」

「そうかぁ」

ますますバカみたいだ。

「カイちゃんに相談したんだけど、あの子も書くの上手くなくて」

「カイちゃん?」

「あ、北見さんとこで一緒にいた友達です」

「ああ、木野さんね。仲良しなんだってね」

「あの子、名前を〝海〟っていうんです。木野海。ヘンでしょ?」

やっと目を上げてくれた。私は笑いかけた。

「お父さんお母さんが海が好きなのかな」

「木と野と揃ってんだから、あとは海だって」

それで世界が成立する。

「本当はそのまま〝うみ〟って読むんだけど、カイの方が呼びやすいから、みんなそう呼んでるんです」

「いい名前だね。あなたの名前もきれいな名だけど」

美知香はまたうつむいた。それから、急に「あ」と声を出した。

「そっか。そういうこと書けばいいのか」

「うん？」

「お祖父ちゃんがつけてくれた名前なんです。美知香って。最初はひらがなだった。漢字にしたのはお母さんです」

「そうだったの」私はうなずいた。「そうだね、そういうことを、思いついたそばから書いていけばいいんだと思うよ。で、辛くなったり悲しくなったりしたら、無理をしないでやめる。また書きたくなったら、思いついたことを書く。簡単なことだ」

「杉村さんが本を作った女の人も、そうしたんですか」

「本はできなかったんだ。でも、書いていたのはそういうことだよ」

「その人は、お父さんを亡くしたって」

「うん、轢き逃げでね」

「いるんですね。あるんですね、そういうこと。あたしたちだけのような気がしてた」

小声で呟きながら、右手で左手の甲を掻いている。爪はきれいに切り揃えられていた。

「とても不幸で、悲しくて、理不尽なことです」

意識して、私は丁寧に言った。

「まわりの人間は、お悔やみ申し上げますということしか言えない。不甲斐ないけど。お察ししますということしか言えない。そういうの、もう聞き飽きただろうね」

意外にも、美知香はちょっと微笑んだ。

「でも、みんな優しいから。いっぱい慰めてもらったし」

「いい友達がいるんだね」

「でも、みんな作文はヘタ」

今度は私も一緒に微笑んだ。

「困っちゃって」

「先生には相談してみた？」

美知香は何かを振り払うみたいに首を振った。

「先生は嫌だから」

そうかと応じて、理由は訊かなかった。女子高生が先生を嫌う理由は、正当なものから不当なものまで、少なくとも煩悩の数よりは多くあるだろう。

「それで杉村さんに教えてもらおうかと思ったんです」

すみません、と、またペコリ。

「図々しいですね」

「図々しくはない。もともと私が、お母さんに提案したことだから。何か手伝えることがあれば言ってください、とも言ったし」

「それを真に受けるのが図々しいんです」

とても真面目に切り返された。

「お母さんならゼッタイそう言う。そういう台詞は社交辞令なんだって」

「お母さんは厳しいビジネスの世界で頑張っておられる人だから、物の見方が慎重なんだ。それはいけないことじゃない。立派な身の処し方だと思うよ」

美知香は答えず、ただ表情だけで充分雄弁に、母親に対する反発を露(あら)わにした。彼女の眉毛(まゆげ)が吊り上がるのを見て、おやこの娘(こ)は眉を描いてないと、私は気づいた。整えてはあるが、天然ものの眉だ。

「最初は、北見さんとこ行こうかって、ちょっと考えて」

美知香は肩をすぼめた。

「そうやってしつこく通ってたら、あたしの頼みを引き受けてくれるかもって思って」

でもあの人、入院しちゃったからと言う。驚いた。

「北見さん、どこか具合悪いの？」

初対面のとき、「病人のようだ」という印象を受けたのは、間違いではなかったのか。

「癌(がん)です。肝臓ガン」

「そうなの……」

「二、三年前に一回手術したんだけど、また悪くなって、先週の末かな、入院しちゃった。カイちゃんに教えてもらいました」

「同じ団地に住んでるんだってね」

「カイちゃんのお父さんもお母さんも、北見さんのことよく知ってるんです。団地の役員やってるから。最初、北見さんが引っ越してきたとき、みんな警戒したんですって。怪しげな独り者で、何やってるかはっきりしなくて」

まあ、仕方がなかろう。

「それで様子見てるうちに、怪しい人じゃないってことも、病人だってこともわかっちゃった。もう、あんまり永く生きられないそうです」

あの温和で優しく、視線だけが鋭い人の顔を、私は思い浮かべた。

「もちろん、本人も承知してるんだね」

「はい。北見さん、家族とかいないんですよ。離婚してて。だからお医者さんも、本人に言うしかなかったんでしょうね」

「昔は警察官だったって聞いたよ」

「そう。警察辞めて、私立探偵やるって言って、それで奥さんが出て行っちゃったの。子供も連れて」

北見さん、独りぼっちですと言った。その口調に、かすかな共感の音色があった。

「前にも入院して、退院してって繰り返してたんだけど、今度はいよいよ駄目じゃないかって、カイちゃんのお母さんは言ってます」

「辛い話だ」

「北見さん、世捨て人だから」

女子高生の口から、古風な言葉が飛び出した。

「覚悟はできてるはずだって」

それもカイちゃんのお母さんの観測だろう。私は話を戻すことにした。

「あなたの〝作文〟のことだけど、私でいいなら、お手伝いするよ」

「いいですか」

嬉しそうでもなく、淡々と言う。

「うん。どんなふうにしようか」

「あたしの書いたのを、見てくれますか。おかしいところがあったら、教えてほしいんです」

それはつまり、現状は「書けない」のではなく、「書いてみたけれど、これではどうも拙い」と感じるから困っているということなのだろう。ということは――

「いいよ。でも、あなたがあなたのために書くものなんだから、実は、おかしくたってちっともかまわないんだけどね」

「ホームページに載せたいんです」

やはり、他人に見せることを考えているのだ。

「私がお母さんに勧めたのは、書いてみることなんだ。ただ書くだけ」叱っているようにならないよう、柔らかく私は言った。「誰かに見せる、ましてホームページに公開するとなると、それはそれで別の辛さが出てくるよ」

「今も辛いから、それはかまわない」

テニスのボレーを打ち返すような返答だ。

「犯人が見るかもしれないでしょう。きっと見ると思う。だから、うんと書いてやりたい」

私はロブを打ち上げた。コートのうんと深いところを狙って。

「ホームページは、これから作るのかな」

「今、カイちゃんとやってます」

「それにはどんなこと書いてるの?」

「日記。交換日記みたいなの」

「掲示板は置いてる?」

「面倒だから置いてません。でもお祖父ちゃんのこと書いたら、置こうかと思って。情報が集まるかもしれないでしょ」

う〜んと、私は腕組みをして唸った。

「貴重な情報が来る可能性は、ものすごく低いと思うよ。荒らされるかもしれないし。メールだけじゃ駄目かな」

「メールなら、今も受けてます」

「じゃ、現状維持がいいよ。交換日記の方はどうするつもりかな。そちらはそちらで続けるのかな」

「わかんない。成り行きです」

私は後悔し始めていた。迂闊なことを勧めたものだ。

「あなたがお祖父さんのことについて書いて、ホームページに載せようと思っていること。そうしようと決めたあなたの気持ちを、お母さんには話してありますか」

一瞬、美知香の色白の頬に怒気がよぎった。

「話さないといけないですか」

「黙ったままは、よくないと思わない?」

「なんで?」

「お母さんのお父さんのことでもある」

「あの人、お祖父ちゃんのこと忘れてるよ」

怒気が濃くなった。私に怒っているのではない。美知香の相手は母親だ。

「忘れてはいないよ。あてずっぽうで言うんじゃない。私はお母さんとお話をしたからね」

「カウンセリングなんか受けちゃって」

「悪いことじゃない。お母さんがご自分の辛さをこらえるために選んだ方法だ」

美知香はぎゅっと口を結んで黙った。

「同じお医者さまに、あなたも診てもらったらどうかって話があったそうだね。それ、考えてみないかな」

「ゼッタイ嫌だ」

ボレーどころではない。ボーガンの矢だ。

どうしてそんなに嫌なのかという言葉を使わずに、どうしてそんなに嫌なのかと質問するにはどうすればいいかとまどろっこしいことを考えていたら、二の矢が飛んできた。

「あの人、自分でそんなこと考えたんじゃないですよ。ただ言いなりになってるだけ」

「お母さんが」

「そう」

「誰の言いなりになってるの」

「オトコ」

私は目を瞠った。美知香は勝ち誇ったような目をしている。

「知らなかったでしょ。そうなんですよ」

古屋家の家族構成について、私はよく知らない。殺された古屋明俊氏と、娘の暁子と、その娘の美知香。この三人以外にも、構成員がいるのかいないのか。

私の当惑を、美知香は鋭く読み取った。「うちのお母さん、シングルマザーなんです」

私は輪をかけてバカのようにうなずいた。

「あたし、お父さんの顔を知りません。ちっちゃいころは、自分はハーフなんだって思ってた。お母さんの相手は会社の人だと思い込んでたから。でも違った。なんか、別のところで知り合った人だったみたい。でも今の恋人は外国人です」

「あ、会社の人」

「上司だもん」

そういえば、古屋暁子との会話のなかに、「上司に相談した」という言葉が出てきたな。

「お母さん、再婚したいんだと思う。すればいいのに。相手、バツイチでフリーだから、しようと思えばできるんだ」

再婚しないのはあなたのためだよね、という大人のバカ分別な台詞を、私は吐かなかった。固く口を閉じていた。

「じゃあ、あなたの家は三人家族だったのかな」

「そうです」

「お祖母さんは――」

「お祖父ちゃん、離婚してるから。お祖母ちゃん、お母さんがまだ小さいときに、家出しちゃったんですよ。ほかにオトコができて。だからお祖父ちゃん、一人でお母さんを育てたんです。ホント、いっぱい苦労して」

美知香の怒りに、強い悲哀が混じった。自分の悲しみではなく、それだけ苦労して育てた娘にあっさりと忘れられようとしている祖父の悲哀だ。

それはあくまでも美知香の仮想するものでしかない。しかし、仮想であっても彼女にとっては本物だ。ますます厄介なことになってきた。

「お祖母さんはお元気？」

「お葬式には来ましたよ。旦那さんと。お母さん、あんまり久しぶりなんですぐにはわからなかったみたい」

それ以上尋ねなくても用の足りる返答だ。

「そういうお祖母ちゃんで、そういうお母さんなんです。ヘンね。遺伝ですかね。困った女なんですよ、うちの女たち」

思わず、私は笑った。笑いながら謝った。

「ごめんね。あなたの家のことを笑ったのじゃないんだ」

「何かあるんですか」美知香は不思議そうに目をしばたたいている。

「劇的な人生ということについて、人と話したことがあってね。それを思い出してた」

美知香はもっときょとんとした。無理もない。

「劇的って言ったら、あんなふうに殺されたのがいちばん劇的です」

私は笑いを消した。どんな意味で笑ったにしろ、今はふさわしくない。

「警察、バカなんだもん。無責任だし。何もしてくれない」

美知香は口を尖らせる。また怒りと悲哀が満ちてくる。この悲哀は現実のものだ。

「だから北見さんに頼もうとしたんだってね」

くちびるを噛んで、美知香はうなずく。

「お母さんが疑われてるのも嫌だったし」

美知香は警察にあれこれ訊かれていたと、古屋暁子が言っていた。うん、聞いたよと、私は短く言った。

「北見さんに頼めば、公平に捜査してくれると思ったんです。偏見がないから」

「警察は偏見を持ってるんだ」

「でしょ。でなきゃお母さんを疑うわけない」

私はほっとした。この上、美知香も母親を疑っていたらどうしようかと思ったのだ。嬉しくもあった。この娘は、母親の濡れ衣を晴らしたいのだ。

「お母さんの恋人はアメリカ人だから、あの国の人って、裁判とかすぐやるでしょ？　弁護士を雇って、名誉毀損で警察を訴えろって言ってるの。そんなの日本じゃ通用しないのに」

「そうだねぇ。お母さんもおっしゃっていたけど、警察は捜査の進み具合を教えてくれないそうだね」

「ナンにも」

「だからなおさら、あなたは辛い」

悔しいですと、美知香は言った。シンプルなその言葉は、息苦しくなるほど強く響いた。

「じゃ、こうしよう」私はぽんと手を打った。「あなたは文章を書く。書いたら私にメールで送ってくれる。もちろん期限なんかないし、気が変わって見せたくなくなったら見せなくていい。書いたものをすべて見せる必要もない。で、私は私の意見を言う。あなたがそれを採用するのもしないのも自由。そうやって少しやりとりして、ホームページに載せることは、とりあえず保留」

美知香が不満の声をあげた。

「申し訳ないけれど、そうでなければ、私は軽々には引き受けられないよ。あなたにその実感がないのは仕方ないけれど、実は、自分の書いたものを世間に公表するというのは、とても怖いことなんだ」

「あたし、今までだって、日記にお祖父ちゃんのこと書いてきました」

「犯人に見せてやるんだというつもりで書くのは、それとはわけが違います」

険しく目を細める美知香と、私はにらめっこをした。私が勝った。歳の功だ。美知香はカップを手にして、冷めた紅茶をぐいぐい飲んだ。

がちゃんとソーサーに戻す。と、意を決したように顔を上げて乗り出した。

「あたしは本気で犯人を――」

その時だ。窓の外のすぐ近くで、何かが光った。私も美知香もそちらに目を向けた。

私は、自分の見ているものが信じられなかった。窓越し、植え込みの向こうの歩路に、顔の前にインスタントカメラを掲げて、原田いずみが立っている。

「はぁ?」と、気抜けしたような疑問の声を、美知香が発した。「あれ、何です?」

原田いずみは私と視線を合わせると、嬉しそうにニヤリと笑った。そしてくるりと身を翻し、逃げ出した。

たった今起こったことが理解できずに、私は座ったままでいた。何だ? あの女は何をした? 写真を撮ってたぞ。

「あの人、杉村さんの知り合いですか」

美知香が私に尋ねた。そして私の呆然としているのを見て、妙な洞察というか、勘ぐりというか、理解の色を浮かべ始めた。

「えっとまさか、あの人、杉村さんの奥さんじゃないですよね？」

私はまだぼうっとしていた。「え？　いや、全然違うよ。あれは私の部下だ。いや、部下だった」

バカの二乗もバカだし、バカの平方根もバカだ。私は救いようのないバカな返事をした。

「元の部下。ただの、元の部下？」

美知香は歌うようにして問う。

「ただのモト部下が、喫茶店の外に張り込んで、写真を撮って、ニヤニヤ笑って逃げてった。杉村さんが女子高生と二人きりでいる写真を。これ、何かなあ。状況、まずい？」

私よりも美知香の理解のスピードの方が速い。何をほのめかしているのだ？

「まずい？　何が」

「何にも知らない人が見たら、まずいんじゃないですか。あたし女子高生だし。援交に見えたり？　ううん、あたしは別にまずくないけど」

美知香はとうとう吹き出した。

「杉村さん、あの人に何かしたんですか？」

とんでもないと、私は声を張り上げた。マスターがこっちを振り向くのがわかった。

「だってぇ」美知香は笑いが止まらない。「杉村さん、汗かいてる」

「どうしてか自分でもわからないんだ。いや、わかってるんだ。あの女性はいろいろ問題がある人で――いや、私とのあいだに問題があるんじゃなくてね」

8

原田いずみは何を企んでいるのだ？

その答えを知るまで、長く待つ必要はなかった。私の自宅に、「杉村菜穂子様」宛の封書が届くまで、なか一日かかっただけだから。

旧住所から新居へと転送されてきたその手紙が着くまでに、私は妻に事情を話しておいた。彼女は事態をではなく、私の態度を面白がった。

「可笑（おか）しいわね。男の人ってみんなそうなのかしら。何も後ろめたいことがなくて、ただ女子高生と一緒のところを写真に撮られたというだけで、そんなに焦るものなの？」

封書が着くとすぐに、私に報せてきた。私は社にいたが、昼休みに帰って二人で封を開けた。

スナップ写真は、「睡蓮」のテーブルを挟んで私と向かい合った古屋美知香が、私の方にぐいと顔を近づけた一瞬を切り取っていた。見ようによっては、さまざまな解釈を誘うシーンになっている。原田いずみは性格は悪いが、写真の腕はなかなかだ。

同封されている手紙は、簡潔な走り書きだった。

「ご存知でしたか。あなたのご主人は、女子高生を買春しています。これは証拠写真です」

プリントアウトされた文字の羅列に、冷たい悪意が見える。

「この美知香さんというお嬢さんには、原田さんがどんな人か説明したの？」

「誤解を呼びそうだったから、話したよ」

「それなら心配ないわ」

妻は言ってから、ちょっと怪訝そうに付け足した。

「原田さんが知ってるのは、わたしたちの旧い住所だけよね？」

「もちろん」

それでも、しばらく身辺に気をつけるんだよと、私は抽象的な忠告をした。妻は真顔でうなずいた。私も妻も、この手紙そのものよりも、むしろ、原田いずみが妻の名前を正確に知っていた（会社の住所録には載っていない情報だ）ことに、気味の悪いものを感じていた。

自宅で昼食を済ませ、社に戻ろうとしたところで、携帯電話が鳴った。

義父からだった。

「これから『キングス』だ。小一時間かかる。ちょっと出てきてくれないか」

「キングス」は義父が贔屓にしている紳士服の仕立て屋だ。銀座にある。私はタクシーに飛び乗った。

用件に見当はつく。だからこそ、私はうっすらと汗をかいた。

「キングス」は、構えの小さな店である。財界人御用達、真に英国調の紳士服製造販売業を営むここの主人は、義父とおっつかっつの年代だ。

店に入ると、すぐ奥に通された。義父は姿見の前に立ち、店主自らが仮縫いをしているところだった。新調の背広は渋い銀鼠色だ。

店主は私に会釈をしただけで、黙々と作業を続けている。一方の義父は、私の顔を見るなりふっと笑った。

「そのお顔から察するに、会長室宛にも届いたようですね」

「うむ、来た」

「原田いずみの仕業です」

「だろうと思った」

私は説明を始めた。仮縫い室には革張りの肘掛(ひじか)け椅子が数脚あるが、店主はけっして私に腰かけるよう勧めなかった。私も立ったまま話し続けた。序列とはそういうものだ。

「編集部の方はどうだ」

若いころは「猛禽(もうきん)」と呼ばれ、八十歳になった今でも、その目の鋭さに衰えるところのない義父は、私の周章狼狽(しゅうしょうろうばい)を、終始にこやかに聴いていた。からかうような表情さえ浮かべた。が、話が私の自宅宛に来た手紙のところまで行くと、それが一変した。

「菜穂子はどうしている？」

「大丈夫です。事情は知っていますから」

「君の女子高生買春疑惑などどうだっていい。菜穂子は不安がっていないのか」

お義父(とう)さん、あなたのお嬢さんは立派な成人で、一児の母で、大人の女性です――と言いたいが、もちろん言わない。

「やはり、気分のいいものではなかったでしょう。申し訳ありませんでした」

仮仕立ての背広にくっついたマチ針に気をつけながら、義父は姿見の前でくるりと回った。店主は床に膝をついたまま、顕微鏡をのぞく研究者の目でそれを見ている。

「もう、この件はこちらで預かろう」

姿見のなかの自分を見たまま、義父は言った。

「家族まで巻き込むような嫌がらせとなると、放っておくわけにもいくまい」

私を振り返って、ちょっと口元を曲げた。

「遠山が開封したのでね。大騒ぎになりかけた。私が処置するからと手紙を持って出てきたんだが、君はまた大減点だな」

「もう持ち点が尽きたかもしれません」

義父は顎を反らせて笑った。

「あとは法務部で対処する。大至急、報告書を上げてくれ。原田いずみには、すぐ田辺から連絡させる」

田辺氏は会長室の次長である。

「もう君は手を放していい。ご苦労だった」

「わかりました。ご期待に応えられず、申し訳ありません」

義父は鉤型の眉を吊り上げた。「勉強にはなったかね」

「はい。痛い勉強でした」

もしも原田いずみからの手紙が、会長室と編集部宛にのみ来ていたのなら、義父はまだ私に解決させようとしただろう。菜穂子がからんだからこそ、こういう大げさな対処になるのだ。外腹の娘で、病弱で、掌中の珠である菜穂子は、義父の最大のアキレス腱でもある。

「新居はどんな具合だね」

「おかげさまで快適です」

「問題はないか」

妻に、わたしが疲れて寝込んじゃったこと、お父様には内緒にしてねと頼まれている。面倒だから。菜穂子はこの愛情深い父親を愛しているが、世の中のすべての娘と同じく、そんな父をうっとうしく思う瞬間もあるらしい。

同時にもちろん、私にも気を使ってくれているのだ。私が、〝氷の女王〟の減点ならいくら喰らってもいいが、義父に減点されることがないように、と。

「問題はありません。桃子も元気ですし、大喜びです」

義父はうなずき、店主に声をかけた。ズボンの幅と丈の調整だ。店主はてきぱきと指示に従い、相談を受けた。私は待っていた。

「その古屋という女子高生のことだが、今後も相談に乗ってやるつもりかね?」

「一応、書いたものを見る約束はしました」

やめろと言われるかな、と思った。

「梶田の一件で、君は事件づいたかな」

昨年秋、私が義父から預けられた件だ。

「今回は、梶田さんの時のようなことにはなりません。私にできることは限られています」

「まあ、その子の母親とよく相談することだ。もともと、他人が嘴を挟む問題ではない」

「はい、そのつもりです」

仮縫いが終わる前に、私は解放された。外に出ると、さっきはその余裕がなかったので、義父の車を探した。店の横で、忠犬の如く静かに待っていた。

義父が(具体的には田辺次長が)、何をどうしたのかはわからない。それこそがヒミツ警察よねと、妻は冗談まじりに言ったものだ。

事態は収まった。原田いずみの動きはピタリと止まり、その後何事も起こらずに一週間以上が経ち、暦は師走（しわす）に入った。

最初からこうやって処置してもらえばよかったと、少々皮肉な思いが残った。

その間に、古屋美知香から二度メールが来た。彼女はこつこつと書いている。最初に来た文章を見て、「わたしは作文がヘタ」だというのは謙遜（けんそん）ではないと判った。正しい自覚だ。

何をどう、どの順番で書いたらいいのかが、まず判っていない。事実と感情を整理して書き分けられないのだ。

自分の学生時代を思い出してみて、そういえば学校で、「感想」を書けと言われる機会はいくらもあったが、「何が起こったかを書け」と指導された経験はないと気づいた。そういう作文教育の方針は、未だに変わっていないらしい。

添削をし助言をし、メールを返す一方で、このことをお母さんと話し合いなさいと勧めた。義父に言われたからではなく、本当にそう思うからだ。が、美知香はうんと言わなかった。

「別にいいじゃない。杉村さんはあたしのメル友なんだから、いちいちお母さんに断らなくたってかまわないよ」

それは十代の娘の理屈で、大人の分別ではないのだが。

我が家では十二月に入ると、すぐクリスマスツリーを出して飾り付けにとりかかる。今年はさらに、窓やベランダの電飾も始めた。近所にも、窓や玄関まわりをにぎやかに飾っている家が多い。妻はそれに刺激されたらしい。桃子も手伝って、連日、寝る時間を過ぎているのも忘れて二人で騒いでいる。

私はてんで美的センスのない人間なので、高い場所への設置を頼まれるとき以外はお役御免だ。その夜ものんびり風呂に入っていた。そこへ妻が呼びに来た。

「もうあがるから、ちょっと待ってて。二階のベランダには、一人であがっちゃ駄目だよ」

私の返事に、妻は浴室のドアを開けて顔をのぞかせた。

「そうじゃないの。テレビでニュースをやってるのよ」

例の、連続無差別毒殺事件の犯人が逮捕されたらしい、というのである。

「最初は臨時ニュースのテロップが出たの。あわててNHKに回したら、ほら」

どこかの警察署の前から、記者が現場中継をしている。バスローブ姿で腰かけようとして、そのソファに桃子が寝ていることに気づいた。

「寝ちゃったの。あとで運んで」

「わかった」

私は床に座り込んだ。テレビから目を離すことができなかった。妻がタオルを取ってきて、後ろから髪を拭いてくれた。

「繰り返しお伝えしています。今年三月より、首都圏で連続していました飲料への青酸カリ混入による無差別殺人事件の容疑者が逮捕されました」

「埼玉県警大宮警察署前」と、画面の下部にテロップが出る。

「本日午後八時二十分、さいたま市内在住の男が大宮署捜査本部に出頭し、一連の事件は自分がやったと話したため、殺人容疑により署内で逮捕されました。現在、捜査本部では男を詳しく取り調べる一方、男の自宅の家宅捜索を行っています」

妻がタオルを持ったまま、私の隣にぺたりと座った。「まさか自首してくるなんて思わなかったわ。本当かしら」

手元のメモを見ながら続けようとしていた記者に、横から誰かが駆け寄り、耳元で何か言った。

記者はあわててカメラに向き直る。

「只今、新しい情報が入りました。この男の自宅から、青酸カリが発見されました。えー、粉末状の青酸カリを包んだものが見つかったそうです。えー、男の自宅の部屋から、青酸カリの包みが――」

また横合いから伝言。

「注射器？　はい、犯行に使用されたと思われる注射器も発見されたそうです。これは本人の供述で？」

現場での情報も錯綜（さくそう）している。やがてカメラはスタジオに戻った。アナウンサーが、心なしか緊張した顔に見える。

「お伝えしておりますように、今年三月から首都圏で発生し、四人の死者を出した連続無差別毒殺事件の容疑者が逮捕されました。この後、大宮署内の捜査本部で、午後十時三十分から県警捜査一課長の記者会見が行われる予定です」

風邪をひくから着替えてきてと言われて、私はあわてて立ち上がった。ついでに、桃子をベッドへと運んだ。

一夜明けると、テレビのニュースはこの事件の報道一色に塗りつぶされた。都心では号外も出た。「犯人逮捕」の大文字が躍っている。

大宮警察署に出頭したのは、署から徒歩で十分ほどのところにあるアパートに住む、十八歳の無職の若者だった。テレビでは「少年」と報道されている。新聞でも実名は出ていない。未成年者だからだ。

彼は一人で出頭したのではなかった。当初は「姉」と間違って報道され、後に「知人の女性」と訂正されたが、要するにガールフレンドなのだろう二十歳の女性が付き添っていたという。彼女も警察の取り調べを受けている。

犯人の少年に、動機らしい動機はなかった。最初から殺人を意図していたわけでもない。

驚いたことに、彼が青酸カリを手に入れたのは、自殺するためだった。今年の年明けすぐに、いわゆる「自殺サイト」で購入したという。

「このまま生きていてもつまンないような気がしたから」だと、本人は供述している。

少年は地元の高校に進学したが、すぐ退学していた。以来、家でブラブラして、彼の生活態度を責める両親と喧嘩が絶えず、一年半前に一人暮らしを始めた。実家からひと駅ほど離れたところにあるアパートで、家賃は親が負担していた。

時々は、短期間のアルバイトをしていたというから、いわゆる「引きこもり」ではないのだろうが、親しい友人はいなかったらしい。ネットはよく利用し、だからこそ青酸カリを手に入れることもできたわけだが、そこで誰かと仲良くなることもなかったようだ。

グループ広報室の編集室には、旧式のビデオデッキ内蔵型テレビが一台ある。朝から、私たちはそれに釘付けだった。

「ねえ、最近よく聞くんだけど、この『自殺サイト』って何よ?」

くわえ煙草の編集長の問いに、加西君が答える。「自殺志願者の集まってるサイトですよ」

「そんなところで毒物を売るの?」

「全部が全部じゃありません。かばうわけじゃないけど、自殺サイトだっていろいろあって、何とか死なずに、同じ悩みを持つ者同士、励ましあって頑張ろうってところも多いんです。で、そういうところで、〝お守り〟みたいな感じで毒物を分けてあげることがあるんですよね」

これがあれば、本当に苦しい時にはいつだって死ねる。そういう意味の〝お守り〟だろう。

「詳しいわねぇ」

「ネット心中とか起こると、いろいろ報道されるじゃないですか。あ、本も出てますよ」

「実際にのぞいてみたことはあるかい？」

私が尋ねると、加西君は苦笑した。

「ちょこっとだけ。どんな感じなのかと思ったんで。でも、すぐやめました。読んでるのがしんどくて」

犯人の少年が取引をしたサイトがどこなのか、まだ報道されていないが、いずれそちらの管理者にも捜査の手が伸びることだろう。

ともあれ、少年は青酸カリを手に入れた。が、すぐ自殺を試みはしなかった。孤独で平板で、おそらくは退屈でもある日常がしばらく続き、そのうちにまた、

「やっぱり死にたくなってきて」

いよいよ服毒しようと思ったが、その場になって急に心配になった。サイトの書き込みで、青酸カリは空気に触れると変質し、毒性が薄くなるから保管には気をつけるように注意されたことを思い出したのだ。

「これを飲んで、本当に死ねるのか不安になった。どんな死に方をすることになるのか、それも先に確かめておきたかった」

こうして彼は、三月十四日、さいたま市内のコンビニで、最初の事件を起こす。「よく知っている店を使った」という供述のとおり、彼のアパートから徒歩五分の場所だ。

「他所のスーパーで買ってきた紙パックの飲料に、青酸カリを水に溶かして、注射器で入れた」

「あの店は管理が甘くて、万引きが多いことで近所じゃ有名だった。冷蔵ケースに紙パックを入れても、全然気づかれなかった」

そして、それを買って飲んだ二十歳の大学生が死んだ。

青酸カリは確かに効いた。これを飲めば死ぬ。少年の「実験」は成功した。が、彼の不安は消えなかった。

「事件のことで、マスコミはみんな騒いでいたけど、具体的にどんなふうに死ぬのか、詳しく報道してくれたところはなかった。そのせいで、本当にあの大学生が死んだのか、何かピンとこなかった」

だから、もう一回やってみた。それが五月の、やはりさいたま市のパン屋での事件だ。

警察で、彼は積極的にしゃべっているという。時には取調官がついていけないほどに、早口でべらべらと、まさにゲロを吐くように。

自殺しようと決意し、そのための毒物の効き目を確かめたくて、他人を殺す。その発想の飛躍と偏りに、まず、我々はついてゆくことができない。その上で、彼の思考の道筋をたどるなら、今度は、二人も殺してもう充分「実験」が済んだのだから、なぜ次こそ自分に試してみなかったのか、なぜ今になって出頭してきたのか、なぜ洗いざらいしゃべるのか、さらなる疑問が重なってきてしまう。

その鍵を握るのが、どうやらガールフレンドの女性であるらしい。

五月の事件の後、生活費に困って、彼はまた短期のアルバイトをした。三月の事件に使った紙パック飲料を買ったスーパーで品出し作業をしていたというから、これも驚きだ。

彼女とは、そこで知り合った。同じアルバイト仲間である。八月の中ごろ、作業中に彼が怪我をして、救急車を呼ぶ騒ぎがあった。彼女はその場に居合わせて、親切に介護してくれたという。少年にしてみれば、母親以外の異性に優しくしてもらうなど、初めての経験だった。

それがきっかけで二人は親しくなった。彼女と付き合ううちに、少年は自殺願望を捨てた。同時に、

「自分のやったことを秘密にしておくのが嫌になってきた。彼女に知ってもらいたくなった」

打ち明けるまでには、それでもしばらく時がかかった。すべてを話したのは、出頭の三日前のことだったそうだ。

「彼女がついてきてくれるっていうから」

二人で大宮警察署を訪れたという次第だ。

仕事をお留守に、我々は編集部で事件について話し、怒ったり驚いたり、呆れたり嘆いたり、忙しく過ごした。

「要するに、女の力は偉大だってことね」

なぜかしら編集長は威張る。

「しかし園田さん、こんな秘密を打ち明けられて嬉しいですか」と、谷垣さんは目を丸くする。

「それでも彼氏の肩を持ちますか。一緒に出頭してやるなんざ、私には気が知れない」

「じゃ、どうすればいいのかしら」

「警察に通報するんですよ。それが義務です」

「そうだけどさ……」

「何よりこの犯人の、自分と彼女の関係は大事だが他人の命にはまったく関心が持てない、その

冷酷さが問題じゃないんですかね」

谷垣さんがあまり怒るので、編集長も茶々を入れなくなった。

その一方で私は、私にしか見えない懸念を抱えて待っていた。古屋美知香からのメールを。彼女はどうしているだろう？　学校にいて、今はまだ私ほど詳しくニュースを追いかけていないだろうから、気づかずにいるか。

落ち着かないので、「睡蓮」へ行った。マスターは唯一、私と同じ懸念を、私よりも色濃く持ち合わせていて、すぐ寄ってきた。

「ニュース、聞いたろ？」

「聞きました」

「古屋さんの件は出てこないよね。やっぱり、あれは別だってことかね。模倣犯とかさ」

そうなのだ。出頭した少年が「自分がやりました」と告白しているのは、三月と五月の、さいたま市内の事件だけなのである。五月一日の横浜の事件と、古屋明俊氏が犠牲になった九月十七日の大田区の事件は出てこない。

古屋母娘から聞いた話を突き合わせて、私は思い出してみた。警察は、二番目の事件と四番目の事件は、被害者の身近な人物の犯行だと疑っている。だから捜査本部もバラバラに活動している――

それぞれに、犯人が別にいるということなのか。二人の犠牲者を出した無差別毒殺事件と、別個の殺人事件があと二つ、混在していたということなのか。

模倣犯ではなく、便乗による殺人。

気がかりが募るので、夕方、私の方からメールを打った。大丈夫か、という簡単な文面だ。

返事はなかった。

私は待った。そのあいだにも報道は続き、犯行の詳細が判り、少年が取り調べに対して、

「全部すっきりさせて、自分は彼女と一緒に人生をやり直したい」

そう述べているということを、私は知った。

なるほど、彼は生きているからやり直せる。彼が殺してしまい、人生を取り上げてしまった被害者に対する謝罪は、どこにもなかった。

彼が、後追いで、他の二件についての犯行を自白することもなかった。少年が認めているのは、あくまでもさいたま市の二事件だけだ。

胸がもやもやして、胃薬に頼るほどに、私は美知香のことが心配だった。

彼女から連絡があったのは、四日後の午後のことだ。編集部の電話が鳴り、出てみると、

「今、このあいだの喫茶店にいるんですけど」

急いで行くと、マスターが彼女と話していた。美知香の顔を見て、私は一瞬立ちすくんだ。げっそりと面窶(おもやつ)れしていた。目が赤いのは、泣いていたのではなく睡眠不足のせいだろう。

マスターは私に気づくと道を空け、椅子に通してくれながら、美知香に声をかけた。「遠慮することなんかないよ。すぐだからね」

そして小声で私に囁いた。「昨日から何も食べてないんだってさ。大急きでチーズリゾット、作るから」

マスターがよく自慢する「イタリアの病人食」だ。これさえ食べれば元気が出る。

私は美知香の向かいに座った。美知香は私服姿だが、ブラウスの襟がよじれていた。今日はリップグロスもつけていない。くちびるが荒れている。

私が何か言う前に、美知香は言った。「お節介なおじさんですね」

マスターのことだ。私はうなずいた。

「でも本当に、何か食べた方がいいよ」

美知香はぎゅっとくちびるを噛んだ。言葉も、噛み締められて千切(ちぎ)れて出てきた。

「お母さん、毎日警察に呼ばれてて」

私の心臓が、ずうんと重くなった。

「どういうこと?」

「あっちの犯人が捕まったから」

「だからお母さんが呼ばれるの?」

「最初はそうじゃなかったかもしれない。いろいろ、細かいこと突き合わせたいからって。あの、あいつの言ってることと」

だけどすぐ風向きが変わった。犯人の少年が、横浜と大田区の事件については関与を否定しているからだ。

「いよいよだよ古屋さんって、言われたって」

「いよいよ——」

「もう逃げられないよ、他人のせいにはできないよって。昨夜(ゆうべ)、帰ってきて泣いてました」

泣くという言葉が引き金になって、美知香はぽろぽろ涙を落とした。しゃにむにセーターの袖でそれを拭うと、ごめんなさいと言った。

「誰かと話したかったんだけど、誰もいなくて。杉村さんしか思いつかなかった」

「いいんだよ」

私は美知香の、真っ赤になった鼻の頭を見つめていた。

「毎晩、喧嘩です」

「お母さんと?」

「うん。あたしがいけないいんだけど」

つい責めちゃうからと、呻くように言った。

「どうしてこんなに疑われるんだよって。おかしいよ、ホントに何かあるんじゃないのって。あたしがそんなこと言っちゃ、おしまいなのに」

私は叱るつもりで言った。「あなただって、本気でそう思ってるんじゃない。でも口に出してしまうのは、辛いからだ。不安だからだ。腹立たしいからだ。何より、お母さんのためにあなたのその気持ちは、お母さんだって充分わかってるよ」

美知香は返事をせず、もう涙を拭おうともしなかった。

「お母さん、警察に拘束を――」

「ううん。でも朝早くから夜遅くまで調べられてる」

地元の警察署だ、という。

「会社も休みっぱなしだし、このままだとクビかもね」

「いや、それはない」私は即座に否定した。「外資系の会社は、そういう点では、日本企業よりずっと、経営者に対して厳しいんだ。警察に取り調べられたことを理由に従業員を解雇することはできないよ。そんなことをしたら、他の社員も黙っていない。安心しなさい」

美知香は小さくうなずいた。

マスターがリゾットを運んできた。熱いから気をつけてねと世話を焼き、美知香の泣き濡れた顔を見て、どこかからティッシュの箱も持ってきてくれた。美知香は涙を拭き、洟をかんだ。

「ゆっくり食べなさい。よく噛んでね」

「はい。でもあたし、あんまりお金持ってない」

「何言ってんだ。これは私の奢りだよ」

大きなスプーンを手に、そろりそろりと食べ始める。美味しい、と小さく言った。

ものを食べている子供は、誰の子であれ何歳であっても、愛おしい。今はそれに痛ましさも加わって、胸苦しいほどだった。

しばらく彼女を食事に専念させてから、尋ねてみた。「お母さんは、弁護士を頼むつもりはないのかな」

美知香は驚いたようにスプーンを止める。

「逮捕されてなくても、弁護士って来てくれるの？」

「もちろんだよ。そのへんのことはお母さんの上司――」と、私は彼女の顔を見た。「なら、詳しいと思うんだけどね」

「どうなのかな」美知香は首をかしげる。「あの人の話が出ると、あたしもっと怒るから」

スプーンで皿のリゾットをかきまぜている。口元がちょっと震え、まばたきを繰り返す。

皿に目を落としたまま、言った。「お母さんね、何か、あたしに隠してることがあるみたい」

「今度のことで？」

「うん」

怒りと涙を押しのけて、重い不安が、みるみるうちに彼女の頬を暗く翳らせる。

「警察に疑われてるのも、もしかしたらそれと関係あるのかもしれないって気がする」

「どういうきっかけでそう思うようになったのかな。刑事が何か匂わせたとか？」

美知香はかぶりを振った。「あの人たちは、ホント質問するばっかで、何も教えてくれないの。何か質問すると、なぜそんなことを知りたがるんだって訊くんだよね」

目に浮かぶ気がする。

「捜査がどうなってるのか、詳しいことを知るには、どうしたらいいのかな」

美知香の呟きは、私への問いかけではなく、途方に暮れた悲鳴に聞こえた。

「新聞記者とか、取材に来る人に聞いてみようかなって思ったこともあるの。でも、かえってまずいかなって。あの人たちも、教えてくれるよりは、教えろって立場でしょ」

「上手く聞き出すのは難しいだろうね」

美知香は先ほどの私の質問には答えていない。なぜ、古屋暁子が隠し事をしていると思うようになったのか。

「お祖父ちゃんに、何かあるのかな」

これも自問自答だ。遠い目をしている。

「あんな目に遭うような理由がね。お母さんはそれを知ってる。でも、あたしには知らせたくない。だから隠してるのかな」

「今まで、似たようなことを感じた時はあったかい？　この事件のこと以外で」

「ないよ。ないと思う、うん」

美知香は自分で確認するようにうなずく。

「恋人のことだって、すぐわかっちゃったもん」

「でも今度だけは、そういう感じがして仕方がないんだね？」

「すごく強く感じるの。理由は上手く言えないけど、ゼッタイそうだって気がする」

一緒に生活している者の体感だ。

私はあることを思いついた。口にしていいかどうか、美知香がリゾットをきれいに食べ終えるまで考えていた。もともと第三者が嘴を挟む問題ではない。義父の言葉が耳に痛い。

ままよ、私もお節介なおじさんの一人だ。

「少しあたってみようか」

美知香はぱっと顔を上げた。はずみで前髪が乱れた。「え？」

「あてが――なくはないんだ。どのくらいあてになるかはわからないんだけど」

「えええ？　何ソレ？」

「実は私も、自分で言ってることに自信がないんだ」

義父に頼ることを、考えないでもなかった。が、今回の場合はまず、義父には何の関わりもない事柄だ。有り体に言えば、私だってなぜ関わっているのか理由がない。いい加減にしろと叱られる可能性が高い。

それに、よしんば義父が警察関係の（警視庁なのか警察庁なのか公安委員会なのかわからないが）どこかに強力な人脈を持っていて、そこから情報がとれるとしても、義父が働きかける場所は相当な上層部であろうし、となると、下達までに無駄な時間と手間がかかるだろう。事はいたずらに大げさになり、もしも、あくまでも可能性の話ではあるが、古屋暁子が本当に何かを隠しているのだとしたら、かえって彼女の立場を悪くしてしまいかねない。

だから、私が思い浮かべているのは義父の顔ではなく、昨年秋に知り合った、警視庁城東警察署のある刑事の顔だった。卯月という、珍しい名字の人だ。

昨年、義父に頼まれた一件にからんで、私はこの人と面識ができた。そして、ほんの少しばかりではあるが、この人に貸しをつくった。まあ、先方は借りだと思っていないかもしれないが。

「どこまでできるかわからないけど、ちょっとやってみよう。あてにしないで待っててくれるかな」

「頼もしいんだか頼りないんだかわかんない」

美知香は笑った。チーズリゾットのおかげか、わずかだが頬に血の気が戻ったようだ。

きちんと食べて寝て、学校に行く。辛くても生活のペースは保つ。何か書くことで気がまぎれそうなら、そうする。ひとつひとつ約束させて、私は彼女を駅まで送ってゆくことにした。

店を出るときマスターに、美知香は「ありがとうございました」と丁寧に礼をした。

「また、いつでもおいで」と、マスターは手を振った。

9

編集部に戻ると、名刺のファイルを繰って、卯月刑事の連絡先を探した。

警視庁城東警察署刑事課、巡査部長、卯月勝敏（かつとし）。

電話には、ハキハキした口調の若い男性が出た。卯月は公務出張中ですという。戻るのは明後日になるそうだ。

いないのだ。私はあてが外れたような、反面ほっとしたような、曖昧な気分になった。

大田区の事件について、江東区を管轄する城東警察署の卯月刑事が詳しく知っていて、何でも教えてくれると期待するほど、私も能天気ではない。刑事同士の横のつながりで、誰かを紹介してもらえればめっけものだ——ぐらいのつもりだった。

それだって、そう簡単には運ばないだろうという予測もあった。杉村さん、なんでそんな必要があるんですか。あなた、また何かに首を突っ込んでるんですかと尋ねられるだろうし、その突っ込みを上手くかわす自信はなかった。

「ご伝言があれば伝えますが」

親切な応対である。卯月刑事の部下なのだろうか。あの人なら、部下の躾もちゃんとしていそうだ。名を名乗り、明後日かけ直すという伝言を頼んで、受話器を置いた。ため息が出た。

「何だ杉村さん、浮かない顔して」

谷垣さんがレイアウト見本のプリントを手に寄ってきた。

「ちょっと見てくださいよ。これ、秋山君のエッセイ。あれから何度も頼み込んで、やっと顔写真も貸してもらったんだよ」

また「君」づけで呼んでいる。

写真はいわゆる「顔丸（がんまる）」だ。たいていの人が、これだと容姿が三割減に見える。が、秋山省吾はそれでも充分に若々しくハンサムだった。硬派のジャーナリストというより、タレントのようだ。

ジャーナリストか。

そうか、その手があるかと思った。

「谷垣さん、この顔丸、先方に返すんですよね？」

「そうだよ」

「私が届けに行きます」

谷垣さんは面喰らった顔をした。「なんでまたわざわざ。郵送でいいって言われたよ」

「彼に会ってみたいんですよ」

私の記憶にある限り、秋山省吾が犯罪のルポを書いたことはない。が、やっぱり同業者のつながりで、誰か紹介してもらえるかもしれない。

難しいと思うよ――と言いながらも、谷垣さんは秋山省吾の住所と電話番号を教えてくれた。早速かけてみると、留守番電話だ。そういえば、電話でもなかなかつかまらないと、谷垣さんはこぼしていた。

住所は五反田（ごたんだ）だ。とにかく出かけてみることにした。

五反田から目黒にかけては、輸入家具の専門店がいくつか点在している。今の家に引っ越す前、よく妻と一緒に回って歩いたものだ。おかげでいくらか土地勘がある。ほとんど迷うことなく、ＪＲの駅から歩いて十五分ほどの場所にある、古びた四階建てのビルにたどり着いた。

マンションではなく、オフィスビルだ。ということは仕事場なのだろう。部屋番号は四〇三。エレベータがないので外階段をのぼり、塗料が剥げ落ちたスチール製のドアをノックした。

「はぁ～い」

場違いに明るい声が返ってきた。

「ご苦労さまでぇす」

ドアが開いて、二十歳ぐらいの女性がひょいと顔をのぞかせた。クセのない長い黒髪を頭の後ろで束ね、大きなロゴ入りのプルオーバーにジーンズ。ほっそりと痩せて、背が高い。

「あら！」と、彼女は驚いた。「東風軒のヒトじゃないですよね？」

昼食にも夕食にも半端な時刻だが、どうやら出前を待っていたらしい。

「申し訳ありません。私は今多コンツェルン・グループ広報室の杉村と――」

申す者ですがという口上にかぶって、私の背後から「まいど！　東風軒です」という元気のいい大声が聞こえてきた。

「はいはい、ごめんくださ〜い」

出前の兄ちゃんは大きな岡持ち（おかもち）を提げてぐいぐい進んでくる。おかげで私は室内へと押し込まれてしまった。

「えっと、えっと」

応対に出たお嬢さんがあわてている。私も大いに困った。兄ちゃんだけは悪びれるふうもなく、

「はいスブタ弁当ね。こっちは焼肉弁当」と、岡持ちから取り出して、玄関脇の靴入れの上に並べる。お嬢さんがあわただしく支払いを済ませた。

「あ〜りがとうございます」

兄ちゃんが消え、ドアが重たげに閉じた。

「あははぁ」お嬢さんが照れくさそうに笑う。「あの、どちら様ですかぁ？」

「ったく、気がきかないよな」

秋山省吾は、写真よりも実物の方がさらに男前だった。襟足の長い今風の髪型がよく似合う。どこかに出かけて帰ってきたばかりなのか、ノーネクタイだがスーツを着ていた。もっとも、スブタ弁当を食べ始める際に、さっさと上着を脱いでしまったが。

「だって、ね」

叱られたお嬢さんは、共犯者に助けを求める眼差しで私を見た。

「東風軒の兄ちゃんが悪いんだよ。すみませんでした」

「いえいえ、こちらこそ」

さらに身の置き所のない展開であるが、私は一応室内に通してもらい、椅子も勧められて腰かけていた。せいぜい十五坪ほどのワンルームだ。四方の壁を埋めて書架があり、それでも収まりきれない書籍が床まで溢れている。それ以外に目立つものといったら秋山氏の執筆用であろうデスクと二台のパソコン、新聞・雑誌の山と、お嬢さんが腰かけている色あせた布張りのソファだけだ。まことにシンプルだが、雑然としていることはこのうえない。

「朝から何も食ってないんで、失礼します」

言いながら、秋山氏は弁当をかきこんでいる。

「写真なら、郵送でよかったんですけどね。わざわざご丁寧に」

ちくりと皮肉な口つきだった。

「ご多忙のところ、お邪魔して恐縮です」

「原稿ならもう勘弁してください。一度だけ付き合うって約束でした。あの谷垣さんて方にも、何度もそう言ったんですけどね」

お嬢さんが私にお茶を出してくれた。彼女の分の弁当は手付かずだ。

「もちろん、これ以上のご無理をお願いするつもりはありません。原稿をありがとうございました」

私は立ち上がって頭を下げた。秋山氏はむっつりと食べている。

と、いきなりお嬢さんが怒った。「省ちゃん、態度悪いよ」

私も驚いたが、秋山氏は弁当越しに目を剝いた。「な、何だよ」

「何だよじゃないよ。何を偉そうに。ちょっとちやほやされるようになったからって、こうなってンじゃない？」

彼女は右手を拳にして鼻の上にあてた。天狗になってる、という仕草だ。

「人が変わったたね。あたしの知ってる省ちゃんは、そんな生意気な人間じゃなかった。もっと誰にだって親切で丁寧だったよ」

「ちょ、ちょっと待て」

秋山氏はあわてている。私は二人の顔を見比べた。お嬢さんは口を尖らせている。

「おまえなぁ、俺の仕事のことなんか何もわからないのに、偉そうなこと言うな」

「仕事のことはわかんないけど、態度のことはわかるもん」

「一人前になってもいないくせにだな――」

「何が一人前なの？　自分とこにわざわざ挨拶に来てくれた人に、失礼なことするのが一人前なの？」

「だからそれは――」

「ヘンだよ省ちゃん。正しくない！　おばさんに言いつけるからね」

まあまあと、私は割って入った。と、今度は二人揃ってむくれ顔になり、私を睨みつける。

「何がまあまあなんですか？」

「何だよ、あんた関係ないのに」

我慢が切れて、私は笑い出してしまった。

割箸を持ったままの手で、秋山氏がバツが悪そうに鼻筋を掻いた。お嬢さんは怒り顔を保とうとしていたが、やがて笑み崩れた。

「な～んかみっともないですね」

「いやいや、そんなことはない。そもそも原因はこちらにあります。まったく申し訳ない」

「だったらもうちょっと申し訳なさそうな顔をしてくださいよ。俺だけカッコ悪い」

「お弁当食べながら生意気なこと言うからだよ」

「しょうがないだろ、死ぬほど腹ペコなんだから」

実際、空腹だけでなく、彼はかなり疲れているようだった。目の下に隈が浮いている。不規則なのは食事時間だけでなく、生活全般がそうなのだろう。

お嬢さんは私に向き直ると、ぺこりとお辞儀をした。「すみません。省ちゃん、いっぱい失礼なことを言ったりしたりしたんだと思います。代わってお詫びします」

「勝手なことするなよな」

私はまた宥めにかかった。「お二人はご兄妹ですか?」

「とんでもない!」秋山氏は箸をお嬢さんに突きつける。「こんなのは僕の妹なんかじゃありませんよ。押しかけられて迷惑してるんです」

「こんなのとは何よ。やっぱ態度悪い!」

放っておくときりがない。私は音量を上げて、自分がここへ来た理由をとうとうと述べ始めた。お嬢さんと口喧嘩を続けていた秋山氏は、途中から私の方に気をとられ始め、そのうちに二人とも口をつぐんで、私に注目してくれた。

「何ですって?」と、秋山氏は声をあげた。

「あの連続無差別毒殺事件のこと? このあいだ犯人が自首してきたやつ?」すかさずお嬢さん

が尋ね、おまえは黙ってろとやっつけられた。

「はい。図々しいのは百も承知なのですが」

ちょっとぽかんとしていたお嬢さんが、真っ直ぐ腕を伸ばして秋山氏を指した。

「詳しいですよ、省ちゃん」

「バカ！　余計なこと言うなよ」

「だって調べてるじゃん」

「しゃべるな！」

私もぽかんとした。伝手（つて）を紹介してもらえたらと漠然と期待して来てみれば、的のど真ん中だったのだ。

「あの事件を取材されているんですか」

苦りきる――という表現は、まさにこういう場合のためにある言葉だろう。秋山氏は、空になった弁当の器を手近な雑誌の山の上に置くと、両手で顔をごしごし拭った。

「どうしてこうなるかなぁ」

「ああ、申し訳ありません」

「謝ることないですよ」と、お嬢さんは主張する。「出し惜しみするのがおかしいんです」

「頼むからちょっと黙っててくれ。俺、頭がくらくらしてきた」

言葉の綾（あや）ではないようである。お嬢さんも少しシュンとなった。

秋山氏は、疲れた身体に残っていた気力まで一緒に吐き出してしまうようなため息をひとつつくと、私の顔を見た。

「このおしゃべり娘と違って、杉村さんでしたか、あなたは常識的な人のようだからお願いしますけど、これ、オフレコにしてください」

私は約束した。

「今まで僕は、自分の書くものの題材に、犯罪を扱ったことはないんです。今回が初めてで」

またため息をつく。

「ちょこっと——義理のからむ仕事ってところですかね。月刊誌の連載企画なんですけど」

「犯罪ノンフィクションは人気がありますからね。出版社の気持ちもわかります。ましてや秋山さんの原稿なら、ぜひ欲しいでしょう」

目にかかる前髪をうっとうしそうに払いのけて、彼はちょっと目を瞠った。

「へえ。詳しそうなこと言いますね」

私は笑った。「いえいえ。畑違いの児童書の出版社にいたことがあるだけです」

ああ、そうなのと呟いた。

「一応、三回の約束でね。今月末に二回目を渡すんです」

「年末進行になりますすね」

「まあ、たいした枚数じゃないからそれはいいんですけど」

あっさりと片付ける口ぶりだ。

「それよりも困るのは、向こうが連載の回数を増やしたがってるんです。公判まで取材して書いてくれって。僕はそんな深入りする気はなかったのに」

頭を掻きむしる。

「引き受けたときには、どうせ迷宮入りになるだろうと思ってた。こういう無差別毒物混入事件は、犯人が挙がった例が少ないですから。だから何ていうかな——現代の不安みたいなものを表す象徴的な事例として書けばいいだろうと。完璧なドキュメントじゃなくて、散文的なスタイルで。それなら事件を見届けなくていい」

「しかし犯人が出てきてしまった」

「ね？　はた迷惑な話ですよ」

あまりにも正直な発言である。

「でも、それなりに調べてたじゃない」

お嬢さんが割り込んできた。

「そりゃそうさ。書く以上は、事実関係ぐらいは押さえておかないと」

「ふうん。省ちゃん、偉いね」

「何だよ。褒めるか叱るかどっちかにしろ」

言い返した秋山氏に、笑顔が戻った。

「というわけで、ひととおりの事情は知ってます。けっこう取材しましたしね。古屋さんの娘さんが知りたいというのなら、教えてあげることもできますけど、でも本当にいいのかな」

「といいますと」

「母親は隠しておきたいはずですよ」

やはり、古屋暁子には秘密があるのだ。

「その判断は、私がします」と、私は言った。「成り行きとはいえ、こちらから言い出して引き受けたことですから」

「フン」彼は笑った。「じゃ、どうしようかな」

「教えてあげるんでしょ？　もったいつけるのよしなよ」お嬢さんがまた切り込む。

「無料(ただ)じゃ駄目だ」

どケチ！　と、いきり立つお嬢さんを尻目に、秋山氏は私の方に身を乗り出した。

「こいつに、何かいいアルバイトを世話してくれませんか。今多グループなら、適当なのがいくらでもありますよね？」

こいつと親指を立てて指したのは、怒れるお嬢さんその人である。

「は？　しかしこのお嬢さんはあなたのアシスタントなのでしょう？」

「僕はアシスタントも秘書も置いてません。さっきも言ったけど、こいつは押しかけなんです。お荷物です」

「ひど～い」

「ひどくない。事実」

「省ちゃんが一人じゃ大変だろうと思って来てあげたのに」

「大きなお世話」

にべもない。お嬢さんが半ベソをかく。私は彼女に向き直った。

「あなたは学生さんですよね」

秋山氏が代わって、都内の女子大の名を挙げ、「二年生ですよ。もっとも一浪してるけど」と言って、彼女に睨まれた。

「秋山さんのアシスタントに押しかけたということは、多少なりとも、物を書くことに興味があるんですか」

「はい、あるんです」

「あてにはならないですよ。ベストセラーしか読まないんだから」

「うるさいな。省ちゃんは黙ってて」

私の頭には、言うまでもなく、原田いずみが空けてしまった穴のことがあるのだった。

「私のいるグループ広報室というのは、要するに社内報の編集部なのですが、どうです？　まあ、アルバイトの人の場合は、もっぱら雑務が主になりますが。そのかわり、勤務時間はかなり融通がききます」

「今多コンツェルンですか……」

「いたってのどかな社内報です」

お嬢さんは小首をかしげているが、まんざらでもなさそうな表情ではある。

原田いずみで手痛い経験をしたばかりなのに、行き当たりばったりに人を雇うなど無謀かもしれない。だが逆に、あれだけきちんと検討して採った人物にも足元をすくわれることがあるのなら、むしろこういう出会いを優先した方がいいじゃないかという気もした。何より、秋山氏の交換条件を満たすにはほかに手がない。

それに、私はこの率直なお嬢さんが気に入り始めていた。「正しくない！」と秋山氏を叱ったときの、彼女の姿勢は爽やかだった。

お嬢さんは横目で秋山氏の表情を覗った。わざとなのだろうが、彼の方は無視している。

「省ちゃんがそんなにあたしのこと邪魔だっていうんなら――」

「思いっきり邪魔だ」

「このお話に乗ろうかなぁ」

彼女は私に笑いかけた。

「そしたら杉村さんの用も足りるしね。その、古屋さんていう高校生の女の子のためにもなるんでしょう?」

「とても助かります」

「じゃ、決めた」お嬢さんはぴょいと立ち上がってお辞儀した。「よろしくお願いします」

大学の方はもう休みに入っているので、正月明けまでは毎日勤務できるという。それを聞いた秋山氏が、大げさに顔をしかめてみせる。

「おまえ、そんなにヒマだったのかよ。勉強しろ、勉強」

「授業がないんだからいいんだよ。フンだ、自分だって似たようなもんだったくせに」

今度は時間節約のために、私は二人を宥めた。早く事件のことを知りたい。

「これで仮眠の時間が飛んじゃうけど、しょうがないな、約束ですから」

四十分、いや三十分でまとめますからと前置きして、秋山氏は話を始めた。手元の取材帳らしきものとファイルを一冊、さらに新聞のスクラップを広げて、時々ちらりと目を落としはするものの、おおむね空(そら)で語ったから、凄(すご)いものだと私は感心した。

忙しい彼をこれ以上邪魔したくなかったので、私はどんどんメモを取り、必要な質問を繰り出すだけで、自分の感情を面(おもて)に出すのは控えた。それでも最後にこう訊かれた。

「どうです? 母親が隠したがるのもわかるでしょ。責任重大ですよ、あなたは」

私はうなずいた。「よく心得ておきます」

駄目でもともとと、そのファイルを拝借することはできないかと申し出てみたが、ぴしゃりと拒絶されてしまった。仕方ない。

ここを訪れてから一時間半が経っていた。手ぶらで来た私は、短時間のうちに、望んでいた以上の収穫と、原田いずみに代わるアルバイト候補者を得て、会社に戻ることになった。

駅へ向かう道で、私はようやく、まだ彼女の名前を知らないことに気がついた。

「五味淵(ごみぶち)といいます。五味淵まゆみ」

にっこり笑って、お嬢さんは名乗った。

「省ちゃんは母方の従兄(いとこ)なんです」

「かなり歳が違うよね」

「はい、ちょうどひとまわり離れてます」

秋山氏の実家、つまり五味淵さんの母親の生家は岐阜にある。兄弟姉妹合わせて六人いるそうなのだが、東京で暮らしているのは彼女の母親のみで、だから秋山氏が東京の大学に入り、貧乏学生になったころから、頻繁に顔を合わせるようになったのだそうだ。

「省ちゃん、お金なくて飢え死にしそうになると、うちにご飯食べに来るんです。それはホント、ごく最近、本が売れるまでそんな感じだったんですよ」

だから五味淵さんは、小中学生のころ、秋山氏によく宿題をみてもらったそうである。

「わたし一人っ子なので、まあ、省ちゃんがお兄ちゃんみたいなもんですね」

快活にそう言って、急に真顔になった。

「すみません、本当に失礼なことばかり」

「いやいや」

「よくないですよね、省ちゃん。あんなこと言っちゃいけません」

「どんなこと?」

「だってホラ、さっき、あの事件のこと頼まれて書くのに、どうせ犯人は捕まりっこないんだから、やっつけ仕事でいいと思ってたのに、なんて言ってたじゃないですか」

「本気じゃないと思うよ。現に取材はしっかりしていた」

「そうだけど……気持ちの問題が」

歩きながら腕組みをする。

「省ちゃんがちょっと有名になってきて、賞とかももらって、うちみんなで喜んでるんです。ホント一族郎党の誇りって感じで」

古風なことを言う。

「わたしももちろん嬉しいです。でも最近ちょっとね」

主にネットのサイトで、彼に対して批判的な言説を見かけることが多くなったという。

「売れてきたら途端に態度がでかくなったとか、最近の仕事は粗いとか、手抜きが多いとか。厳しいこといっぱい書かれてるんですよ」

それで心配になり、様子を見るつもりで押しかけたのだ、という。

「必ずしもその批判があたっているとは限らないと思うけどね」

「うん。でも、単行本になるものはともかく、ちょっとしたコラムとか雑誌の文章みたいなものは、わたしが読んでも、何かやっつけ仕事だなって感じることがあるんです。こんなの書くくらいなら、引き受けなきゃいいのにって」

なかなか手厳しい。

「忙しくなってからは、省ちゃん、うちにも顔出さなくなっちゃいましたからね。どんな生活してるのかわかんない。たまぁにテレビとか出てるの見ると、顔つきが変わっちゃってて、うちの両親も気にしてるんです。省ちゃん、妙に自信満々の感じになっちゃったねって」

一緒に乗り込んだ電車の車両で、総合月刊誌の中吊り広告を見た。特集企画「二一世紀の企業倫理」に秋山氏が寄稿していて、かなり目立つ見出しが立ててあり、その下に顔写真がついていた。私たちは並んでそれを見上げた。

「ね？　とんがった顔しちゃってるでしょ。何様って感じですよね」

「こういう写真は、誰でも人相が悪く写るものだよ」

今の秋山氏の仕事状況を知らないから、軽率なことは言えない。ただ、身内の直感ともいうべき五味渕さんの不安が、まったくわからないでもなかった。

硬派のジャーナリストであっても、それを生業（なりわい）とする以上、一種の人気稼業ととらえられてしまうことを免れない。それが現代社会だ。正邪や真偽より、好感度や注目度、どれだけ目立つ存在であるかで、まず計られる。そのなかで言いたいことを言い、書きたいことを書いて生き抜いてゆくには、嫌でも尖らざるを得まい。が、人間というのは面白いもので、尖っていること自体を楽しむこともまたできるし、一方で世渡りをするために、それまでしなかった妥協をもするようにもなる。上手く尖っていれば、それを許されるようになるからだ。仕事が粗くなるプロセスとは、煎（せん）じ詰めればそれだろう。

編集部に着く前に、私たちは口裏を合わせた。五味渕嬢は秋山氏の知り合いで、たまたま彼のところに来ており、アルバイト先を探しているというので、私が声をかけてみた、と。

「あなたが秋山さんと仲のいい従妹（いとこ）だってわかると、これは秋山さんに良いコネがついた、また原稿をもらえると誤解しかねない向きが、うちにもいるから」

「へえ～。やっぱ省ちゃん、売れてるんですね」

五味渕嬢は素直に感心した。

園田編集長は、私と同じく、ちょっと話をしただけで五味渕さんを気に入ったらしい。

「コンビニへ行って、履歴書買ってきて。一応、出してもらわないとならないから」

彼女を走らせておいて、私に言った。

「感じのいい子じゃない?」

「そう思います」

「角ばった面接なんかしたって、わかんないことはわかんないんだからさ。いいわよ、使ってみましょう」

これまた私と同じ判断を下したようだ。

そのあと私はインタビューの予定があり、あわてて出かけた。気を使う偉い人が相手で助かった。とりあえずそのあいだは、秋山氏から得た情報に心を悩ませずにいられたから。

終業間際に戻ってくると、まず気がついたのは、溜(た)まりに溜まっていたシュレッダー処理の必要な原稿とゲラの山が、きれいになくなっていることだった。五味淵さんが一人で片付けてくれたのだ。

もうスタッフにも馴染んでいるようだった。皆が彼女の名字を珍しがり、でも呼びにくいと騒いでいる。

「友達には何て呼ばれてるの?」

「ゴンちゃんって」

「じゃ、それでいいよね」

「あ、でも」ゴンちゃんは口元に手をあてる。「あだ名は別にあります」

「何ていうの?」

「一反木綿」

彼女は大変ほっそりしている。それも、ただ痩せているのでなく、身体全体が薄いのだ。さらに眉が薄く、目も鼻も口も細くて、おまけに色白だ。言われてみれば、『ゲゲゲの鬼太郎』に登場するあの妖怪に似て――なくもない。

説明抜きでは「一反木綿」が何だかわからない谷垣さんを除き、残り全員が笑い転げた。ひどいですよねぇと言いながら、ゴンちゃんも一緒に笑っていた。

原田いずみの影が、やっと消えた気がした。

皆が帰ると、私はパソコンを立ち上げた。秋山氏の仕事場で書いた殴り書きのメモを取り出し、頭のなかを整理しながら、その内容を打ち込んでいった。

古屋暁子が娘に隠していたこと。

彼女には、父親を殺害する動機があった。

10

翌日、午前中のうちに仕事を片付けて、もらった名刺の電話番号にかけてみると、思いのほかあっさりと、古屋暁子に連絡がついた。出社しているということは、警察の猛攻は一段落したのだろうか。

美知香さんのことでと言うと、彼女はすぐに会うと応じた。

「いつでもかまいません。わたしはこれから休暇に入るものですから」

電話の声は、気落ちしていた。

「杉村さんは、美知香から聞いておられますでしょう。わたし、連日のように警察に呼ばれて、会社には迷惑をかけっぱなしなんです。こちらも弁護士を立てて、少しは状況が良くなりそうなのですが、まだ何がどうなるかわかりません。上司に相談して、溜まっていた有休を全部使わせてもらうことにしました」

有休が尽きたらクビですよ――と、投げやりに言った。

私の方から日本橋へ出向いた。トワメル・ライツ東京本部は、建造物というよりはオブジェのような美しい曲線を持つビルディングだ。我々はそのビルの向かい側にある小さなコーヒーショップで落ち合った。

古屋暁子は疲れていた。こちらの思い込みのせいもあるのだろうが、高価そうなスーツもブラウスも、以前に会ったときよりくたびれているように見える。

「美知香さんも、あなたが警察に疑われていることで心を痛めています」

私は率直に切り出した。

「なぜお母さんがあんなに疑われるのかわからないと、苦しんでいるようです」

古屋暁子はうつむいている。表情が硬いというより、固まってしまっている。連日の取り調べに、感情が擦り切れているのかもしれない。

「私には、たまたまですが事情通の知り合いがおりまして――」

途端に、彼女はびくりと顔を上げた。ほとんど怯えたような目の色になる。

「少々、いろいろと知りました」

沈黙がきた。彼女が何か言うまで、私は黙っているつもりだった。

長くは待たずに済んだ。

「わたしは父を手にかけてはいません」声がにわかに嗄れている。「確かにトラブルを抱えてはいました。でも、父をどうこうするなんて、夢にも思ったことはありません」

古屋明俊氏には、三年ほど前から密かに交際している相手がいた。会社の後輩の未亡人で、奈良和子という五十七歳の女性である。

古屋氏は彼女に、遺言状を書いて、自分の財産を残してやるつもりでいた。そのことで、娘の暁子と揉めていたのである。

「杉村さんはどの程度ご存知なんですか」

「かなり詳しく知っていると思います」

「じゃ、今さらわたしから何を聞き出そうというんです？」ハンドバッグをかき回し、煙草を取り出すと、「今多コンツェルンのコネって、凄いんですね。警察にも通じているんですか」と、皮肉を利かせて呟いた。

「このことが今まで外部に漏れなかったのは、メディアが、一連の事件が同一犯人による連続無差別毒殺事件と見ていたからでしょう。でも状況は変わりました。新聞や週刊誌で書きたてられるまで、もう時間の問題ですよ。今のうちに、美知香さんとお話しになった方がいい」

「何を話すんです？」

「あなたは潔白だと、あなたの口からお嬢さんに言って、安心させてあげてください」

「あの子はわたしを疑っているんですか？」

鋭く切り返してきた。私は首を振った。

「疑ってはいません。わからないから苦しんでいるんです」

わざと意固地な言い方をしているが、娘の気持ちなら、彼女自身が誰よりもよく察しているはずだ。

「古屋さん——お父さんは再婚を考えてはおられなかったんですか」

古屋暁子はため息をついた。煙草に火を点けないまま、灰皿に置く。そしてやっと、私と目を合わせた。

「その気はないと言っていました。生活を根底から変えることになりますから。それに」

ご存知かしらとちょっと笑って、

「父は昔、わたしの母に去られています」

「ええ、美知香さんに聞きました」

「だから、怖かったんじゃないですかね。再婚なんかしても、もしかしてまた裏切られることになるんじゃないかと」

「別れた奥さんは——」

「幸せにしていますよ。あの人はもう、古屋の家の人ではありません。縁は切れました」

少女のように淋しそうだった。その顔は、本人は気づいていないだろうが、驚くほど美知香によく似ていた。

「わたしが未婚のまま美知香を生んだのも、その後も結婚しなかったのも、自分のせいだと父は思っていたようです。結婚の失敗の実例を、わたしに見せてしまったからだと」

大きな勘違いなんですけどねと苦笑する。

「ともあれ、父は奈良和子さんと付き合っていることを、とても上手く隠していました。わたしも長いこと気づかなかったくらいです。仕事に行ってしまえば、昼間父が何をしているかなんて、まったくわかりませんし。美知香は今も何も知りません。きっとびっくり仰天するでしょうよ」

奈良和子の亡夫は古屋氏と親しく、彼女も何度か会ったことがあるという。

「心筋梗塞で、急死でした。父は葬儀にも行きましたし、何かと和子さんの世話を焼いていたようです。それで関係ができたんでしょう」

「奈良さんご夫婦にお子さんは」

「いません」苦いものを噛むようにくちびるを歪める。「奈良さんという人は働き者だったそうですけど、ギャンブルが好きで。和子さんが知らないあいだに、いくらか借金があったそうです。和子さんが知らないあいだに、家のローンのほかに、いくらか借金があったそうです。亡くなったとき、掛けていたはずの生命保険も解約して使ってしまっていたりしてね。おまけに、ご主人の兄弟というのがお金に汚くて――」

和子夫人は、夫の死後、ほとんど財産らしいものを何ももらえずに、一人で取り残されることになったのだ、という。

「退職金まで、何だかんだと理由をつけて巻き上げられてしまったそうですから」

無一文で、生計を立てる術を持たない奈良和子を見るに見かねた――古屋氏は、娘にそう打ち明けたという。誰かが面倒をみてやらなきゃ気の毒だ、と。

「和子さんは身体もあまり丈夫じゃなくて、働けないんです。父はずっと援助していました。わたしが二人の関係に気づいたのも、お金の動きからだったんです」

「それでご自分の財産を和子さんに残そうと」

古屋暁子はうなずいた。「自分が生きているうちは、いくらでも助けられる。でも死んでしまったらそれまでだ。だから、と」

「失礼ですが、古屋さんには、ご自分の死期について何か気にする理由があったのですか」

ああ、それはとかぶりを振る。

「ありませんでしたよ。血圧が高いのと、糖尿病の気があった程度です。具体的に心配することなんかなかった」

それがあんな死に方をするんだから、わかりませんよね――と言った。

「父は和子さんを受取人に、一千万円の生命保険に入っていました」と、続けた。「それくらいなら、しょうがないですよ。掛け金は自分で払っていたんですしね。でも貯金とか株券とか、それもみんな洗いざらい和子さんに残すっていうから、わたしもカチンときたんです。わたしと美知香はどうなるの、お父さんの貯金だって、お父さんが一人で溜めたわけじゃないのよ、わたしも協力してきたのよって」

「今、お住まいの家は」

「ああ、借家です。父もわたしも、家を持ったことはありません。父にはそんな余裕がありませんでしたし、わたしも今のところは賃貸住まいで充分です。いずれ父を送って、美知香が独立したら――と考えていました」

ならば、ローンの残額や権利関係でゴタゴタする心配はないわけだ。

私のその考えが、顔に出ていたのだろう。古屋暁子はちらりと視線をきつくして、私を睨んだ。

「だったら反対することない、お父さんの望むとおりにしてあげればよかったのに、と思うでしょう？」

「いえ、それは……」

「貯金と株とで、そっちは二千万円ぐらいになりますか。父は退職金を手付かずでとってあったから。でも、それができたのは、わたしが一人で三人の生活を支えてきたからなんですよ」

彼女の声が高くなった。

「大金ですね」

「ええ、そうですよ。右から左に、赤の他人に渡されちゃ、たまったもんじゃありません。なのに父ときたら、おまえは心が狭いっていうんです。おまえはちゃんとした会社に入って、高給取りで、将来にも何の心配もない。一人で生きていかれる。でも和子さんは違うんだって」

男の屁理屈ですよと、斬って捨てた。

「わたしはいっそ、そこまで思うなら再婚しなさいって言ったんです。何度も言いました。でも父は踏み切れない。和子さんにいいカッコしたいけど、彼女に自分の残りの人生を賭ける(か)のは怖い。もしもまた上手くいかなかったら、何も残りませんものね。だから、娘との安全な家庭を守って、老後の面倒は娘にみてもらって、でも和子さんには良くしてあげたい」

ええかっこしいの、男の身勝手だと言われたら、確かにひと言もない。

「それで結局、古屋さんはその内容の遺言状を作ったんですか」

「作りませんでした。その前に、わたしと揉めているうちに殺されたんです」

腹立たしげに言って、灰皿に置きっ放しにしていた煙草を取り上げた。火を点けるつもりだったのだろうが、煙草は彼女の指のあいだで折れてしまった。

それを投げ捨てて、古屋暁子は言った。「だからわたしが疑われてるんですよ。もし遺言状があったなら、警察はわたしより、和子さんに疑いの目を向けたでしょう」

彼女の怒りは正当なものだし、宥める気はなかったが、事実を指摘するつもりで私は言った。

「奈良和子さんも、まったく疑惑の圏外にいるわけではないと思いますよ。古屋さんの生命保険金がありますからね」

受取人として指定されているのならば、遺言状の存在は最初から関係ない。奈良和子には、保険金目当てで古屋明俊を殺害する動機があることになる。一千万円なら充分だ。

古屋暁子は髪をかきあげた。「そうですね。そういえば何度か、泣きつくような電話をかけてきましたよ、あの人。わたしが相手にしなかったら、やみましたけど」

おそらく、捜査対象になっているはずだ。古屋氏を失って、生活にも困っていることだろう。

「しかし、解せません」私は言った。「古屋さんはコンビニで買ったウーロン茶を飲んで亡くなった。青酸カリは、そのウーロン茶に混入されていたんですよね。そのとき、あなたは会社にいた。どうやったって、あなたにお父さんを殺せたわけがない」

「だから」苛立たしそうに、打ち消すように、古屋暁子は指を振る。「そのウーロン茶を、わたしが仕掛けたって言ってるんです、警察は」

「それはまたずいぶん迂遠なやり方だ」

「わたしだってそう思いますよ。まともな常識のある人なら、誰だってそう思うわ。でも、警察の人たちの考えは違うんです。まっとうなやり方――この場合に〝まっとう〟という言葉を使うのもおかしいけど」

場違いな甲高い笑い声を挟んで、

「それだと、真っ先にわたしが疑われる。だから、わざと遠まわしな、博打みたいな殺人方法をとったんだって。連続毒殺事件に見せかけてね。わたしは父の生活パターンも好みも知ってるし、あのコンビニにもよく行ってたし」

実は事件当日の朝も、出勤途中に立ち寄ったのだという。ドリンク剤を買いに。

「防犯ビデオに、わたしがばっちり写っていたんですって。間が悪いですわね」

「しかし、そもそもあなたが青酸カリを手に入れたという証拠はないし、手に入れようとした形跡だってないのでしょう」

「ありませんよ。あるわけないわ。だけど警察は、わたしのそういう言い分を、まともに聞いてくれないんです。あんたには動機があるだろうの一点張り！」

震えながら大きく息を吐いて、お冷やを飲んだ。グラスをぎゅっとつかんでいる。以前に会ったときはきれいに手入れされていた爪が、荒れて割れていた。

テーブルの上に目を据えて、古屋暁子は低く呟いた。「二番目の事件ね。横浜の」

「はい」

「あれが……どうやらそういうタイプの事件であるようなんです。身内の犯行。取り調べのときに匂わされるだけなので、わたしも詳しくは知らないんですけど」

私は内心、舌打ちした。秋山省吾から、二番目の事件の詳細と捜査状況も聞き出しておけばよかった。

四件の連続殺人に見えたものが、一番目と三番目だけが本筋で、あとの二件は便乗的な、それぞれ別個の殺人事件だった。警察はそう読んでいるわけか。なるほど、四件目の古屋氏だけが本筋の犯人の模倣犯の仕業だと考えるより、手っ取り早い感じはする。ましてや「動機」が存在するなら。しかし手段が——

「コンビニの店長も、調べられてますよ」

ぼそりと言われた。私は驚いて目を上げた。それは秋山情報にもない。

「わたしの共犯者じゃないかって」

「——そんな可能性があるのですか」

「あると解釈されてるんです。現に」自嘲(じちょう)的に、彼女は口の端を吊り上げる。「どうせバレるでしょうから、言いますよ。去年から今年の夏ごろにかけて、わたし、店長と親しくしていた時期があるんです。単なる友人というだけのことで、それ以上ではないですが」

外資系証券会社のキャリアウーマンと、コンビニの店長。どんな人物かわからないから即断はしにくいが、意外な組み合わせだ。

が、こうなってくると、警察が彼女に疑惑を抱くのも無理はないか。

「バカみたい。もしもわたしが店長を抱き込んで父を殺させたのなら、当日の朝、わざわざあの店に行くわけないでしょう？」

何とも言えない。私が答えないと、古屋暁子の苛立ちにドライブがかかった。

「わたしは常識的な人間だし、自分で言うのも何ですけど、頭も悪くありません」

それは認める。

「父が奈良さんのために遺言状を書くと言い出したとき、いろいろ調べたんです。そんな、第三者に遺産を全部くれてやるような遺言状が、果たして作れるものなのか。効力があるものなのかどうか」

賢明な措置だ。私はうなずいて促した。

「そしたらわかりました。わたしは父の直系の相続人ですから、仮に父が奈良さんに全財産を残すと遺言状に書いても、遺留分というものを保証してもらえるんです。遺産の三分の一ぐらいですから、そのまま相続するよりは少ない金額になりますけど、それでも何もなくなるわけじゃないんです。対抗手段があるんですよ。遺留分侵害額の減殺請求という手続きをとればいいんですから」

耳で聞いた言葉を漢字に置き換えてみて、私は理解した。

「そのことを、父にも説明しました。父は、映画やドラマで見た半端な知識を鵜呑みにしていて、ちゃんとした遺言状を書きさえすれば、それが全部通ると思い込んでいて、びっくりしていましたよ。それでまた、わたしのことをがめついだの心が冷たいだの言ったけど、わたしはきっぱり宣言してやったんです。お父さんがどうしてもその気なら、わたしは対抗するわよって。父が遺言状を作らずにグズグズしていたのも、そのせいだと思います。和子さんの取り分が減っちゃう上に、わたしとのあいだでそんなごたごたが起きたら可哀想だ、ぐらいに思ったんでしょう」

しかし、取調室でいくらそう力説しても、やっぱり聞き入れてもらえないのだという。

「そんなのは、後付で調べたことだろうって。たとえ遺留分があるにしても、満額と三分の一じゃずいぶん違うとか。とにかく、あの人たちはわたしを犯人にしたくてしょうがないんです」

拳を固めてテーブルを打つ。コーヒーカップとソーサーが、がちゃんと鳴った。古屋暁子は涙目になっていた。

頑なに秘めてきたものを、どんな形であれ吐き出したからだろう。店を出て別れるときには、彼女は少し立ち直っているように見えた。私はそれに励まされ、何とか美知香と話をしてくれるように頼んだ。彼女は約束してくれなかったけれど、美知香を心配してくれてありがとうございますと言った。

礼の言葉に、しかし、私はかえって気まずく思った。余計なお節介をしている私は何者だ？何の権利があって、他人の家庭に口を突っ込む？　私は何をやっているのだ。

それなのに、私の足は会社ではなく、大田区へと向かっていた。問題のコンビニへ行ってみよう、店長に会ってみたい。

大田区は、この地に縁のない者には高級住宅地としてのイメージが強いが、実際に訪れてみると、そんな部分はごく限られていて、実は町工場と町屋と商店街の町なのだということがわかる。それでも、ここにも時代の波は届いていて、古き良き商店街には閉じられたシャッターが目立ち、大通り沿いにはコンビニが点在する。町家（まちや）に代わってマンションが並んでいる。

うろ覚えだったから、通りがかりの人や、商店の前で声をかけては道を尋ね、事件のことを口に出して、やっと尋ねあてた。ああ、あの青酸カリの事件のあったコンビニね。この道を真っ直ぐ行って、最初の信号を右に曲がって――

閉業していた。

「ララ・パセリ」という店名の看板はそのままで、ウインドウに張り紙がしてある。ご愛顧いただきましたが、十一月末で閉店することになりました。壁際の冷蔵ケースや雑誌ラック、レジカウンターもそのままで、商品だけが消え、がらんどうになっていた。

張り紙の隅に、連絡先として電話番号が書いてあった。携帯電話でかけてみると、「はい、萩（はぎ）原（わら）運送です」と、てきぱきした男性の声が出た。運送会社？

この上、私は何をしようというのだろう。

「あ、すみませんが『ララ・パセリ』のことで」

何を言っているのだろう。

「取材の方ですか」

「いえ、少々……個人的な事情でして」

「どういうご用件でしょう」

いや、結構ですと電話を切った。自分で自分が恥ずかしくなった。

「あのぉ」

声をかけられて、振り向いた。

色あせたスタジャンにジーンズ、くたびれたスニーカーを履いて、肩から大きな紙袋を提げている。若い男性だ。歳は二十二、三ぐらいだろうか。ちょっと首を縮め、こわごわという感じで私の顔を覗って(うかが)いた。

「何か御用でしょうか」

「え、といいますと」

「僕、ここの従業員だった者ですけど」

新聞社の方ですかと、重ねて尋ねる。さっきの電話でも、取材かと訊かれた。

「取材、まだ来るんですか」

逆に問い返すと、青年はさらに首をすくめた。

「ていうか、このごろまた多いから……」

古屋暁子と店長の関係、彼らの受けている疑惑が、そろそろマスコミに漏れているのだ。このごろ多いという取材は、それ以前のものとは種類が違っているはずだった。

「私は記者ではないんです。ちょっと店長さんにお会いしたくて来ただけで。お店を閉めてしまったとは知らなかったものですから」

青年は、空っぽの店の内部へと目をやった。

「事件の後、やっぱりお客さんが減っちゃって」

「ああ、そうでしたか」

「もともと、あんまりはやってもなかったんで、持ちこたえようがありませんでした」

そう言いながら、青年は大きな袋から中身を取り出した。たたんだゴミ袋と、コンパクトなセットになっている箒とちりとりだ。

「枯葉とかゴミとか溜まるんで、毎日外回りの掃除だけはしてるんです。失礼します」

彼は作業に取り掛かった。手馴れている。

「じゃ、あなたはまだ従業員なんですか」

笑って首を振る。「もう違いますよ。ちょこっと頼まれてるだけです」

しかし感心な話ではないか。

「誰に頼まれてるの？　ここの持ち主？」

「はい」

「それは店長さんとは別の人？」

「店長のお父さんですよ」

彼は箒を止め、まばたきして私の顔を仰いだ。

「店長のお知り合いじゃないんですか」

う〜んと、私は笑ってごまかした。「そうすると、店長さんは地元の方なんですか」

青年は窓の張り紙を指差す。

「この電話の会社、萩原運送っていうんですけど、そこが店長のお父さんの会社なんです」

親切に教えてくれて、困惑顔になった。

「でもあの、何の御用なんでしょう」

不安そうに瞳を曇らせる生真面目な青年に、私はとっさに出任せを並べた。

「私は、あの事件の被害者の古屋さんに、仕事でお世話になったことがあってね。今日はたまたま近くまで来たものだから、事件の起こった場所を、何というかな、この目で見ておきたかったというか――」

いつからこんな嘘つきになったのだろう。花でも持ってくればよかったなと、さらに嘘を付け足す自分が信じられない。

「ああ、そういうことなんですか」箒とちりとりを手に、青年は首をうなだれた。「申し訳ありませんでした。今さら謝っても追いつかないけど、本当にすみません」

「君の責任じゃない」

「いいえ、商品管理の問題です。甘かった。僕らがもっとちゃんとしていれば、あんなことは起こらなかったんです」

眼差しは暗く、彼は本心から自分を責めているようだった。間近に観察すると、あまり健康状態が良いようには見えない。この身長にしては痩せぎすに過ぎるし、顔色も悪い。事件のことを引きずっているのかもしれない。

「ゴミをまとめるの、手伝うよ」

青年はあわてた。ああ、すみません。私はゴミ袋を広げて、彼はちりとりの中身を空ける。北風が吹いて、ゴミ袋がはためく。

「古屋さんはよく来てくれたから、店長も僕も顔を知ってました。いつも、レジで挨拶ぐらいはしてました」

だからこそ、なおさら辛いと言い足した。

「古屋さんのお嬢さんも、ときどきここで買い物すると言っていた」

青年は首をかしげた。「お嬢さんですか」

「といっても、もう立派なお母さんだけどね。古屋さんにはお孫さんもいて」

「ああ、高校生の女の子でしょう？　犬を連れて、古屋さんと一緒に来たことがあったかな」

そういえば、あの犬はどうしたんでしょうねと、心配そうに呟いた。古屋氏の横死の現場に居合わせた犬だ。シロとかいう名前だった。

店長と古屋暁子の関係は、従業員にそれと悟られるほどのものだったのだろうか。先ほどの話しぶりでは、この青年は、なぜ近頃になってまた店長に取材がかかるのか、訝(いぶか)っているようだった。ならば、何も察していないのか。

「店長さんもショックを受けてるだろうね。お店を閉めることになってしまったし」

もちろんですよ、という返事があるものと思い込んで、だからこそ発した質問なのだが、青年は答えなかった。ゴミ袋の口を縛って自転車の荷カゴに放り込む。箒とちりとりを片付ける。時には私に背中を向けて。

聞こえなかったのかな、と思ったところ、つと手を止めて、いっそう瞳を暗くして振り返る。

「店長は、大丈夫だろうと思いますよ」

通りかかる車のエンジン音にまぎれてしまいそうな、低く殺した声だった。

「もともと商売に乗り気じゃなかった。ずっと、やめたがってましたからね。だから……気にしてないんじゃないかな」

非難の響きを、私は聞き取った。

「やめるっていっても、雇われ店長さんだろうに」

彼は強く首を振った。「違いますよ。ここは店長のお父さんの土地だし、コンビニを始めたのもお父さんの命令で」

「萩原運送の」

「はい、社長さんです。資産家なんですよ。このへんじゃ知られてます」

「コンビニの店舗を作る前は、ここはコインパーキングだったそうだよね」

「よくご存知ですね」青年はちょっと目を瞠った。「古屋さんと、よっぽど親しかったんですか?」

「それほどでもないけど、お嬢さんとも知り合いだから」

彼の探るような表情に、私は愛想笑いを浮かべて応じた。

「それじゃ店長さん——萩原さんは、お父さんの命令で店をやってただけで、あんまり商売っ気のある人じゃなかったんだな。さっき君が言ってた、商品管理が甘かったってことも、だからなのかもしれないけど」

「おっしゃるとおりです」

「だからって、君がそんなに責任を感じることはない。元気を出してください。いちばん悪いのは、こんなことをやらかした犯人なんだから」

これは愛想ではなく、本気で言った。が、彼の硬い表情は緩まなかった。

「どうもありがとう。話せてよかった。遅ればせながら、私は杉村という者です」

青年は私に頭を下げた。名乗り返すことはなかった。私はゆっくりと立ち去り、電柱の陰から、彼が自転車を押して交差点を渡ってゆくのを見守った。

用もないのにうろついて、疲れて帰宅した。この疲労は大部分、自己嫌悪のせいだ。

夕食も進まなかったので、妻にすぐ気づかれたらしい。どうしたのと問われて、何だか子供のような甘えた気分になり、それもまた情けないけれど、事情を話した。

　我が家ではあまりテレビをつけないので、にぎやかな音源の桃子が寝てしまうと、家のなかは静まり返る。そこにとつとつと自分の声が響くと、妙に深刻なように、それでいて作り話っぽいようにも聞こえた。殺人事件の裏側の話など、家庭のなかではふさわしくないものだから、当然か。

「このところ、あなた、そわそわしてると思ってはいたけれど」

「そう？」

「ええ。秋山省吾に直撃インタビューしてたなんて、びっくりだわ」

　本物の取材記者みたいと、笑った。お酒より、こういうものの方がいいわねと、ココアをいれてくれた。まったく子供扱いだ。

「どんな人だった？　やっぱり凄く頭の切れる人なんでしょうね」

「と思うよ。自信家の感じもしたね」

「そうでなかったら、あの若さであんな仕事はできないわよね」

　微笑んで、妻はくすぐるような視線で私を見た。「あなた、ちょっとああいう仕事に興味あるんでしょう」

　驚きだ。考えてみたこともない。

「まるっきりないよ」

「そうかしら。自分で気づいてないだけよ」

「僕は物書きにはなれないよ」

「でも、人に会って何か聞いたり、わからないことを調べたりするのは好きでしょう」

「今も、楽しそうに見える?」

「手放しってわけじゃないけど。だから、そわそわしてるという言い方をしたの」

私はいたく反省した。

「もう深入りはしないよ。余計なことはしない」

「そんなに小さくならないで」妻は吹き出した。

「そうね、確かにこれ以上の深入りはよくないわ。でも、あなたの気持ちもわたしにはわかる。古屋さんのお嬢さんたちのことが、本当に心配なのよね」

そうなのだろうか。私のお節介は、純粋な親切心のなせる業か。

「いいや、ただの野次馬だよ」

妻は、友達と喧嘩をしたり、お稽古事(けいこごと)が上手くいかなかったりして、元気をなくしている桃子をあやすときのような顔をした。わかってるわかってる、お母さんはわかってる、あなたはいい子よ。

「わたしも気になるわ。古屋さんのお嬢さん」

「疑わしいと思うかい」

「そのコンビニの店長との関係がどの程度のものなのかにもよるけど——」

「共犯者になるほどの深いものかどうか」

「うん。でも、店長にも店長個人の動機がありそうよね。資産家のお父さんに商売をやらされて、嫌がっていたのでしょう?」

「元の従業員の話では、だけどね」

古屋暁子は父親の財産がほしい。店長は父親に強いられたコンビニ経営から足を洗いたい。

そこに、連続無差別毒殺事件が発生する。なんという好機だ。同一犯人の仕業に見せかければ、古屋暁子は腹立たしい父親を「片付けて」しまえる。店長は店長で、店をやめる格好の口実を得ることができる。

一石二鳥の利害の一致。

妻はため息をついた。「その従業員の人も気の毒だわ」

「不健康な顔をした若者だったよ。よく見かける、だらしない生活をしていて不健康ですというのじゃなくて、本当に健康に問題がありそうな感じだったな」

自転車を押してとぼとぼと、どこへ帰っていったのか。帰った先には誰が待っていて、どんな家庭があるのだろう。孤独な印象を受けた。むろん、それも私の勝手な想像なのだが。

「二千万円のために、自分の親を手にかけることなんかできる?」

妻が私に問いかけてきた。はっとして、私は彼女の顔を見返した。

「二千万円と、自分の親の命よ」

「金額だけの問題じゃない。でも大金であることは間違いないよ」

二百万だって、二十万だって、殺人の動機になることはある。それほどに、人間にとって金とは切実なものだ。

「そうなのね。大金なのよね」

うなずくような言葉の後ろに、(わたしにはわからないわ)という思いがくっついていた。

(想像することしかできないし、ピンとこないのよ)と。(あなたにはわかるのよね)と。

そう、私にはわかる。

11

古屋明俊氏の殺害事件が連続無差別毒殺事件から切り離され、メディア上で取り上げられるようになるまでには、私が案じていたよりも、もう少し時間がかかった。さらに、あるプロセスを踏んでいた。二番目の、横浜市神奈川区で発生した自営業者の事件の解決というプロセスだ。

こちらも〝犯人〟が自白したのである。

死亡した自営業者は自ら青酸性毒物を飲み、自殺したのだった。彼の営んでいた事務機器リース会社は経営破綻しており、彼は個人的にも破産寸前だった。高齢の母親と、夫人と、三人の子供を養っていた彼は、自らの死によって保険金を得ることを考えた。

自殺でも保険金はおりる。が、彼の掛けていた生命保険には、よくある「特約」がついており、事故死や犯罪などによる不慮の死の場合には、死亡保険金が倍額になるのだった。

彼は一人で計画を立て、毒物を入手し、その上で夫人に協力を求めた。口裏を合わせるよう、強く説得したのである。

報道によると、神奈川県警の捜査本部では、かなり以前から狂言の可能性を疑い、裏付け捜査を進めていたという。夫人も何度となく事情聴取を受けていた。それらの事柄が公にならなかったのは、あの少年による連続無差別毒殺事件の煙幕の効果だ。

しかし、あちらの事件の犯人逮捕によって、煙幕は消えてしまった。弁護士に付き添われて出頭した夫人は、例の能天気な毒殺犯が逮捕された時、警察にすべて打ち明けて謝ろうと、何度も思ったと供述している。もう隠し果せるものではない、自分には無理だ。が、そのたびに亡き夫が夢枕に立ち、子供たちを路頭に迷わせないでくれ、俺の死を無駄にしないでくれと訴えるので、言い出すことができなかったと。

狂言という言葉だけで表してしまうには、あまりにも切ない話だ。

こうして、残るは古屋氏の事件のみとなった。

今までかかっていたブレーキは、すべて外れた。実名こそ伏せられていたが、古屋暁子とコンビニ「ララ・パセリ」の店長が取り調べを受けていることや、奈良和子の存在も、ニュースに取り上げられるようになった。警察が情報を出し始めたのである。

私は何度か美知香にメールを送った。返事はなかった。テレビを観ていれば、古屋家が取材攻勢に遭っていることは一目瞭然だ。どこかに避難しているのかもしれない。古屋暁子は、自分はともかく美知香を守ろうとするはずだ。

奈良和子は、夕方のあるニュース番組で、被害者と親しい関係にあった女性として取材を受けていた。顔は出ておらず、声はインターフォンごしで、その音声も加工されていた。それでも、自分は何も知らない、警察には正直に話しているという訴えが、今にも泣き出しそうなほどに頼りなく、怯えていることはわかった。

その番組を観て、彼女の住んでいる小さなアパートが、古屋家から電車でひと駅しか離れていないことがわかった。古屋氏に勧められ、二年ほど前に引っ越してきたのだという。家賃は古屋氏が負担していた。

古屋氏は、週末を除けば、二、三日ごとに通っていた。もっぱら昼間に来て、夕方までゆっくりしていくことが多かったという。犬を連れてくることもあったと、彼女は記者の質問に答えて言った。シロと一緒に、散歩がてらに立ち寄ることもあったのだろう。

ただ事件のあった日には、古屋氏に会っていないという。当時、彼女は夏風邪で臥せっており、それは古屋氏も知っていた。昼前に電話があり、具合はどうか、必要なものはないかと尋ねられ、大丈夫だけれど、今日はもう一日寝ていると答えたら、じゃあ明日寄るからと言って、切れた。それが最後の会話だったという。

容疑は古屋暁子と、「ララ・パセリ」の店長の萩原某氏に絞られた。二人の共犯説が、メディアの上で語られ始めた。奈良和子にも動機はあるが、機会がない。暁子と萩原には、その両方が揃っている。

二人が現在どういう状態にあるのか、報道からはわからない。逮捕には至っておらず、身柄も拘束されてはいないが、警察が二人をマークしていることは確実で、その中途半端な緊張関係は、傍から見ていても息苦しい。暁子が雇ったという弁護士も、今のところは表面に出てきていない。

「省ちゃんなら、何か知ってるかも」

ゴンちゃんが勢い込んで情報収集にかかり、私がその成果を教えてもらうことができたのは、報道が始まって三日後のことだった。

「話を聞き出すより、省ちゃんを捕まえることの方がタイヘンでした」

と、ぷりぷりしていた。

秋山情報によると、捜査当局は現在、暁子と萩原が青酸カリを入手した手段とルートを突き止めようとしているのだという。逆に言えば、今までのところ二人にはその形跡がないのだ。

「そこをはっきりさせないうちは、逮捕はしないだろうって言ってました」

ゴンちゃんは走り書きのメモを読みながら解説してくれる。

「青酸カリ、つまり凶器ですが、それの出所がわからないと、リッケンが、むつかしい」

毒物は自然にウーロン茶の中に入るものではないが、それと同じくらい、宙から降ってくるものでもないのだから。ひと昔前だったら、そんなことは逮捕してから洗いざらい吐かせればいいという姿勢でも通用したろうが、昨今は違う。

「警察はやっぱりネット取引を疑ってるらしいです。古屋暁子さんは、えーと、ニンイでご自分のノートパソコンを提出したそうです」

私は少し安堵を感じた。そういう形で捜査に協力するということは、美知香とのあいだの屈託は解けたのだろう。古屋暁子は、自分の潔白を証明しようと前向きになっているのだ。

「家宅捜索も入ったそうですよ」ゴンちゃんは顔を曇らせた。「美知香さん、どうしてるんでしょうね。何か友達のことみたいに心配です」

その晩帰宅すると、妻が待ち受けていた。彼女もゴンちゃんと同じように心配しているので、私はすぐ秋山情報を教えた。彼女は私のコートを持ったまま聞き入り、

「昼間のワイドショーに、コンビニの店長のお父さんが出てたから、録画しておいたの」

私はそそくさと夕食を済ませた。まだ桃子が起きていたので、その録画は書斎で、一人で観ることになった。

萩原社長は名前を伏せ、映像に顔を出していなかったが、声は素のままだった。最初からエンジン全開の怒りっぷりで、何も後ろめたいことはないんだから、私らは身元を公にしたってかまわないんだということまで言っていた。インタビューする記者が逆に宥めていた。

年齢は七十に近いのだろうが、骨太でがっしりした体格で、かなり派手な格子縞の上着を着ている。声が大きい。嫌疑をかけられている息子をかばいつつ、「バカ息子」「ドラ息子」と言い捨

ている。

「学生のころから芝居なんかに夢中になって、そらもうバカ息子ですよ」

けど人殺しなんぞけっしてしません。

「古屋さんのお嬢さんとだって、ちょっと親しかったというだけです。深い付き合いじゃないですわ。そんな根性がないから、四十近くなっても独り身でフラフラしとったです。それがあんた、なんでそんな人のために自分の商売台無しにするようなことしますか」

記者が、息子さんは商売をやめたがっていたという噂がありますと切り返すと、社長はさらに怒った。

「だからドラ息子だと言うとるんです！　今度ばかりじゃない、ずっとそうでした。私ゃ何度もあれをまっとうにしようとして、店を持たせたり就職させたり、えらい苦労してきたんです。けどもあいつはそのたびに逃げよる。私は後始末におおわらわですわ」

だからこそ、今度に限って、息子が商売をやめたいという理由で事件を起こすなど考えられないと声を張り上げた。

「やめたかったら、またおっぽり出して逃げれば済むことです。なんも難しいことじゃない。私から逃げて、一年かそこらで金に困って、すごすご帰ってきて首ねっこつかまれる。それを繰り返してきたんですよ、あのバカは」

不謹慎だが、私はふと笑ってしまった。書斎のドアがノックされ、妻が顔を出した。

「あ、笑ってる」と、笑顔になる。

「ね？　わたしも、悪いと思いつつちょっと笑っちゃったのよ」

ワインとつまみを持ってきてくれた。私の隣に座る。

「お父さんによると、萩原店長は芝居をやってたようだね」

「いわゆる小劇団かしら」

役者なのか劇作家なのか主宰者なのか。いずれにしろ、古屋暁子が「ちょっと親しく」なった理由もそのあたりにありそうだと、我々は話し合った。

怒れる父、萩原社長のインタビューが終わると、女性レポーターがあの「ララ・パセリ」の前に立っている映像になった。周囲を歩き回りながら事件の概要を説明している。店は私が訪ねたときのままの様子で、変わったところはなかった。

と、元の従業員だという青年がレポーターの脇に登場した。顔は出ていないが、あの青年に間違いない。今日も掃除に来たのだろう、あの日と同じように肩から大きな紙袋を提げていた。

彼とレポーターの一問一答が始まった。レポーターは前のめりになりそうな熱心さで質問を投げるが、彼の応答はぼそぼそと途切れがちだ。

「あなたの会った男の子ね？」

「うん。やっぱり元気がないね」

彼は古屋氏の死にショックを受けたことを語り、店の商品管理が甘かったのだと言った。でも店長は犯人じゃないです。そんな人じゃありません。僕は信じていますから。

「古屋さんのお嬢さんに会ったことはありますか？」レポーターが問いかける。

「うちのお客さんですから」

「どんな女性でしょう」

「きちんとした人だと思いました」

「店長と親しいと知ってました？」

「知りません。店長は、お客さんにはみんな丁寧にしてました」

やりとりは長く続かなかった。女性レポーターの後ろに、何人かのティーンエイジャーが映った。野次馬だ。カメラに向かって手を振ったり、ポーズをつけたり、テレビに出ていることを報せているのか、携帯電話をかけたりしている。元従業員の青年は、うやむやな感じで画面から押し出されてしまった。

「こんなことがずっと続くのかしら」と、妻が呟く。毒物の入手ルートや手段がはっきりしなくても、膠着(こうちゃく)状態が続けば、それを揺り動かすために、警察は思い切った手を打つかもしれないと、私は言った。二人のどちらかの身柄を押さえて、残った一人に圧力をかける。

「あの、恋人に付き添われて出頭してきた犯人ね」と、妻が言い出した。「あの人のやったことなんか、もうみんな忘れちゃったみたいな感じがするわ」

不満そうである。

「そもそも彼があんなバカなことをやったからこそ、他の事件も起こったのに」

書斎のドアが十センチほど開いた。隙間から白いものがちらりと見えた。パジャマの袖だ。

「こら、かくれんぼかい」

私が声をかけると、桃子がドアから顔を出した。こちらもムクれている。自分だけ仲間はずれだと思っているのだ。妻はふざけて、わざと桃子にバイバイした。

「あらモモちゃん、おやすみなさい～」

イジワルだぁと、桃子が騒いだ。私たちが笑い出すと、桃子も笑って飛んできて、私の膝によじのぼった。

12

古屋美知香がひょっこり編集部を訪ねてきたのは、それから二日後のことだった。思いのほか落ち着いた表情をしており、ご心配おかけしていますと、急に大人びたような挨拶をした。

制服を着ている。午後二時を少し回った時刻だ。学校は？　と尋ねると、サボってきたわけじゃないから大丈夫と笑った。

「期末試験が終わって、授業が少ない時期なんですよ」

美知香は現在、友達の木野さん——カイちゃんの家に居候しているのだという。報道が始まった直後に、カイちゃんの両親がそうするように勧めてくれたのだそうだ。無論、古屋暁子も承知している。

「お母さん、どんな様子かな」

美知香は顔を伏せることなく、真っ直ぐに私を見て答えた。「戦ってます。優勢なんですよ。弁護士さんもいい人で、よかった」

「お母さんを信じてくれてるんだね」

「はい」

明るい眼差しが、（わたしも信じてる）と語っていた。少し痩せたようではあるが、頬の線は柔らかい。私は、私のお節介が役に立ったかどうかはともかく、母娘の邪魔にはならなかったらしいことに安堵した。

「お母さんとよく話し合ったら、もやもやしてたものがすっきりしました。あとは、警察が早くとんちんかんなことをやめて、真犯人を捕まえてくれればいいんですけど」

だけどねぇ——と、大げさに肩をすくめて、

「困ったもんです、あの人も」

母親のことを嘆いているのだった。

「あんなコンビニの店長さんなんかとデートするから。タイミング悪すぎ」

二人が交際していたことに、ショックを受けている様子はなさそうだ。おかげで私も気楽に尋ねることができた。

「萩原さんて、どんな人なの」

「アーティスト」と即答し、それから美知香は笑いながら付け足した。「自称ですよ、自称」

「芝居をやってるとか」

「前衛劇みたいなの。お母さんをつっついて白状させたんです。いっぺん、観に行ったことがあるんですって。何が何だかさっぱりわかんなかったって」

だから交際も発展しなかったのか。

「うちのお母さん、そういうのにちょっと弱いんですよ」

実務的な人だから、対極に惹かれるのだと解説してくれた。

「萩原さん、名前は萩原弘（ひろし）っていうんだけど、戯曲書くときのペンネームは昴コウジなの。すばるですよ、すばる。笑っちゃうでしょ」

「聞いたことないなぁ」

「あるわけないですよ」

舌鋒が、少しだけ尖った。

「お金持ちのお坊ちゃんの道楽だって、お母さんも言ってます。それがわかったら、すうっと冷めちゃったンですって。萩原さんと付き合ったころって、お母さん、ちょっと悩んでたっていうんですよ。会社の上司とのことで」

その上司が母の恋人なのだと、美知香は言っていた。

「ずるずる付き合ってたけど、先が見えないし、やっぱ向こうは外国人だし、これでいいのか不安だったんですって。もちろん、あたしのことも考えてくれたんだと思う」

真顔に戻っていた表情が、また笑み崩れた。

「だからって、毎日のように行くコンビニの店長にフラフラッとしちゃうなんて、タンラクって感じしますよね。そそっかしいですよ」

母親のことを語っているというより、歳の近い姉さんか、友達の話をしているかのようだ。

「『ララ・パセリ』なんて、すっごいマイナーなコンビニでしょ。でもあそこ、一応『ぴあ』の窓口になってて、コンサートとかお芝居のチケット買えるんですよ」

一応、という言葉はキツい。

「でね、お母さんが会社の友達とミュージカル観に行こうと思って、あそこの端末でチケット買ったら、萩原さんが声かけてきたのがきっかけだったんですって。そんな芝居観るんですか、駄作だからおよしなさいよってな感じ」

美知香はさらに笑う。ここまで笑顔が続くと、ああ無理してるなと感じたが、私は調子を合わせていた。

「もう、笑っちゃうくらいストレートなナンパの手口なのに、お母さん、そういうのにも弱いんですよ。自分だって頭いいのに、自分よりももっとものを知ってるらしく見える人に、それらしいことを言われると、コロッと参っちゃう。何か教えてくれる人に、すぐ感心して惚れちゃうの」

上司と恋愛関係になるというのも、それか。

「お母さん、美人だからね。萩原店長としてはチャンスを狙ってたのかもしれないよ」

「そうですか？　ふうん、男の人の目にはそう見えるんだ」

「素敵な女性だよ」

ドアに大きなノックの音がした。私たちは編集部のなかの狭い会議室にいた。美知香が人の大勢いる場所は嫌だろうと思ってそうしたのだが、「私用で使わないで」と、編集長がお怒りなのかもしれない。

腰を浮かしかけたら、ドアが開いてゴンちゃんが顔をのぞかせた。コーヒーカップを二つ載せた盆を持っている。

「はぁい、お邪魔しまぁす。こんにちは！　あなたが古屋美知香さんですね。わたし、杉村さんの下でバイトしてる五味淵です。ヨロシク！」

ゴンちゃんは美知香のことを心配してくれていた。そこへ、意外に元気そうな顔で本人が現れたものだから、喜んでしまったのだ。ゴンちゃんは美知香を知っているつもりでも、美知香はまるで知らない。あけっぴろげな自己紹介に、面喰らっている。

「いれたてのコーヒーですよ。あんまし濃くしませんでしたけどね、はい、どうぞ」

にこやかにカップを並べ、空になった盆を胸に抱くと、頰を上気させて、ひと息に言った。

「えっと、いろいろ大変だと思いますけど、元気出してくださいね。正しいことは、時間かかっても、必ず正しいって証明できますから」

言うだけ言うと、急に恥ずかしくなったのか逃げていってしまった。美知香は目をぱちくりさせている。

「やたら明るい人ですね？」

「びっくりさせて済まないけど、いい子なんだよ。あなたとお母さんのことを心配していてね」

「あたしの名前、知ってましたね」

ゴンちゃんと知り合った経緯は、美知香には話せないことなので、私はただ恥じ入って頭をごりごりかいた。

「ごめんね」

「別に、杉村さんがあたしのこと悪いふうに話題にするわけないからいいんですけど、でもあの人に、あたしの書いたもの見せました？」

「まさか！　あなたに無断でそんなことはしないよ」

ふうんと、美知香は口元を尖らせた。「ちょっと読んでもらってもいいような気もするんですけどね」

やっぱりホームページに載せようと思うのだ、と切り出した。

「北見さんが、不愉快なメールとか〝荒らし〟とかに遭うのも覚悟の上なら、やってみてもいいんじゃないかって」

「北見さん？」

「退院して、団地に帰ってきてるんです」

数日前、あのブランコのそばで、ばったり会ったのだという。

「げっそりしちゃって、杖ついて歩いてました。大丈夫なんですかって訊いたら、もう永くないんだし、治療のしようもないんだから、家で死にたいってゴネて帰ってきちゃったんだって笑ってた」

会うなり、北見氏は美知香に謝ったという。言うまでもなく、美知香が倒れて救急車で運ばれた一件のことだ。

「かえって、あたしの方がごめんなさいって感じになりました。でも北見さん、あたしの気持ちをもっとよく察して、ちゃんと説明するべきだったたって」

ゴンちゃんは「濃くない」コーヒーだと言っていたが、そうでもない。かなり苦かった。美知香はカップに半分ほど余している。ジュースか何かほかのものの方がよかったかな、と思った。

舌がざらつくような感じがする。

「どうしても、書くだけでは足りないかな」

美知香は少し間を置いてから、首を振る。

「前とは意味が違うんです。前はね、杉村さんが言うとおり、自分の気持ちを誰かに聞いてほしかっただけだった。それって、いちばん聞かせるべき相手は、あたし自身だった。でも、今は違うの。なんていうかな、世の中の人に、この現状を正しく知ってもらいたいって感じ」

「あなたとお母さんが置かれている状況を」

「そう。警察の人が、どんなふうに無神経なこと言うかとか、取材に来るマスコミの人も、実はこっちの言ったとおりに書いてはくれないってこととか」

報せたいんです、という。美知香はしゃべり疲れてきたのか。しらせらいんです、というふうに発音した。先ほどから、少し呂律が――

「確かに、ネットを使えば、当事者であるあなたが誰よりも正確な情報を発信することができるよね。でも、それをそのとおりに受け取ってくれる人ばかりとは限らないよ」

ひとばかいとはかぎららいよ。私の発音もおかしくないか？

「杉村さん……」美知香が顔をしかめる。「あれ？　何かちょっと——」

ふらふらしませんか、という。目の焦点がとろんとしている。

「そうらね。空調の、せいから」

私は窓を開けようと、立ち上がりかけた。自分の身体が砂袋のように重いことに、そのとき気づいた。足は床についている。両腕をテーブルに突っ張ってみる。身体が持ち上がらない。

「おかしい、ね」

美知香はゆっくりとまばたきを繰り返している。テーブルの端を指でつかんでいるのは、そうしないと身体が傾いてしまうからだろう。いや、つかんでいても傾き始めた。電車のなかで居眠りしている人のように、首ががくんと横に倒れる。

「ヘンだよ、杉村、さん」

間延びした呟きを漏らし、美知香は助けを求めるように私の方に手を伸ばした。その手が泳いで空をかき、テーブルの上に落ちた。コーヒーカップが倒れる。彼女の飲み残しのコーヒーがこぼれて、茶色い小さな飛沫が散る。

妙に苦かったコーヒー。

美知香はテーブルに突っ伏してしまった。私は尻からずり落ちるようにして椅子から離れ、床の上に腰を抜かしてへたりこんだ。ずるずるとずって行って、ドアノブに手を伸ばす。握れない。やっと握った。回せない。

編集部で電話が鳴っている。鳴り続けている。編集長も谷垣さんもゴンちゃんもいるはずだ。なのに、誰も出ない。

やっとドアノブが回った。私はドアに体重を預けてもたれかかった。ドアは開いて、私はそのままずるずると床に倒れてしまった。

通路にゴンちゃんがしゃがんでいた。丸くなったまま壁にもたれている。

ゴンちゃん、どうしたんだ大丈夫か——呼びかける自分の声が、ぼやけて聞こえる。

突然、自分を囲む空気がとろんとした透明な樹脂になってしまったかのようだ。すべてが重く、光の透過度が落ち、壁や廊下や机の描く直線の端が垂れ下がって見える。

這(は)ってゴンちゃんに近づき、彼女の腕に触れようとした。私の手は不器用にゴンちゃんにぶつかり、その反動で彼女はころりと前に倒れた。目を閉じている。深い息をしている。

私は必死に、もどかしくとろとろと前進した。

意識がフェードアウトする前に、最後に見たものは、長々と床に伸びた園田編集長の脚と、彼女の靴の底だった。

13

誰も死にはしなかった。いちばん長いこと眠っていた園田編集長も、十時間後には病院で目を覚ました。そうだ、我々はちゃんと目覚めた。

ただし、ただの午睡(ひるね)ではなかった。これは事件だった。

救急外来の一角にある病室で、キャスター付きベッドの上で目を開いたとき、傍らには妻がいた。加西君もいた。妻は涙目で、加西君はうろたえつつも笑顔だった。

「ああ、よかった」

それが彼の第一声だった。

「みんな大丈夫ですからね、安心してくださいね杉村さん」

私はすぐ声が出なかった。喉がからからで、口のなかには胆汁の味がした。なんで自分の唾(つば)がこんなに苦いのだろう。

「睡眠薬ですって」私の手を握りながら、妻が言った。囁くような声で、私の耳元で。彼女がしゃべると、涙が一滴だけこぼれた。

「あなたたちのコーヒーに、誰かが睡眠薬を混ぜたの」

「馬でも寝ちまうほどの量だそうです」と、加西君が補足する。「でも、みんな無事ですからね。谷垣さんが頭にこぶをつくって、ゴンちゃんがちょっと気持ち悪くなって吐いて、ああ、編集長はまだ寝てます。けど呼吸も心電図も正常ですから」

後ろから誰かに呼ばれて、加西君は首をよじって返事をした。

「あ、社からもいろいろ人が来てるんで、僕、会ってきます。あとのことは心配ないですからね、杉村さん」

パタパタと足音をたてて行ってしまう。彼は美知香のことを忘れている。美知香はどうした。

「あのお嬢さん、美知香さん」

妻が私の手をさらに強く握り締め、笑いかけようとする。

「彼女も無事よ。いちばん軽かったの。さっきお母さんがいらしたわ」

私は目が泳ぐばかりで、まだしゃべれない。唇に百キロの錘がついている。

「お父様がこっちに向かってるの」

私は目をつぶった。言えるものなら言いたかった。あ痛ぁ。今多会長、臨場か。

「ちょっとニュースになると思うけど、そっちの方は広報部と社長室に任せておけば上手くやってくれるでしょう。専門家だもの」

桃子は――と、尋ねた。

「お兄さんのところよ。心配しないで」

看護師さんが来て私の脈と血圧を測り、どこか痛いところはないかと尋ねた。

「手足の関節をゆっくり動かしてみてください」

さらに腕や足を調べ、痣がないか確認する。幸い私は上手に昏倒したらしく、何事もなかった。谷垣さんがこぶをつくったというのは、倒れた拍子に頭を打ったからだろう。こぶ程度で済んでよかった。

私は口のなかが苦いと訴えた。

「ああ、後味がね。睡眠薬や入眠剤にはよくあることなんですよ。一日ぐらいで消えるはずです。頭痛はしませんか?」

「ちょっと頭が重いです」

「それも薬のせいだと思いますが、痛みがひどくなるようだったら検査しないとね」

「入院が必要でしょうか」と、妻が訊いた。看護師さんは、涙目の彼女に微笑みかける。

「先生に伺ってみましょう。今のご様子ですと帰宅できると思いますよ。ただ」と、人声のする廊下の方へちらっと目をやり、「警察が来てますからね。順番に皆さんのお話を聞いて回ってるみたいですから、それが終わるまではしばらくここでお待ちになった方がいいと思います」

できれば義父が来る前にここから逃げ出したかったのだが、無理のようだった。

「少し座って落ち着いたら？　そんな顔をしていると、君の方が入院させられるよ」

私はとろとろと妻を促した。彼女は心臓が弱い。「小心」の比喩ではなく、器質的な問題があるのだ。

「びっくりさせて悪かったね」

「謝ることないわ。災難だったんだもの」

ハンカチで目元を拭い、やっと少し頬を緩めた。「でも、最初に加西さんから電話をもらったときには、心臓が停まるかと思った」

「加西君が連絡してくれたのか」

冷凍室のマグロのようにごろごろと倒れている我々を発見したのも彼だそうだ。

「ええ。若いのに、しっかりした人ね。最初にね、会社でちょっとしたトラブルがありました、これからご説明しますので、まず深呼吸してくださいって言ったの」

私は笑った。加西君も、私の妻の病弱なことを知っている。しかし、そういう予告はかえって逆効果じゃないかな。

「でも加西さん、わたしのこと〝奥さん〟じゃなくて〝お嬢様〟って呼ぶのよ」

「あれでなかなか如才ないんだよ」

話しているところに、病院のお仕着せを着てスリッパを履いた谷垣さんが現れた。氷嚢を頭に載せている。すぐ後ろに、小柄でぽっちゃりした同年輩の女性が付き添っている。谷垣夫人だろう。

「や、杉村さんも起きた」と、大きな笑顔になり、とたんに顔をしかめた。「おお、痛ぇ」

我々はそれぞれに挨拶を済ませた。谷垣さんは私の隣のベッドによじのぼる。

「さっきまで私もここに寝とったんです。レントゲン撮りに行って」

「この人は頭が固いから、おかげさまで骨は無事でした」と、夫人が茶化す。笑うと目がなくなってしまう、ふくふくした愛敬顔だ。

「今、港中央警察署の刑事が、古屋さんのお嬢さんと五味淵さんの話を聞いていますよ」

二人は廊下を挟んで反対側の病室にいるという。まだ眠っている編集長は救急処置室に残されていて、モニターにつながれているそうだ。

「園田さん、あのコーヒーをお代わりしとったから」

我々は互いの体験を突き合わせてみた。このコーヒーは妙に苦いと、谷垣さんたちも気づいていて、しかし編集長はこの苦味が好みだと言ったそうである。

「可哀想に、コーヒーをいれたのは五味淵さんですからな。ちょっと取り乱して、さっきは泣いていたようです」

病室をのぞいてきたのだそうだ。私はむくむくと心配になってきた。

「事情聴取を受けているのなら、我々が一緒にいた方がいいんじゃないですかね。ゴンちゃんに責任があるわけがない。彼女もコーヒーを飲んでるんだ」

谷垣さんは、空いた左手で私を宥める仕草をした。「それなら大丈夫ですよ。私も話しておきました。こりゃ外部の人間の仕業だって。心当たりもあるって言っておきましたから」

「といいますと」

私の問いかけに、谷垣さんは意外そうに目を瞠った。「決まっとるじゃないですか。あの女ですよ」

「――原田さんですか」

「ほかに誰がいます？　私らにこんな悪さをするなんて、あの女以外にいるわけがない」

原田いずみが編集部に忍び込み、コーヒーに睡眠薬を混ぜたということか。

「決めつけるのはよくないわよ、あなた」

夫人がイタズラをした子供を叱るようにたしなめる。谷垣さんは引かなかった。

「だってほかに考えられんよ。それにあの女は、自分は睡眠障害なんだとか言ってたしな。ホラ、いっとき、しょっちゅう遅刻したでしょう。それを叱ると、病気なんだから仕方がないみたいな言い訳をしたんです。診断書が要るなら取ってくるからって」

私は聞いたことがない。私が遅刻を注意したときには、「わたしってひどい低血圧なんです」と言っていた。彼女には、相手を見て言い訳を変えるところがあった。私には「低血圧」で通用しても、昔気質（かたぎ）の谷垣さんには「そんなのは怠け病だ」と斬って捨てられる危険がある。だから「睡眠障害」という、一段上の（何が上なんだかわからないが）言葉を使ってみせたのだろう。

それでも実際、彼女が睡眠薬や入眠剤を使っていたとしても、奇異な感じはしない。あれだけアップダウンの激しい感情生活をおくり、嘘で身を鎧（よろ）っていたら、相当なストレスを抱えることになる。とても安眠できまい。本当に医者にかかっていた可能性はある。

実は、早いうちに、コーヒーに混ぜられているのが睡眠薬だと判明したのは、谷垣さんのおかげなのだった。出先から加西君が戻ってきて我々を発見したとき、谷垣さんにはまだかろうじて意識があったのだった。

「このこぶは、立ち上がろうとしてよろけて、コンクリの柱の角に頭をぶつけたからなんですよ。

痛くて痛くて、おかげで、完全に寝てしまわんかったんです」

この苦味、この身体の重さと酩酊(めいてい)感。すぐピンときたという。

「家内がね、かかりつけの先生からその手の薬をもらってた時期がありまして」

あとは夫人が引き取って説明してくれた。

「わたし更年期のときに、何ていうんですかね、ノイローゼですかね、鬱(ふさ)ぎ込むようになったんですよ。ご飯もよう食べられませんで。特に辛いのが、夜になるといろいろ考えちゃって、不安で胸が潰れそうになって、眠れないんです。この人も心配して、あっちこっち病院連れてってくれまして、それでかなり長いこと——二年くらいだったですか、眠り薬のお世話になったんです」

その薬を、「どんなもんなんだと試しに」、谷垣さんも服用してみたことがあるのだそうだ。

「飲んだら十分もしないうちに、身体が百トンくらいになった感じがしてね。ばたっと布団に倒れ込んで、死んだように寝てしまったんですよ。翌日、頭は痛いわ口は苦いわで、おまえこんなもんよう飲めるなぁって」

「でも、おかげでわたしは助かったから」

あれは何て薬だ、あなたが飲んだのは軽いものでと、カタカナの薬品名が飛び交った。そんなに種類があるものなのか。

失礼しますと、声がした。病室の戸口に、背広姿の男性が二人立っている。一人は知らない顔だが、後ろの一人は知っている。会長室〝氷の女王〟直属の部下、たしか橋本という人だ。私よりも年下だが、先年、今多グループ本丸の物流部門のトラックが、名神高速道路で衝突事故を起こして死者が出たとき、対外的な処置一切を一人でこなした。その際の顛末を、私はインタビュー取材したことがある。もっとも「あおぞら」には載せられなかったのだけれど。

手前の知らない顔は刑事だった。こちらも四十そこそこという年齢だろうに、顎が尖り、眉間に皺のある険しい顔つきで、警察手帳を提示する。が、口を開くと声優のようなソフトで良い声だった。

「港中央警察署刑事課の、私は松井と申します。ご災難でした。体調はいかがですか」

我々は揃って、事情聴取を受けるのにまったく差し支えない状態だと返事をした。谷垣さんは張り切っているくらいだ。が、まるでタイミングをはかったように、看護師が彼を呼びに来た。もういっぺん尿検査をしますから、という。谷垣さんは渋々連れ出され、夫人も私に会釈して出て行った。気の利く人だ。

「先にちょっと失礼します」橋本氏が松井刑事に断りを入れて、私に目を向けた。「編集部内は、今鑑識捜査が入っているんですが、残った部員が立ち会っていて、電話に出られる状態になっています。杉村さんは、今日会合や打ち合わせの予定がありましたか？　急いで連絡をとらなくてはならない場所はないですか」

「特にありません。大丈夫です」

「それは幸いでした」

非の打ち所のない公的スマイルだ。以前編集長が、「本物の広報部員や、会長室〝直参〟の社員は、見目麗しくなきゃいけないのよ。ただし、知的な印象を損なわず、嫌味にならない程度にという大事な一線があるの」と言っていた。

橋本氏は私の妻に目を向けると、礼儀正しく一礼した。「ご無沙汰いたしております。四月に、会長主催の花見の会でお目にかかりました。遠山の補佐を務めております橋本でございます」

妻は丁寧に頭を下げ返した。「お忙しいところ、ご迷惑をおかけします」

「とんでもありません。奥様、会長からご伝言を言いつかっております。会長は一報を聞かれ、急ぎこちらに向かわれていたのですが、歳末のことで渋滞も激しいですし、次の予定が詰まっておられまして、途中で断念されました。事後処理で必要なことがあれば、この橋本に命じるようにということでございます。どうぞ何なりとお申し付けくださ い」

「ありがとうございます。助かります」

妻はもう一度、おっとりとお辞儀した。私は胸を撫で下ろしていた。都内の渋滞、万歳だ。

「という次第で、僭越ですが会長の代理としまして、杉村さんのこの会見に付き添わせていただくことになりました。松井刑事にはご許可をいただいております」

刑事は気に留めていないようだ。さっさと手近のスツールを引き寄せて座っている。妻は橋本氏にも椅子を勧めたが、彼は慎み深い従者のように一歩離れ、背筋を伸ばして立っている。

顔は怖いが声は良い刑事は、いきなり私にこう尋ねた。「お婿さんだそうですね」

「は？　ええ、はい」

妻がそうっと差し出すような声で、「わたしが杉村の家内です。会長の今多嘉親の娘でございます」と言った。

「そうですか。そりゃ、えらい騒ぎになるわけです。まあ大事にならなくてよかった」

手早く順序立てて、彼は私の体験したことを聞き出してゆく。質問、答え、質問、答え。碁石を並べるようだ。きれいな白黒の列になるだろう。オセロではないから、一枚の黒ですべての白がひっくり返ることはない。

それがひと区切りつくと、松井刑事はぱん、と手を打った。

「なるほど。ところで、先ほどあの谷垣さんという方から伺ったんですが、人事の問題があったそうですね？」

うなずいて、私は説明を始めた。話しながら、松井刑事は、もう原田いずみ問題についてよく知っているなと思った。谷垣さんが口走ったようなレベルのことではなく、詳細を。

そして、遅まきながら察した。橋本氏だ。彼は〝氷の女王〟の腹心なのである。私が義父と相談し、義父に一任され、果たしきれずに義父に投げ返したこの一連の問題を――谷垣さんや編集長には伏せてあるあの発端の手紙の件もすべて含めて――彼は承知しているに違いない。で、松井刑事に話した。この質問は要するに確認だ。

「はっきりしたことは、成分分析が出ないと言い切れないんですがね」

松井刑事は手帳を開き、目を落とした。

「あなた方が飲んだコーヒーに混入されていたのは、商品名を〝アドヴェリン〟という睡眠薬らしいんですよ。処方箋（しょほうせん）がないと買えない薬で、一般的な不眠なんかに処方される睡眠導入剤よりワンランク上のものだそうです」

「成分分析が出ていないのに、なぜ商品名がわかるんですか」

私の質問に、（よく気がつきました）というふうに、刑事はつと両眉を持ち上げた。

「鑑識が見つけましてね。この薬のシートを」

私は妻と顔を見合わせた。

「皆さんの執務室――編集部というんですか、そこの給湯室のゴミ箱に捨てられていたんです。二シート、すべて錠剤が出されていました。合わせて二十八錠です。この薬の一般的な使用量の目安は、成人で一回一錠。先ほど申し上げたとおりキツい薬ですから、普通はこれだけでころっと寝てしまうそうです」

「どういう……ことなんでしょう」

妻は早々に不安を通り越し、怯えている。

「そんなものがそこに捨ててあるということは、編集部の人が薬を混ぜたという――」

「いや、どうでしょう」刑事は笑顔になる。笑うと、歯の長いのが目についた。吸血鬼みたいだ。せっかくのソフトな声の魅力が帳消しだ。

「内部の者の仕業なら、そんな軽率なことはしないという考え方もあります。こうした異物混入事件では、普通、何が混ぜられたのかわからないというところからスタートしなくてはならないので、不安や恐怖がより大きくなるんです。混入されたものの正体がわからなくては、正しい処置もできませんからね」

「では、この犯人は親切なんですね」

私の妻は世間知らずの箱入り娘だが、普段はあまりそういうところを見せない。が、緊急事態になると、いろいろ露呈する。いわゆる〝天然〟な感じになってしまう。

「親切というより、これはこれで悪質だよ」と、私はフォローに努めた。「僕には、やってやったぞという宣言みたいに思えるな。あるいは、わざとシートを捨てておくことで、うちの誰かの仕業だと見せかけようとしているとか」

「という見方もできます」と、松井刑事がうなずいた。先ほどからのやりとりを、睫毛一本動かさずに聞いている橋本氏も、かすかに顎をうなずかせている。

「率直なところ、この原田いずみという女性はかなりの難物だったようですな?」

「手強かったです」

「どうでしょう。谷垣さんは彼女の仕業だと主張しておられましたが、杉村さんはどう思われますか。こういう手の込んだ嫌がらせをする人間でしょうか」

何とも言えない。私は考え込んでしまった。答える代わりに尋ねた。「こういう事件は、どういう扱いになるんでしょう」

「飲食物への薬物混入による傷害です。れっきとした刑事事件ですよ」

逮捕され、起訴される可能性があるのだ。

「私は——彼女は確かに難しい女性でしたが、一方でたいへん気の小さいところもある人だと感じていたんです」

ほほう、と刑事は声をあげた。

「ですから、刑事罰を受けるようなことまではやらないような気がするんですが」

「自分のしていることが、刑事罰の対象になる行為だと認識していなかったのかもしれませんよ。あるいは、どうせ今多コンツェルン側で事件を伏せてしまうだろうと思い込んでいたか」

あり得る。原田いずみには、今多コンツェルンという企業を、何かファンタジー的にふくらまして考えているようなところがあった。封建領主や王族のような絶対の権力。

そんなもの、現代のような商業主義社会のなかには存在しないのに。

「お伺いしていると、警察でももう原田さんをマークしているような印象があるんですが、私の考え過ぎでしょうか」

松井刑事は、橋本氏の顔を見た。刑事に代わって、彼が口を開いた。

「実は、事件が起こってから四時間後でしたか、ちょうどそのころにテレビやネットでこの件が報道され始めたんですが」

もう公になってしまっているのか。義父が何とかここへ来ようとしたのも無理はない。

「会長室に電話がかかってきたんです」

皆まで聞かなくても、わかった。そういうことだったのか。

「彼女がかけてきたんですね」

橋本氏はちょっと目を伏せた。

「会長に名指しでかかってきたので、遠山が出ました。非常に興奮している様子の女性の声で、最初のうちは何をしゃべっているのか聞き取れないほどだったということです」

「興奮しているというのは、さっき主人が申しましたように、〝やってやった〟という意味なんでしょうか」

妻の問いかけに、橋本氏は苦笑いを浮かべる。

「それももちろんあるのでしょうが、狼狽している様子でもありましたね。テレビで報じられるほどの大事になるとは思っていなかったんじゃないですか」

自分でもなぜかはわからない。が、その瞬間、私はいたたまれない気がした。泡をくって電話をかけてきた原田いずみの声音、その表情を思い浮かべると、彼女のために恥ずかしかった。

「原田いずみに間違いないんですか」

「名乗りましたからね」

「まあ、事実上それを犯行声明だと受け止めましたので」と、松井刑事が言う。「履歴書の住所地を訪ねてみたんですが、いませんでしたよ」

「じゃ、引っ越して」

「というより夜逃げですな。荷物はそのままです。家主によると、家賃を三ヵ月分滞納していたそうで。携帯電話も通じなくなっています」

どこへ行ったのだろう。頼るあてはあるのか。

「そちらでは、原田さんの実家に連絡したことはありますか」

「ありません。すぐには所在がわからなくて」

「成人のすることだから、会社レベルのトラブルなら、いちいち親を呼び出す必要もないでしょうからね」

しかし今回は刑事事件だ。

「我々も今、調べているところです。そう手間を食わずに親御さんに会えると思いますがね。彼女がそっちへ逃げていってる可能性もある」

私が尋ねようと思ったことを、妻が先に口にした。「あの、指名手配になるんでしょうか」

刑事は「う～ん」と首をひねり、橋本氏の方をちらりと見た。

「とにかく本人に会って事情を聞くのが先ですから、すぐそんな形にはなりませんよ。まだ鑑識捜査もありますしね」

谷垣さんの事情聴取が始まったので、今度は私たちが気をきかせて廊下へ出た。橋本氏はすっと私に近寄ると、

「記者会見などマスコミ対策はこちらですべてやりますので、お任せください。もしも記者が来た場合には、広報に任せてあると断っていただいてかまいません」

小声で、しかし私の隣にいる妻にもちゃんと聞こえるように囁いた。妻はほっとしたようだ。

妻と一緒に、美知香とゴンちゃんの病室へ顔を出した。二人は並んで寝ており、二つのベッドの真ん中にスツールを据えて、古屋暁子が座っていた。

「杉村さん！」

私の顔を見るなり、ゴンちゃんがまた泣きべそをかき始めた。ごめんなさいごめんなさい、本当にスミマセンと繰り返す。美知香が困ったように笑いながら、

「五味淵さん、さっきからずっとこうなの。五味淵さんが悪いんじゃないって何度も言ってるのに」

「だって、コーヒーいれたのは、わたしだもの」

「でも睡眠薬は入れてないでしょ」

すっかり打ち解けている様子だ。古屋暁子も、泣いているゴンちゃんを母親のような目で眺めている。怒っている様子はない。

それでも、私は謝罪しなくてはならない。

「このたびは、お嬢さんをこんな事態に巻き込みまして、まことに申し訳ございません」

妻も並んで頭を下げた。古屋暁子は立ち上がり、急いでひらひらと手を振った。

「ですから、杉村さんの責任でもないですよ」

「そうよ、そうよ」

「しかし、その、嫌なことを思い出されたんではないかと」

古屋暁子の父親は、飲料に混入された毒物によって死んだのだ。今度は娘の美知香が、何か得体の知れないものを飲まされて倒れたと聞いた瞬間、どれほどの衝撃に見舞われたことだろう。それが睡眠薬で、娘は無事だとわかっても、心はまだ余震に揺れているはずだ。彼女に責められ、出て行けと怒鳴られても仕方がない。

「美知香もわたしも大丈夫です」

古屋暁子は、私が思うより〝大人〟であるらしかった。強い女性でもあるのだろう。

「それに、この子が勝手に巻き込まれたんですから。お詫びしなくてはならないのはわたしの方です」

美知香を振り返ってちくと睨む。

「お仕事中のところへ押しかけたりしてね」

美知香はちろりとベロを出した。「ねえ、あの人がやったんですってね。あたしと杉村さんが下の喫茶店にいるところを写真撮って、逃げてったあの人。彼女、いったい何者？」

まだ全体像は知らされていないらしい。私は手早く話した。ゴンちゃんが盛大に洟をかんだり泣きじゃっくりをしたりするのが伴奏だ。妻はゴンちゃんの背中を撫でていた。

「あ、省ちゃんだ」ゴンちゃんが声をあげた。

と、またドアにノックの音がした。応える前に、そろりと開く。

いきなり注目されて、面喰らった顔の秋山省吾が立っていた。先日よりはずっとラフな出で立ちで、よれよれのジーンズの膝が出ている。髪も乱れ、うっすら無精ひげが浮いている。

「何だよおまえ、生きてるのか？」

「生きてるよう」

やっとおさまりかけたゴンちゃんの涙が、またぞろ溢れ出る。

「警察から電話もらった途端、おばさんがショックでひっくり返っちゃってさ。おじさんも動転して、俺のところに電話してきたんだ。俺もすぐには動けなくって、やっとこさ来れたんだ」

「ええ～！　お母さん大丈夫？」

「救急車で運んだよ。おまえより重症かも」

ゲゲゲとゴンちゃんが呻いた。秋山氏は笑って付け足した。「バーカ。貧血だよ、貧血。そんな心配するくらいなら、変なことに巻き込まれるんじゃねえっての。俺だって一瞬、おまえの葬式を想像しちまったぞ」

妻が私の袖を引いた。目をシロクロさせている。この人が秋山省吾？　あの硬派な文章を書く人？　こんなに若くて、こんなにガサツな口をきく人なの？

「やさぐれたカリスマ美容師みたい」

「上手ぃ。座布団をあげるよ」

美知香は好奇心で目を輝かせ、古屋暁子は当惑している。ゴンちゃんとの矢継ぎ早の応酬が済むと、急に常識を取り戻したらしい秋山氏もバツが悪そうになったので、私はそれぞれを紹介した。

わぁ、有名人だと美知香がはしゃぎ、病室は急ににぎやかになった。命に別状はなかったとはいえ、我々が異常な経験をしたことに間違いはない。反動でハイになっているらしい。

ともあれ、全員無事でよかった。本当に。

14

その週末、私は会長室ではなく、義父の私邸へと呼ばれた。温情を感じた。私邸にいるのは年季の入った家政婦さんで、〝氷の女王〟は影さえも落としていない。

総檜（そうひのき）の塀に囲まれた広大な敷地のなかには、菜穂子が結婚前まで暮らしていた義父の家と、彼女の長兄一家が住まっている家がある。いつ訪れても庭園には手入れが行き届いており、四季折々で眺めが変わる。

私はいつも通用門を使うので、庭園のなかを抜ける石敷きの歩路をたどって行って初めて、長兄の家の前の車寄せに、黒塗りのリムジンが二台鎮座していることに気がついた。来客だ。

私が一人だけで義父の私邸を訪ねるのは、これで二度目だった。前回は去年の秋、夜分のことで、約束があったわけではなかった。義父は驚いたふうもなく私を迎えてくれた。

今日は、叱られるか笑われるか、どちらにしろ少々首を縮めての訪問だった。

義父は書斎で待っていた。書架に囲まれた肘掛け椅子に腰をおろしていたが、背広姿だった。

「泰孝のところに客が来ているのでね。あとで顔を出さねばならんのだ」

「お忙しいところ申し訳ありません」

時刻は午後一時を少し回ったところだった。家政婦さんが紅茶と一緒に軽食も運んできた。

「コーヒーは当分、嫌だろう」

義父のからかうような言葉に、家政婦さんが紅茶を注ぐ手を止めて、大変なご災難でございましたねと慰めてくれた。

睡眠薬事件のあらましは、義父ももう知っている。ただ、つい昨日、警察から連絡を受けたばかりの事柄があるので、私はその説明から始めた。

「原田いずみの仕業に間違いないようです」

彼女が置き去りにしていったアパートの荷物から採取された指紋と掌紋の断片が、グループ広報室の給湯室にある冷蔵庫の扉や、なかに入っていたミネラルウォーターのペットボトルから検出された指紋・掌紋と一致したのだ。

ゴミ箱に捨てられていた睡眠薬のシートには、指紋がついていなかった。取り扱いに注意したのだろう。ならばなぜ、わざわざ捨てていったのか理解に苦しむけれど。

ポットの底の微量のコーヒーと、三分の一ほど残っていたミネラルウォーターのなかに、高濃度の睡眠薬が含まれていた。もちろん、我々が使ったカップのなかにも薬の残滓があった。

「別館は水道管が古くなっているので、お茶やコーヒーをいれるときはミネラルウォーターを使っているんです」

給湯室には誰でも出入りする。あの日はゴンちゃんがコーヒーをいれてくれたが、私も加西君もお茶汲みをする。飲みたいときは、自分で。それがルールだ。ミネラルウォーターの買い置きや管理も、特に誰かの役割というわけではない。だから、編集部のメンバーなら知っている。お茶をいれるために湯を沸かす、コーヒーをいれるというときには、まず冷蔵庫を開け、口の開いているミネラルウォーターのボトルから使ってゆくと。

原田いずみもこの習慣を知っていた。

「彼女はたぶん、始業前か終業後の隙を狙って、給湯室に忍び込んだんです。睡眠薬を溶かし込んだミネラルウォーターのペットボトルを持って」

ゴンちゃんの記憶では、あの日コーヒーをいれたときに使ったミネラルウォーターは、すでに口が開いていたという。また、その時点では、口が開いていたのはそのペットボトルだけだったという。ただ、そのボトルは減ってなかった。口までいっぱいに水が入っていた。

「あの日の午前中にも、一度コーヒーをいれてるんです。そのときは加西君がいれてくれたんですが、彼の記憶だと、三人分くらいのコーヒーをいれたら、水を使い切ってしまったというんですね。だからそのボトルは捨てた」

その後に、ゴンちゃんが選んだボトルが薬入りだったわけだ。

「二つ並んで口の開いたボトルがあったなら、ちょっと変だと気づいたかもしれません。でも、一本だけでしたからね。自分より先に誰かが開けたんだろうと、ゴンちゃんが思ってしまっても無理はありません」

紅茶のカップをことりとソーサーに戻して、義父は笑った。

「そんなにかばわなくても、五味淵を軽率だと責めたりはせんよ」

私は力説していたらしい。

「それとも、五味淵という娘（こ）は誰かに叱られたのか。どうしてもっと注意しなかったのかと」

「いえ、そういうことはありません。でも本人は気に病んでいます」

「何年か前」と、義父はちょっと目をすぼめた。「あちこちで、似たような薬物混入事件が頻発した時期があったな」

「ありましたね」

事件の舞台となったのは、ほとんどの場合「職場」だった。

「あの当時、うちでも社員に注意を呼びかけた覚えがある。最近じゃみんな忘れてるようだ。いつまでもそんなことに気を尖（とが）らせていなくちゃならないんじゃ、たまらんしな」

そして、時限爆弾のようなものだな――と呟（つぶや）いた。

「その手段さ。いつ仕掛けても、いずれは誰かがその水を飲む」

「せめて生水で飲んでいれば、すぐ苦味に気づいたと思うんですが」

「まあ仕方がない。小難で済んでよかった」

私はもう一度、申し訳ありませんと頭を下げた。義父はもういいよと笑った。

「編集部の鍵は取り替えたな?」

「はい、早速」

出入口のドアには、無理にこじ開けられたような形跡はなかった。彼女が合鍵を作って持っていたことはほぼ間違いない。いったいいつそんなことをしたのか。どんなつもりで。

「今後は、鍵の管理も厳重にします」

「あのビルは古い。セキュリティなんざついておらんからな」

話しながら、義父は手をあげてネクタイを緩めた。自宅に客を招くために背広を着るという生活は、私の想像外だ。菜穂子が今多グループの戦力外でよかった。いや、彼女が戦力外でなかったなら、そもそも私と結婚しないか。

「広報の頑張りというより、ほかに大きなニュースがあったからだろうが、新聞ダネにはならなかったようだ」

事件以来、新聞という新聞を隅から隅までチェックしたが、そうだった。

「幸いでした」私は大いに安堵したのだ。

「ただ、経済誌の取材が来たよ。企業の危機管理特集のひとつだそうだ」

「まさか会長がお答えになるわけではないですよね」

「みんなそう言うな。なぜ〝まさか〟なんだ」

二の句が継げなかった。

「取材をお受けになるんですか」

「たまにはいいだろう。悪いかね」

「私が受けます。もとはと言えば私の責任です」

「それだと先方はがっかりするだろう」と、あっさり退けられた。「私もたまには経済誌の現場の記者とくっちゃべってみたいんだ。いいじゃないか。事情はよく知ってるんだし」

橋本を立ち会わせるよ、という。

「それより、園田と谷垣はどうしている？」

今回の騒動で、原田いずみの例の手紙の件が明らかになってしまった。

「二人ともショックを受けていました。でも、あんな目に遭わされたあとです。原田いずみの人間性が疑わしいということ、あんなことをやる人間の言うことなど、誰も信じないということがはっきりしましたから、かえってすっきりしたんじゃないでしょうか」

二人と話してみて、私にはその手応えがあった。事実、谷垣さんの立ち直りは早かった。園田編集長の方が、これは女性同士ということもあるのか、まだヘコんでいる。

――あたしの何が間違ってて、あの人をそこまで歪めちゃったんだろうね？

向こうが勝手に歪んだんで、編集長が何かしたわけじゃありませんよと、私は叱咤した。

「指名手配に踏み切るそうです」

これも昨日の連絡で聞いた。

「犯行声明と解釈できる電話もあったことですし、警察としてはその手順を踏むしかないそうです。我々も、彼女の身柄が確保されるまでは、まだ身辺に注意するよう言われました」

義父は読書用の眼鏡をかけていた。私が来るまで新聞を読んでいたのだろう。それをはずすと、机の上にあったレンズ拭きを使いながら、独り言のような口調で呟いた。

「どういう人間なのだろう」

「と、おっしゃいますと」

「気に入らない人間に毒を盛ろうとする――それをやってのける人間さ」

言ってから、軽く首を振って打ち消す。

「気に入る、入らないの問題ではないんだな。相手が誰でもいいという、無差別毒殺事件があったばかりだ。ああいう事件と今度の件を、一緒に考えるのは間違いなんだろうか」

松井刑事に訊いてみればよかった。

「無差別毒殺事件も、広い意味では気に入らない人間を狙っていると考えることができるのではないでしょうか。でも、先日出頭したあの事件の犯人は、自分が死ぬために、毒の効き目を知りたかったと話しているようですね」

「それが本当だとすれば、ただ無神経で愚かだっただけだな」

「そう思います」

思い出し笑いのようなかすかな苦笑が、義父の口元に浮かんだ。

「先週、泰孝とちょっと話してね」

長兄である。現社長だ。

「あれもいろいろ辛いんだろう。珍しく時間をとってくれというから二人で飯を食ったら、えらく弱気な愚痴を並べていたよ」

私は聞いてはいけないことを聞いている気がした。

「企業トップの責任はわかる。が、それと引き換えに与えられる権力とは、権力者のあるべき姿とは何なのかと、酔っていたせいだろうが抽象的な質問をされた。君、答えられるか」

私は猫や観葉植物のふりをすることにした。義父は猫や観葉植物に向かって話しかけているのだ。返事など期待していない。

「権力者か」と、義父は繰り返して失笑した。「そんなことを考えねばいられんのは、あいつが人生始まって以来のスランプに陥っているということだな」

「ご心痛でしょう」

「あいつも五十にもなってな。いい勉強だ」

言い切る口調には、それでもほのかな情があった。それで、私という観葉植物の葉が揺れた。

「会長は、権力というものをどうお考えですか」

義父はしばらく無言だった。紅茶のカップが空になっていたので、私は注いだ。

「空しいな」という答が返ってきた。

「空しいですか」

「そう思わんか」

「会長にはふさわしくないお言葉に思えます」

義父はさらに、鼻で笑った。

「今多グループの総帥だからかね」

「私はそう思います」

「社員たちがわけのわからん薬を盛られて、それが誰の仕業かわかっておっても、手出しができん。逃げられたら見つけることもできんのだ。それが何の権力者だ。そう思わんか」

私はゆっくりと目を瞠った。今初めて、義父が今度の一件に、心底怒っているのだということに気がついた。

「究極の権力は、人を殺すことだ」

義父は続けた。口調は淡々としているが、目が光っている。

「他人の命を奪う。それは人として極北の権力の行使だ。しかも、その気になれば誰にでもできる。だから昨今、多いじゃないか」

私は黙ってうなずいた。

「たとえばあれが青酸カリだったなら、君らはみんな死んでいた」

「それは我々も話し合いました」

ぞっとする想像だからこそ、みんな口に出して吐き出してしまわねばならなかったのだ。

「五人の命を、ミネラルウォーターに毒物を混ぜるというだけの簡単な作業で奪ってしまうことができる。あの局面では、原田いずみは、君らにとって抗いようのない権力者だった。死なながった、殺さなかったんだから違うという言い訳は通用しない。他人を意のままにしたという点では同じなのだから」

そうだ。我々はそういう人間を指して〝権力者〟と呼ぶ。

「だから私は腹が立つ。そういう形で行使される権力には、誰も勝てん。禁忌を犯してふるわれる権力には、対抗する策がないんだ。ふん、何が今多グループの総帥だ。無力なことでは、そのへんの小学生と一緒だろう」

二メートルほどの距離を隔て、机を挟んでいても、義父の怒りの波動が伝わってきた。それが私の心を揺さぶった。

私は古屋暁子を思った。美知香の顔を思い浮かべた。彼女が求めているのが正義だということを思った。

「お時間が——ないと思うのですが」

つっかえつっかえ言い出すと、義父はまばたきをして私の顔を見た。

「まだ大丈夫だ」

私は大きくひとつ頭を下げてから、打ち明けた。あとからあとから言葉が出てきた。

話し終えて目を上げると、義父は机に手をつき、両手の指を教会の尖塔のように組み合わせて、しげしげと私の顔を見つめていた。

「また厄介なことに首を突っ込んだものだ」

「すみません」

「会議室にいた女子高生というのは、その娘のことだったのか。てっきり五味淵の友達なんだろうと思っていた」

私がわざと曖昧にしていたのだった。

「腹立たしいのだろうな」

ため息をつくと、義父は目を伏せた。

「どんなに怒っても怒り足りないのだろう。その娘の無力感が、私には少しわかる」

私は黙ったままうなずいた。

「その娘に、正義なんてものはこの世にないと思わせてはいけない。それが大人の役目だ。なのに果たせん。我々がこしらえたはずの社会は、いつからこんな無様な代物に堕ちてしまったんだろう」

ひとつ私の意見を言うならと、義父は声を強めた。

「古屋明俊さんを殺した犯人も、原田いずみも、同じ種類の人間だ。極北の権力を求めて、どうしてもこらえきれずに行使してしまった人間だからな」

「権力を求める人間……ですか」

「なぜそうなるのか、わかるか」

「私にはわかりません」

義父は一瞬、怖いような目で私を睨んだ。

「飢えているんだ。それほど深く、ひどく飢えているのだよ。その飢えが本人の魂を食い破ってしまわないように、餌を与えねばならない。だから他人を餌にするのだ」

私の父は、大きな声を出して怒鳴る親ではなかった。ただ説教癖があった。話が長いのだ。近所の家の塀に落書きしたとか、友達と一緒に柿の実を盗んだとか、子供時代の些細なイタズラでも、いっぺんやらかしてしまうと、私たち兄姉弟は延々とお説教を聞かされた。そういう長話では、問題の焦点がズレてしまうこともしばしばあった。

そのせいか、私たちは説教慣れした大人になった。右から左に聞き流してしまう技術を身につけたのだ。

が、菜穂子と結婚し、今多嘉親を義父と仰ぐようになってから、私は少し変わった。義父の言葉は耳を通り過ぎない。それはたぶん、義父の忠告や説教や意見は、私自身の心にあって私のなかでは形にならず、混沌のまま留まっているものを、言葉にしてくれているからなのだと思う。

飢えているのだ。

本当に気をつけろ、と、義父は言い足した。

「まだ何があるかわからん。相手が若い女性だからといって、油断しない方がいい」

「はい。肝に銘じます」

「それと、古屋さんの事件との関わりも。警察に任せておくしかないというのは悔しいが、それが現実だ。迂闊に行動するんじゃないぞ」

ちらりと、斜めの視線を私に寄越した。

「まさか、母親の名誉を回復するためにも犯人探ししたいから、手伝ってくれなんぞと頼まれちゃおらんだろうな」

「と、とんでもない！」

冷汗が出た。美知香からは、ホームページを開設して文章をアップしたというメールをもらったばかりだ。そう、彼女は犯人を探そうとしている。

――掲示板は置かないけど、メールは受けられるようにしました。こうしておけば、犯人が何か言ってくるかもしれない。きっと言ってくると思うの。そしたら手がかりになるでしょ。

――北見さんに相談しながら進めてるから、心配しないでください。でも、今までどおり手伝ってくださいね。お願いします。

無邪気でひたむきなメールだ。が、一方ではちゃんと計算もしている。

――杉村さん、今度の騒ぎにあたしを巻き込んじゃったって、ホント気にしてるでしょ。あたしもお母さんも気にしてないのに。だからね、杉村さんがスッキリするように、ひとつお願いがあります。

美知香は、祖父の恋人だった奈良和子に会ってみたいというのだ。もちろん母親に言えば止められるに決まっている。だから私に一緒に来てほしいというのだった。

――このお願いを聞いてくれたら、あたしとは貸し借りナシってことで。ね？

女子高生に借りを作ってしまうとは、何と無様だ。ましてやその返済方法まで指定されて。

私は考えていることがそのまま顔に出る気質であるらしく、義父はつくづく呆れたという目つきになった。

「いい加減にしておけよ。人が好いにもほどがある」

「はい。わかっております」

「いや、わかっていない」

そして真顔のまま、「その北見という男はまともに探偵稼業をしているのか」と尋ねた。

「元警察官だそうですから――」

「警官あがりだから、必ず良い探偵になるとは限らん」

私は少し意外だった。良い探偵・まともな探偵という表現を使う以上、義父は私立探偵という職業そのものを否定しているわけではなさそうだ。

帰り際になって、あわてて菜穂子と桃子の近況を報告した。新しい家での暮らしはすっかり落ち着いた。桃子はお稽古事を楽しみ（今は始めたばかりだから何でも面白いらしい）、お受験の準備に、それと知らぬまま励んでいる。菜穂子は、桃子が手を離れる時間帯、独身時代にもやっていたことのある、図書館の絵本の読み聞かせボランティアをまた始めた。

義父は文字通り目を細めて喜んだ。私はその笑顔に見送られ、また通用門から外に出た。

15

月曜日の昼前に、グループ広報室を、意外な――という以上に驚天動地の人物が訪ねてきた。原田いずみの父親である。

松井刑事が連れてきたのだ。最初のうちは、もっぱら彼一人がしゃべっていた。

「どうしても皆さんに直接お会いして、謝罪したいとおっしゃるものですから」

北見氏が探しても所在がつかめなかった原田いずみの家族だが、さすがは警察である。

我々は右往左往した。橋本さんを呼ぼうと言い出した私を、制したのは園田編集長だった。

「お父様は、わたしたちに会いたくて来てくれたんでしょう。その気持ちを尊重しましょうよ」

あの会議室に通し、編集長と私の二人で応対した。ゴンちゃんは午後から出勤の日だったし、谷垣さんは、例の頭のこぶの治療に、病院へ行っていた。松井刑事は署に戻っていった。

小柄な人だった。見事な銀髪を古風な感じに撫でつけてある。灰色のスーツは上等な仕立てのもので、たぶんオーダーだろう。全体に、品のいい紳士の印象を受ける。

椅子を勧めても、なかなか腰かけようとしなかった。身をふたつに折って頭を下げた。

「このたびは、うちの娘がとんでもないことをしでかしまして、お詫びの申し上げようもありません。まことに申し訳ございませんでした」

この場合には、それしか言いようがないだろう台詞だ。喉に詰まったような声だった。

やっと腰を落ち着けて向き合っても、彼は顔を上げなかった。両肩を硬く強張らせ、名刺を差し出すときもうつむいたままだった。道友エンジニアリングという会社の「札幌支社長」の肩書きがついている。

「お住まいも札幌ですか」と、編集長が訊いた。

「はい。私と家内と二人暮らしです。伜が——いずみの四歳上の兄がいるのですが、仕事の関係で大阪におります」

ひと言発するたびに、謝るように頭を上下させる。目元に深い皺を刻んで。

「遠いところからありがとうございました」

編集長がゆっくりと礼を返した。

「当然のことです。もっと早くお伺いするべきでした」

縮こまった身体から搾り出される言葉に、私は何も言えなかった。

「いずみさんはもう成人しているのですし、以前からご家族と離れていらしたようです。わたしたち、ご両親を責める気持ちはありません」

私には言える台詞ではなかった。もしも桃子が――万にひとつ、百万にひとつ、どんな形であれ他人を傷つけてしまったら、私は何を思うだろう。たとえ今のような言葉をかけられても、やっぱり自分の責任だ、非は親の私にあると言ってしまうだろう。その想像で頭がぐるぐると回り、目の前が暗くなった。

「温かいお言葉、まことに――」

原田氏の声が、今度こそ本当に詰まった。額がテーブルにつくほどに、深く頭を下げている。

「どうぞ、もうお顔を上げてください」

彼に触れこそしなかったが、今にも肩に手をかけるような仕草で手を伸ばし、編集長が促した。穏やかな、悲しそうな目をしている。

原田氏が半分ほど身を起こすと、その顔が真っ赤になっているのがわかった。しばしばと力なくまばたきをすると、紳士から老人に変わった。目元と鼻の下が濡れていた。

「申し訳ありません」彼は背広の内ポケットから大判のハンカチを取り出し、顔を拭った。ぴんとアイロンをかけたハンカチだ。

「娘の不始末は、私ども親の責任です。警察の方にもお話ししましたが、いずみを見つけるため、あれにきちんと罪を償わせるために、できる限りの協力をさせていただくつもりでおります」

「よくわかりました。うちの部員たちにも、お父様からそういうお言葉があったことを、きちんと申し伝えます。みんなわかってくれると思いますから、ご安心ください」

原田氏はぺこぺこ頭を下げた。その拍子に涙がひと筋、頬を伝った。それなりの地位にあるだろう紳士が、非力な親としての顔をさらけだし、ひたすら謝罪している。私もそうだが、編集長もきっと、謝られてかえって胸がふさがるような気分でいるはずだ。

「今度のことを招いたのには、わたくしたち職場の側にも、何らかの落ち度があったのかもしれません。いずみさんともっとよく話し合っておけばよかったと、後悔しています」

編集長が言った。いずみさんとも事件以来、彼女の心のなかで渦巻いていた後悔だ。私や谷垣さんがどんなに諭しても消せなかった感情だ。

驚くほど素早く、反論がきた。

「いえ、それは違っております」

原田氏は顔を上げ、充血した目で編集長を真っ直ぐ見ると、きっぱり言った。

「それはお考え違いです。皆さんに過失はありません。悪いのはいずみです」

ちょっと呆気にとられて、私と編集長は顔を見合わせた。

「と、おっしゃいますと」

黙ってしまった編集長に代わり、私は訊いた。原田氏はすがるように私を見据え、訴える口調になった。

「いずみがこのような不始末をしでかすのは、初めてではないのです。過去にも何度もありました。それはもう次から次へと」

痩せた喉の、尖った喉仏が上下する。

「そのたびに、私と家内は、何がいけなかったのだろうと考えました。いずみの躾を間違ってしまったのだろうかと。あるいは、私らが親として迂闊で無神経で、気づかないうちにあの子をひどく歪めたり、深く傷つけるようなことをしてしまっているのではないかと、何度も何度も話し合いました。改善できるところを探して、努力も重ねたつもりです。でも、いずみは変わりませんでした。あの子はいつでも、どこでも、好きなようにトラブルを起こし、他人様を怒らせ、嘘をつきました。ずっとそうだったんです」

ひと息にぶちまけると、溺れかけた人のように大急ぎで呼吸をした。

「皆さんの温情あるお言葉は、親の私にとってはもったいないほど有難いものです。しかし、皆さんの側にも何か非があったのではないかというお考えは、どうぞお捨てになってください。私らも、永いことそう思っていました。私らが変われば、いずみも変わるだろうと信じていました。しかしそれは間違いです。何をやっても、あの子には通じません。あの子はいつも何かに怒っています。どうやってもその怒りを鎮めることはできんのです」

園田編集長は凍ったようになってしまっている。私は不器用に咳払いをして、座り直した。

「警察からは、私どもといずみさんとのあいだにどのような行き違いがあったか、説明を聞いておられますか」

原田氏は首を振った。「詳しいことは存じません。実は、それもお伺いしたくて参ったのです。あれは皆さんに、今度はどんな嘘をついてご迷惑をかけたのでしょう」

私は一連の事情を説明した。編プロの「アクト」で聞いた話も隠さなかった。こんな状況でなかったなら、思い出せばまた腹が立ってくるような事柄であるのに、話せば話すほどに悲しくなった。一心に聞き入っている原田氏の目に浮かぶ深い絶望が、私にも感染しそうだった。

「いずみがこちらにお出しした履歴書を見せていただけますでしょうか」

原田氏の申し出に、編集長が勢いよく立ち上がった。まるで逃げ出す口実ができたとでもいうような風情だった。

ちょっとのあいだ私と二人きりになると、原田氏はまたハンカチで顔を拭いた。私は彼から目を逸らした。

「こちらです。どうぞ」

編集長が履歴書をテーブルに置き、元の場所に腰をおろした。不安げな眼差しで、履歴書を手に取る原田氏を見つめている。

「私らは、あの子の東京での住まいを知らなかったのです。仕事も存じません。それでも皆さんのお感じになったとおり、この職歴は嘘でしょう。学歴がデタラメだというのは私にもわかります。あの子は高校中退ですから」

履歴書の記述を目で追い、原田氏が呟いた。

「いずみさんとは、連絡をとり合っておられなかったんですね」

「はい。音信不通になって、四年になります」

「先ほどお話しした北見さんが、いずみさんのご家族に連絡してみようと調べたけれど、転居先がわからなかったと言っていました」

まことに申し訳ないことだと、またぞろ謝って、原田氏は履歴書から手を放した。

「私らはあの子から逃げたのです。音信不通というのは正しい言葉ではございません。私らはあの子と絶縁するつもりでおりました」

編集長が、気の抜けるようなため息を漏らした。「どうしてそんなことに……」

原田氏は口を閉じてうなだれた。目尻が濡れて、またハンカチで押さえる。

「ここに記してあります生年月日は、正確ではありません。いずみは今年二十八歳ですから、二歳若く書いております」

「あ、はあ」私は間抜けなことを言った。「いずれにしろ、いずみさんはお歳より若く見えました。最初に面接で会ったときには、新卒かと思いました」

「そういうことが、あれにはとても大事なことであるようです」

わかりますと、編集長が小声で言った。

「いずれにしろ、履歴書の学歴や職歴に合わせるために、年齢を調整しなくてはならなかったのでしょうし」

原田氏は編集長と私の顔を等分に見渡すと、丸めていた背中を伸ばした。

「このような恥ずかしい身内の恥をお話しするのは、けっして親としての責任を回避するためではございません。それは警察でも申し上げました。ただ、私らがあの子と絶縁しようと決心するに至るには、そうせざるを得ない事情があったということをご理解いただきたいのです。それは私のためでも家内のためでもなく、むしろ倅のためでありまして」

編集長がぴくりとまぶたを動かした。私はうなずいて、原田氏を促した。

「昔話になりますので詳しくは申しませんが、いずみは子供のころから難しい子でありました。勝気で負けず嫌いで、怒りっぽいものですから友達がおりませんでした。中学に入るとすぐに、学校でいじめられると訴えまして、一時不登校になったこともあります。先生と相談して転校して、しかし転校先にも馴染(なじ)めませんで、卒業までずっとぎくしゃくしておりました。あの子が家に友達を連れてきたなど、数えるほどしかなかったように思います」

「うちにも娘がいるのですが」と、私は口をはさんだ。「まだ就学前の幼児ですが、しかしその、勝気だとか負けず嫌いだとかいうのは、必ずしも悪い気質ではないでしょう」

　原田氏は微笑(ほほえ)んだ。なぜか、笑うともっと目が悲しそうに見えた。

「そうですねえ。テストの点だの徒競走の順位だの、自分の描(か)いた絵が区の展覧会で入選するとかいうことをめぐって、友達と競争するのは悪いことじゃありません。しかし、ものには程というものがありますでしょう」

「ええ、まあ」

「成績のいい友達を妬(ねた)んで、その子の顔を物差しで叩(たた)いて八針も縫うような怪我(けが)をさせたり、展覧会で優秀賞をもらった友達の絵を、その子の目の前で破ったりしたら、それはやり過ぎではありませんかな」

　私と編集長は、またぞろバカみたいに顔を見合わせた。

「本当にそんなことを？」

「したのです。いずみは」

　疲れたように、原田氏は深く息を吐いた。

「もちろん、私も家内もいずみが何かやらかすたびに、厳しく叱りました。それは物事への間違った対処の仕方だと、根気よく教えたつもりです。しかしあの子は聞かなかった。かえって、嘘をつくようになりました」

　自分が叱られるようなことをしたのには、そうしなくてはならない正当な理由があったのだと、作り話をするのだという。たとえば曰(いわ)く、あの子はテストでカンニングしたんだ。あたし見たんだもん。曰く、あの絵はあの子が独りで描いたんじゃなくて、美術の先生が手伝ったんだよ。それなのに自分で描いたって威張ってサ。そういうの、ズルイじゃない？

　あまりにもっともらしいので、原田夫妻ばかりか、先生や他の保護者たちも振り回されるような事態が何度も起こったそうだ。

「小学校四年生のときの担任の先生が、当時で五十代半ばの、まあ古風なガンコ先生だったのです。何度目かに私と家内とが呼び出されました折、はっきりおっしゃいました。いずみさんは生まれついての嘘つきですよ、と」

　ひどいわと、編集長が呟いた。原田氏はかすかにかぶりを振る。

「ですが、私らにもそうとしか思えなかったのです。倅は、まったくそんなふうではありません。私も家内も、倅といずみとで、教育の仕方を変えたという覚えもありません。むしろ倅の方に厳しくしていたかもしれない。お兄ちゃんなんだから、ちゃんとしなさいと」

　私の兄と姉も、よく両親からそう言われていた。兄なんだから、姉なんだから、しっかりしなさいと。不公平だと文句を言ってたっけ。

「そういう問題行動が始まったのは、いつごろですか。やはり学校にあがってから」

　原田氏は少し考えた。「だろうと思います。ただ、よく気をつけていれば、その萌芽(ほうが)はもっと前からあったかもしれないのですが」

「怒りっぽいというのはつまり……怒りを制御できないということなのでしょうね」

「そういうことでしょう。怒りだけではなく、私らにも先生にもまったく理由のわからないことでいきなり泣き出して、何時間も泣きやまないということもありましたから、感情そのものをコントロールできないのだと思います」

　我が編集部での彼女のふるまいにも、そういうところはあった。ちょっと注意したり、注文を付けたりするだけで、彼女の目の色が変わった。ただ、それがいつも感情の爆発に結びついたわけではないし、暴力的な兆候も、編集長に備品を投げつけたあの一件が起きるまでは、表面化していなかった。三十歳近くなって、少しは大人になったということか。

だが今回の睡眠薬混入事件では、暴力はより巧妙な行使のされ方をした。

「先ほどお話に出た、いずみが勤め先の編集プロダクションで、社長さんにストーキングされたと訴えたという件ですが」

「ああ、その件はでも、沼田社長の方にも対応の拙さがあったんですよ」

「しかし、それもあの子のよく使う手なんです。友達のものを盗んでおいて、これはもともと自分のものだったのを盗まれたんだと言ったり、自分でやらかした万引きを、まったく関係ないクラスメイトがやったと先生に告げ口したことなどがありましたから」

「あの、余計なことですが」編集長がやっと口を開いた。「その当時、どなたか専門家に相談してみましたか」

「児童相談所にはさんざん通いました」と、原田氏は苦笑した。それはもう表情ではなく、身体ごとの苦しみに見えた。笑いはただ顔の表面に貼り付いているだけだった。

「親身になってくださる相談員の方もいましたが、結局は何も治りませんでした」

「カウンセラーとか、精神科のお医者さまとか。つまりその、あの、心理療法とか受けてみるとよかったんじゃないかと」編集長はあわてたように説明を足した。「今よくあるじゃないですか。子供のＡＤＨＤとか行為障害とか」

早口に言ってから、急に恥じ入ったようになった。

「わたしも新聞や雑誌で読んだだけの知識なんですけど。子育てしたことがないので」

私は言った。「いずみさんの年齢から考えて、原田さんご夫妻がこの問題で悩んでおられたのは、十五年から二十年は昔のことですよ。そのころはまだ、今みたいに、気軽に医者やカウンセラーにかかれる状況じゃなかったでしょう。相談の受け皿は、学校の先生と児童相談所に限られていたはずですよ」

「ああ、そうか……」編集長はシュンとしてしまった。「そうよね、地方都市だとなおさらだろうしね」

「いえ、私ら四年前までは東京におりました」

なぜか、そこがいちばん痛いツボだというように、原田氏は顔を歪めて「東京」と言った。

「いずみと絶縁すると決めて、札幌に移ったのです。私は勤め先も替わりました」

四年前。原田家にとってもっとも辛い何かが起こってしまった年――であるらしい。

「子供のころも少女のころも、そんなふうにいずみには手を焼きましたが」

原田氏は続けた。声がかすれる。

「ひとつ節目がありまして、それが高校を中退したことだったんです。もともと志望校ではなかったんで、一年も通わずにやめてしまったんですが、それで落ち着いたんです。何かこう、元気を失(な)くしてしまったようでそれはそれで心配だったんですが、すぐカッとなったり怒ったり、やたらに嘘をついたりするようなことはなくなりまして」

家にいて家事を手伝ったり、飼っていた犬を可愛(かわい)がったりして、静かな時期を過ごしたのだという。

「私も家内も、当時考えましたのは、この子がこれまで学校でいろいろ問題を起こしてきたのは、何と申しますかその――いずみは何でも頑張り過ぎるというか、要求が高いというか、もちろん他人にも厳しいのですが、自分にも厳しすぎて、それで何もかも思うようにならないことばかりに見えて、いつも苛々していたんではないかと」

汗をかき始め、ハンカチを取り出す。

「ああ申し訳ありません。あの子をかばうつもりではないのです。言い訳でもなくて、その」

「いいんですよ、お続けになってください。僕も原田さんの——ご両親のお診立ては正しいのではないかという気がします」

体感として、しっくりくるのだ。経歴の詐称も、身につけていないスキルを誇示することも、何かミスを指摘されると我慢できないことも、本来そうあるべき自分——理想上の完璧な自分と、そこへ行かれない現実の自分との落差に苛立ち、それを埋めようとする彼女の悪戦苦闘の結果だったのではないかと。

「ああ、ですから」原田氏はハンカチで顔を半分覆ったまま、呻くように言った。「家にこもって周囲の世の中と切れてしまうことで、ある意味、冷却することができたというんですか。最初のうちはただむっつりしていることも多かったですが、だんだん明るくなりましてね。ぼちぼちアルバイトなんかもやるようになりました。もともと頭の悪い子ではなかったんで、つまりその、成績はずっと悪くなかったんです」

「ええ、そうでしょう」

「大検を受けて大学へ行こうかななんて、言い出したこともありました。ただ、コロコロ気が変わりまして。フラワーアレンジとかいう仕事をするんだとか、シナリオライターになるとか美容師になるとか、いろんなことを思いつくんですわ。まあ私らもあの頃は呑気なもんで、落ち着いて明るく暮らしてくれるなら何になったっていいって、何か学校とか稽古事の教室とか行きたいっていうのは、全部行かせました。何かひとつ、まとまった資格とか取れたわけじゃありませんでしたが、いずみも楽しそうでした」

相変わらず、アルバイト先やそうした教室で、気に入らない誰かと派手な喧嘩(けんか)をしたり、どこまで真実なのかなと感じるほど手酷(てひど)く、誰かの悪口を並べたりすることはあったが、小中学校時代のような深刻な事態に至ることはなかった。

「あの子もそれなりに成長したんだろうと思っていました」

まったく間違った観測ではあるまい。

「そうやって二十歳を過ぎましてね。私ら、そのうち見合いでもさせよう、適当な時期に結婚して家庭に入れれば、いずみにとってはそれがいちばん幸せだと軽く考えていました。本人は、あたしはキャリア志向なんだとか言ってましたが、ああいう気質では、社会に出てバリバリ働こうとしたら、またトラブルを起こす。自分もしんどいでしょうから」

う〜んと、場違いなような編集長の軽い声がした。

「お言葉ですが、家庭に入ったって、それはそれでまた大変ですよ。特に母親になると、〝お母さんたち〟の社会に入らなくちゃなりませんもの。そっちの方が難しいかも――」

言ってしまってから、あわてて顔の前で手をひらひらさせ、今の言葉を打ち消した。

「すみません。余計なことを言いました」

「いえいえ、おっしゃるとおりです」原田氏は、視線を落とした。「私らの考えは甘かった。それでも、当時はそんな気分でいられるくらいには、いずみの状態が安定していたんです」

話の腰が折れてしまった感じで、私たちはしばらく黙った。私はぼんやりと、原田さんに飲み物を出さなくちゃと思った。話し続けて喉が渇いたろう。でも、この人は手をつけまい。私も、どんな顔をしてお茶やコーヒーを出していいかわからない。

「そのうち、倅の方に、先に結婚話が起こりました。恋人ができまして」

原田いずみが二十三歳、兄が二十七歳のときだという。

「倅の恋人は、当時の私の職場で働いていたんです。私の秘書をしてくれておりました。真面目で明るくて、いい娘さんで」

声のトーンが下がった。また、苦しみのボディランゲージが始まる。座っている椅子がにわかに責め具に変わったかのように、原田氏の身体が呻き始めた。

「そのころ私はかなり忙しい身でして、残業ばかりだし、休日もやれ取引先のゴルフコンペだの、新製品のレセプションだので、出歩いていました。ですから秘書も忙しくて、家に私の着替えを取りに来てくれたり、書類を届けてくれたり、まめに働いてくれていたんです。そのお礼に、妻もけっこう気を使いましてね。地方から出てきて一人暮らしのお嬢さんだったので、たまに夕食に招いたりとかしました。それで倅と知り合うことになりました次第で」

原田氏はこれまで、特定の地名や会社名、人の名前を一切出していない。慎重に伏せている。

「半年ほどの交際で、二人で私のところに来て、結婚したいと言い出しましてね。反対する理由なんぞありません。私も家内も大喜びでした。ただ、倅と結婚したら、さすがに私の秘書を続けてもらうわけにはいきません。倅はそこそこの企業に就職して、歳の割にはいい給料をとっていましたから、生活の心配もない。挙式の三カ月前に会社を辞めて、彼女は、自分の実家とうちを行ったり来たりしながら結婚の準備を始めました。料理教室に通って、習ったものをうちで作ってくれたりしたもんです」

編集長も私も、合いの手をはさまずにじっと聞いていた。

「いずみも——」

原田氏の痩せた喉に目立つ喉仏が、それだけ独立した生き物のように動く。吐き出しにくい言葉を、思い出を、せっせと運び出している。

「兄の結婚を喜んでいるようでした。子供のころからお姉さんがほしかったんだと言いましてね。彼女と仲良くしているようでした。ですから私ら、何も心配しとらんかったのです」

危険な兆候はなかった。不安材料はなかった。すべてが円満、円滑に進んでいた。

「お兄さんといずみさんは、仲良しだったんですか」と、編集長が静かに尋ねた。

「倅は良い兄だったと思います」原田氏は目をつぶり、何度か軽くうなずいた。それから編集長の顔を見た。「いずみがいろいろと問題を起こしている時期にも、見捨てはしませんでした」

「いずみさんもお兄さんを慕っていた?」

「そう思います。そうでなかったら——」

言葉が切れた。原田氏の身体が発する呻き、骨が軋(きし)み心臓が捻(ねじ)れるその音が、私には聞こえた。

「挙式の日がきましてね」

声が喉にからむ。私は遮りそうになった。先の話の察しはつきます。何らかの形で、いずみさんがお兄さんの結婚を壊したのでしょう? 自分ひとりだけのものだった、大好きなお兄さんを盗られるのが嫌で、また嘘をついて、お兄さんの婚約者を退けたのでしょう。だからあなた方はいずみさんと絶縁した。その事実だけで充分(じゅうぶん)です。

「いわゆる人前結婚式でしてね。仲人というか、結婚の見届人には、倅の上司のご夫妻がなってくださいました。披露宴も和やかに進んで、私ら、倅も紀恵(のりえ)さんもいい先輩やお友達に恵まれたものだと——あ」

新婦の名前を、私は聞かなかった。編集長も聞かなかった。

「祝宴の最後の方になって、花束贈呈の前でしたか、司会役の人が、新郎の妹からもお祝いの言葉をと、いずみにスピーチを促しました」

式次第に繰り込み済みのスピーチだった。だが、話し始めると、それは祝いの言葉ではなかった。

「どうにもしどろもどろしていたんです。後で思えば、いずみはいずみなりにあんなひどいことをやらかす決心がつきかねていたんでしょう。そこで止めてやればよかった」

ひとしきり、彼女は兄との思い出話を語った。話は行きつ戻りつして脈絡がなく、それでも列席者たちは微笑ましく見守っていた。

「やがて——いずみが」

原田氏の額(ひたい)は、冷汗で光っていた。もうハンカチで拭う余裕はない。手をぎゅっと握り締めている。

「やっぱりどうしても言っておきたいことがある。今日、この場にいるわたしの本当の気持ちを、披露宴に来てくださった皆さんの前で申し上げておきたいと言い出しました」

そして原田いずみは語った。兄と兄嫁の目の前で。両家の両親、親族、友人、会社の関係者が居並ぶ前で。

「実はわたしは、子供のころから、ずっと兄さんに、嫌らしいことをされていました、と」

兄から性的虐待を受けていたと言ったのだ。

原田氏は息を切らしていた。編集長は両目を閉じ、口元を歪めていた。

私は膝頭(ひざがしら)のあたりが震えるのを感じた。

「女性の前で、こんなことを申し上げるのは」しゃがれて割れた声で、原田氏は詫びた。編集長は目をつぶったまま、二度、三度と強くかぶりを振った。

「いいんです。お話しになる方が、どれだけお辛いことでしょうから」

「嘘なんですよね」先回りして、私は言った。大きな声を出していた。「真っ赤な嘘だ。そうですね？」

「もちろん嘘です。倅はそんな、自分の妹に手を出すなど、鬼畜のようなことをする人間ではありません。私も家内も、私らの家のなかでそんな浅ましい、恐ろしいことがなかったと知っています」

彼らの娘のいずみが、どれほどの嘘つきであるのかも知っている。

「いずみは話しながら涙をこぼし始めました。唖然としている私らの前で、いかにも本当らしく語るんです。初潮を迎える前から嫌らしいことをされていた。子供のころは、何をされているのかよくわからなかったけど、兄さんが好きだから、兄さんもいずみが好きだからこうするんだって言うから、兄さんがこれは誰にも内緒だって言うから、黙っていた。イヤだっていうと、兄さんに嫌われてしまうと思ったから」

ある程度大人になって、その行為の意味がわかるようになると、逃げ出したくなった。でも逃げられなかった。兄さんはひとつ屋根の下に暮らしているのだし、今さら誰かに告げ口したって、誰も信じてくれないぞ、かえって、キズモノになったおまえが損をするだけだぞと脅されて、ずるずる関係を続けてきた——

「紀恵さんと交際を始めてからも、結婚が決まっても、そういう行為はやまなかった。泣きながら、いずみはそうぶちまけました」

　自分で自分を苛む言葉を、原田氏は吐き出し続ける。私には、彼が吐いた言葉が見えるような気がした。テーブルの上にどろりと溜まり、溢れ、縁からこぼれて床に滴ろうとしている。

　編集長はいっそう固く目を閉じている。

「私は飛び上がりました。何か怒鳴っていたと思います。やめなさいとか、デタラメだとか、叫んだような気がします。叫びながら、いずみのそばに飛んでいって、あの子をつかまえてマイクから引き離しました」

　列席者全員が死んだように沈黙していた。さっきまで会場に満ち溢れていた祝いの気分も、幸せのオーラも、すべて蒸発して消え去った。

「あの子は抵抗し、私の顔を手で打ちました。めちゃめちゃに暴れて、私を蹴ろうとしました。履いていた草履が脱げて、新郎新婦の座っているテーブルの前まで転がっていきました」

　原田いずみは振袖姿だったという。私はその光景を想像してしまいそうになる自分を、ものすごいエネルギーを費やして抑えた。長い袖を翻し、結い上げた髪を乱して父親を打つ娘。

抗いながら、なおも彼女は叫び続けたという。

――知ってたくせに！

――お父さんもお母さんも、知ってて知らんふりしてたくせに！

――あたしはこんな辛い思いをしてるのに、どうしてお兄ちゃんばっかり幸せになるのよ！

泣き喚いた。父親に負けじと声を張り上げた。

――あたしがいっぺん、お兄ちゃんの子供を中絶したことだって知ってるじゃないか！

声もなく、全身の血を抜かれたかのように蒼白になり、動くこともできなかった新郎が、このときようやく立ち上がった。

――嘘だ！

悲鳴のような声を放った彼の隣で、新婦が卒倒して椅子から転げ落ちた。

そのときの、その刹那の静寂を再現するように、私たちは黙り込んだ。原田氏のすすり泣くような荒い呼吸音だけが聞こえる。

「結婚は壊れました」

虚ろな目で、それでもまだ言葉を吐き出し続ける。我々三人は、彼の内から溢れ出て狭い会議室を満たす追憶で溺れかけていた。

「紀恵さんは、倅を信じてくれていたと思います。だからこそ苦しかったんでしょう。いずみの嘘の毒から逃れることができなかった。毒が総身に回ってしまったんです」

半月ほど後に、彼女は自殺したという。

どれほど信じていても、愛していても、二人のあいだの絆は生きていても、満座の前でぶちまけられた汚濁を浴びて、互いの顔に、身体に、その汚濁の泡が恥となってこびりついているのを目の当たりにしながら、一緒に生きてゆくことはできなかった。

「お気の毒に」

ぽつりと、編集長が言った。片手を顔にあてていた。原田氏は深くうなだれたまま、祈るように、申し訳ありません、申し訳ありませんと繰り返した。

原田氏はこれからまた港中央署に戻り、松井刑事と一緒に、娘がアパートに残した荷物を調べに行くという。大家さんにもお詫びしなければなりませんから、と言った。

立ち去る背中は、小さくしなびていた。もうどこからどう見ても、品のよい紳士には見えなかった。疲れて、病んで、希望を打ち砕かれて、そのツケを誰に回すこともできない、自分の娘を責めることしかできない、老いた父親だった。

自分の子を責めるのは、自分を責めるのと同じだ。それが親というものだから。

原田氏が去ったあとも、編集長と私は会議室に残った。迂闊に出てはいけないような気がした。原田家の過去が、ここにはまだ満ちていた。それを外へ持ち出してはいけないという気がした。我々の膝頭を洗う暗く冷たい潮が引いてしまうのを、しっかり見届けてからでなくては動けないという気がした。

「もうお昼休みだけど」

ぼんやりテーブルの上に目を投げたまま、編集長が呟く。

「食欲なんかないわよね」

私は少し無理をして微笑んだ。「大丈夫ですか」

「うん」編集長も片頰（かたほお）で笑った。少なくとも本人はそのつもりだろう。私には泣き顔に見えた。

「あんなことがあったんじゃ、娘と絶縁したって無理ないわよね」

長男の結婚が壊れただけではない。原田家は何もかも失った。事情を知っているすべての人たちの前から、逃げ出さなくてはならなくなった。

「会社だって、慰留のしようがなかったでしょうね」

「どっちの会社ですか。原田さん？　それとも息子さん？」

「どっちもよ。当たり前じゃない」

編集長は泣き顔で怒っていた。私は、父親としては息子の新妻を、上司としては可愛がっていた部下を、自分の娘の言動が原因で自殺に追い込んでしまった男の心情を想像してみようとした。けっして不仲だったわけではない、トラブルメーカーであるとわかっていても、懸命に愛おしんできた妹の並べた嘘八百のために、娶ったばかりの妻を死なせてしまった男の心情を想像しようとしてみた。彼らの日々を思ってみた。

思っても思っても、届かなかった。無理だった。いったい世の中にそんなことがあるのかと、空白のような心でそればかり考えた。

生まれついての嘘つき。

そんな人間がいるのか。原田いずみはそういう人間なのか。彼女が求めているのは何なのか。何に怒り、何に執着し、どんな希望を持って、彼女は生きているのだろう。

兄さんに嫌らしいことをされていました。

あの子はカンニングしたのよ。あたし、見たんだもん。

面白がっているような、電話の声が蘇る。体調が悪くなったので、今日はそちらに行かれません。私が交渉を打ち切ると宣言すると、突然裏返って甲高くなった。ちょっとどういうことよ? 勝手じゃないの。何よそれ!

自分にも他人にも厳しく、要求が高いと、原田氏は言った。その見解は正しいのだろう。ただ、原田いずみが高い理想を希求している「社会」は、彼女の頭のなかにだけ存在する幻想ではないのか。

「ねえ」

編集長に呼ばれた。ねえってば。何度か呼ばれていたらしい。

「はい?」

編集長は、今度は壁を睨んでいた。

「あんまり嫌らしい話を聞いたもんだから、あたしも嫌らしいことを考えちゃった」

「もう嫌らしい話はたくさんですよ。十年分ぐらいの仕入れをした気分ですよ」

「でも考えちゃったんだもの」

会議室の壁には、私の目には見えない編集長の仇敵がへばりついているらしかった。編集長の視線は、その敵を睨み殺してやろうというほどに鋭く、憎々しげに尖っていた。

「本当だったのかもよ」

「は?」

「だから、真実だったのかもしれないよ」

「何がですか」

「——彼女のお兄さんのこと」

私はぽかんと口を開いた。

「性的虐待が、本当にあったというんですか」

「可能性はあるでしょ?」

編集長は、とげとげしい目つきのまま私を振り向いた。世界中の男が自分の敵だ。そしてあんたはその先鋒だと言わんばかりの目だ。

「彼女の情緒不安定の原因が、そこにあるんだとしたらどう? すっきりしない?」

しばらくのあいだ睨み合ってから、結局、私はこう言った。

「やめましょう。そういう想像は」

16

制服姿の美知香が、駅前の人通りのなかで手を振っている。

私はどういう顔をしていいか困った。つい、「睡蓮」に二人でいるところを原田いずみに写真を撮られたときのことを思い出してしまう。周囲の目にはやっぱり、こんな私の姿は、援助交際にいそしむ助平なサラリーマンに見えるのではないか。

「あたしのワガママを聞いてくれて、杉村さん、ありがとう」

鞄を両手に提げて、美知香はぺこりと頭を下げる。通り過ぎる人たちの視線が気になって、私は冷汗ものだ。彼女を急きたてた。

「いいからいいから。早く行こう」

目指すは奈良和子のアパートである。所番地は美知香が調べてきたのだ。いったいどうやったのか、気になって仕方がない。メールのやりとりでは、尋ねても「ナイショ」とかわされるだけだった。

「こうしてついて来たんだから、もう教えてくれてもいいでしょう。奈良さんの住所、誰から聞き出したんだい？」

美知香は瞳をくりくりさせて笑った。

「北見さんに頼んじゃった」

「あの探偵さんか！」

「うん。相談したの。そしたら伝手を使って調べてくれたんだ」

私は憮然とした。もっと分別のある人のように見えたのに、北見氏も、病のせいで判断力が低下しているのではないか。

私の顔色を読んだのか、美知香はイタズラ小僧のような表情を消し、真顔になった。

「最初は北見さんも止めたんだよ」

「当然だ」

「でもね、どうしても会ってみたいっていうあたしの気持ちもわかるって。そしてね、あたしと会うことは、奈良さんのためにもなるかもしれないって考え直してくれたんだ」

どういう意味だ。

「もしも奈良さんが――お祖父ちゃんの事件に関わりを持っているなら、あたしと会うことで吹っ切れるだろう。まったく関わりを持っていないのなら、二人で気持ちを打ち明けあうことで、慰めになるだろう。どっちにしても悪いことはないって言ってた」

「吹っ切れる？」

犯行を自白することができるという意味か。

「北見さんは奈良さんを疑ってるのかな」

「可能性はあるって。つまり動機は」

「保険金かい？」

「うん。あのまま放っておけば、お母さんに責められて、お祖父ちゃんが保険を解約しちゃうかもしれなかったでしょ。少なくとも、奈良さんがそういうふうに考えたとしても不思議はないじゃない？　だからそれよりも先にって。警察もそう見てるみたい」

「今、犯人扱いされてるのは君のお母さんの方だぞ」

「奈良さんだって次点だよ。疑われてないわけじゃない」

古屋暁子とコンビニの萩原店長は、動機も機会もあるが凶器である毒物とのつながりが見えない。奈良和子は、動機はある（あくまで憶測だが）が、機会はありそうにない。毒物を入手できたかどうかも——私は知らないが、警察は何かつかんでいるのだろうか。

「会ってみて、ただただ恋人だったお祖父ちゃんを亡くして悲しんでるだけのおばさんだったら、あたし、すごく気が楽になると思う」

恋人、か。

古屋氏は、奈良和子にとっては亡夫の上司であり、生活の面倒をみてくれる頼みの綱だった。穿ってみるならば、本当に「恋人」だったかどうかはわからない。古屋氏はそのつもりだったとしても、奈良和子の本音はどうだったか。

住居表示を見ながら、大通りから逸れて脇道に入った。隣駅だが、それだけにかえって降りる機会がなく、美知香はこのあたりを歩くのは初めてだという。古びた家がちまちまと屋根を並べる住宅街だ。真新しいマンションやコインパーキングもあるが、柱が傾きかけているような木造のアパートもある。

「ホームページの方はどうだい？」

狭い道を乗用車とすれ違いながら進む。並んで歩けないので、美知香の後についてゆくことにして、背中に質問を投げた。

「けっこうメールが来るよ」

「意地悪な反応もあるんじゃないかな」

アドレスを教えてもらって、私も彼女のホームページを見てみた。実に素直に正直に、お祖父ちゃんの思い出話を語り、今の心境を綴り、母親にかけられた疑いは不当なものだと訴えていた。あまりにも無垢な文章に、読みながら私は首筋が寒くなった。これに共感し、彼女を励ましてくれる人たちも大勢いるだろうが、暗い方向に触発される人間もいるはずだ。

「頭からお母さんを人殺し呼ばわりするメールだってあるんじゃないかい？」

美知香はそれには答えない。足取りもそのままで、

「毎日、学校から帰るとノートパソコン持って、北見さんとこに行くの」

また北見探偵か。

「一緒にチェックしてもらってる。一人で見てるわけじゃないから大丈夫よ。心配しないで」

美知香が振り返ったので、私は急いで渋面を消した。北見氏は何を考えているのか。元警察官ならば、被害者の（そして現在は第一容疑者の）身内が、こんなふうにふるまうことの危険性など、充分承知していることだろうに。

「ひとつね、気になるメールがあるんだ」

大型のバンが通りかかり、我々は身体を横にして避けた。

「ごめんなさいって。ただそれだけ、ひと言だけ送られてきたの」

美知香が私の顔を仰ぐ。排気ガスまじりの風がその髪を乱す。

「それが犯人からのものだと思うの？」

「わかんない。でも気になるよ。北見さんも考え込んでた」

私は北見氏に腹を立て始めていた。この娘を使って何をやってるんだ。

「マスコミ関係から何か接触はあった？」

私の問いに美知香がかぶりを振ったとき、救急車のサイレンが聞こえてきた。どんどん近づいてくる。

「あ、こっちに来るよ」美知香が目を瞠る。

我々が曲がったのと同じ角を折れて、救急車がゆっくりとこの脇道に入ってきた。今にも路上駐輪の自転車に触れそうだ。サイレンは急いでいるのに、車体はなかなか前に進めない。私と美知香は民家の壁に張り付いてやり過ごした。救急車は我々を追い越し、すぐ先のT字路を右に曲がった。

美知香は奈良和子のアパートに印をつけた地図を持っている。それに目を落とし、

「奈良さんの家の方に行ったね」と呟いた。

私は勘の鋭い人間ではない。第六感など持ち合わせていないと思うし、もちろん霊感の類もない。

が、それでも何かが閃いた。ざわめいたと言ってもいい。心の、普段使っていない回路がチクチクした。奈良さんの家の方に行ったね。

私は先に立ち、早足になった。

T字路を曲がると、救急車は角から四軒ほど先の電柱のそばに停まっていた。車体すれすれの場所に、外壁の白い四階建ての集合住宅の玄関が見える。両開きの戸がいっぱいに押し開けられ、そこに人だかりがあった。周囲の家々からも人が顔を出している。

「あれ？」美知香が地図を手に首をひねる。

「あの建物って——」

私は美知香の手から地図をもぎ取った。

「ここにいなさい。絶対にここから動いちゃいけないよ。一歩もだ。いいね？」

美知香は私に気圧されたように「う、うん」とうなずいた。

続々と集まっているのは、明らかに野次馬だ。平日の昼間に何をしているんだと、自分のことを棚にあげて苛立ちながら、私は人びとのあいだをすり抜けて救急車に近寄った。ストレッチャーが引き出されたが、置く場所に困っている。

「裏です、裏ですから。ここ通り抜けられますから」

私と同年代だろうか、エプロンをかけた女性が救急隊員に指示している。

「早く診てあげてください。早く早く！」

救急隊員と一緒に建物のなかに駆け込んでゆく。私は地図を見て、四階建ての建物の玄関脇の表示を確かめた。「ハイム倉井」とある。奈良和子の住んでいるアパートだ。

肩や肘がぶつかり合う混雑のなかで、私はまわりの誰にともなく呼びかけた。

「すみません、何があったんですか」

すぐ後ろにいた中年男性が、ハイム倉井の方に顎をしゃくりながら教えてくれた。

「飛び降りだよ。ここの人らしい」

誰か警察を呼んだ？　一一〇番してよ。とりどりの声が入り混じる。

「どんな人です？」

「女の人らしいよ」

私の心のなかの普段使っていない部分の閃きに、普段使っている部分までが共鳴を始めた。

「奈良さんだってよ」

人ごみのなかで誰かが言う。私は声のした方に問いかけた。「奈良和子さんですか？」

救急車のそばにいた年配の女性がうなずく。

「そうそう、四〇一の奈良さんですよ」

「お知り合いですか」

「あたしもここに住んでるから」

彼女はスーパーの袋を提げていた。

「本当に奈良さんですか」

さっきのエプロン姿の女性が、携帯電話を手にして外へ出てきた。血を全部抜き取られたような顔色だ。買い物袋を提げた年配の女性を見つけて、よろめきながら駆け寄る。

「佐藤さん、大家さんに報せた？」

「報せてないよ。だってあたし買い物から帰ってきたばっかりで――」

エプロンの女性は、つかみかかるような手つきで携帯電話を操作した。相手が出ないのか、苛立たしそうに切ってしまう。

私は彼女の肩に触れた。「奈良和子さんが飛び降りたというのは本当ですか」

私がどこの誰だか確かめている余裕などないのだろう。彼女は大きくうなずき、携帯電話を握ったままの手を口元にあてた。

「ベランダから飛んじゃったんですよ。もう駄目みたい。ああ、どうしよう」

別のサイレンが聞こえてきた。今度はパトカーだ。野次馬に阻まれて進めない。

建物のなかに入っていた救急隊員が駆け戻ってきて、ストレッチャーのそばにいた同僚に何か大声で呼びかけた。同僚は運転席へ向かうが、野次馬がいるのでドアが開けられない。すみません、場所をあけてください。そうこうしているうちにようやくパトカーから巡査が降り立ち、人垣を整理し始めた。

私は泳ぐように手を動かし、人ごみを抜けて玄関先を離れた。胃が喉仏のあたりにまで持ち上がってきた。血を見たわけでも、死体を見たわけでもない。なのに、内臓が身体のなかでうろうろと浮遊している感じがした。

美知香は私の言いつけを守っていた。心細そうに、手近の家の壁に手を触れている。私の顔を見ると、目が大きくなった。

「杉村さん――」

私は彼女の肘をつかむと、くるりと回れ右をさせた。何も言わずに、引きずるようにして歩き始めた。ここから少しでも遠く離れるために。

「杉村さん、どうしたの？　ねえ、あの騒ぎ、何なの？」

「何でもない、何でもない」

私はとにかく歩き続けた。美知香は何度も同じことを訊き、私は何度も同じことを答えた。何でもない、何でもない。私に引きずられてゆく美知香は、振り返り振り返り、パトカーと救急車を見ている。彼女を怯(おび)えさせているのはわかっていたけれど、私には言えなかった。今はただこの場から逃げるだけだった。

17

奈良和子の自殺は、その日の夕方のニュースから、詳しく報じられることになった。

我が家では日頃(ひごろ)、食事時にはテレビをつけないし、桃子が寝てしまってからも、夫婦でテレビを観(み)ることはごく少ない。が、この日は特に例外扱いにしてもらって、私はずっと報道を追いかけた。時間が経(た)つに連れて、新しい情報が入ってくるからだ。

彼女が自らの意志でアパート四階のベランダから飛び降りたことに間違いはなかった。玄関のドアには鍵とチェーンがかかっており、室内はきれいに片付けられ、掃除が済まされていた。

さらに、遺書が残されていた。

遺書があることは早い段階から報じられていたが、その内容が紹介されたのは、午後十一時以降のニュース番組からだ。キャスターが文面を読み上げたわけではなく、要旨をかいつまんで説明しただけだが、それで充分だったろう。ごく簡単な文章だったそうだから。

古屋家の皆様に迷惑かけ、本当に申し訳なく思う。すべてわたしの責任だ。どんなにお詫びしても追いつかない。お許しください。

文章の末尾に名前が記されていたという。

報道では、これが「自白」である可能性をほのめかしていた。それはつまり、捜査関係者の見解がそうだということなのだろう。古屋明俊氏に青酸化合物を飲ませて殺害したのは自分であると、彼女は告白した。そして自らも死を選ぶことで、その罪を償おうとしたのだろう——

動機は、古屋氏が彼女を受取人に指定してかけていた生命保険金、一千万円である。

私は妻に、美知香と二人で、奈良和子が自殺した直後の現場に居合わせたことを話した。そしてこっぴどく叱られた。さらに、駅前で美知香をタクシーに押し込み、家まで送りながら車内で事情を話して、彼女の自宅に着くとそのまま降ろし、あとはまっしぐらに逃げ帰ってきたと白状して、さらに叱られた。

「家には暁子さんがいたんでしょう？　美知香さんは、お母さんの前でどんな顔をしていいかわからなかったでしょう。奈良さんのアパートを訪ねることは、お母さんには内緒だったたんだもの」

「うん……」

「それ以前に、ショックで混乱してたはずよ。どうしてあなた、一緒に行ってあげなかったの？　暁子さんだって動揺したはずよ。どうしてしばらくそばにいてあげなかったの？」

「いたって何の役にも立たない気がしたんだ」

我ながら情けない言い訳である。私はただ逃げ出したかっただけだった。

「少なくともあなたには、美知香さんを奈良さんのアパートへ連れていったことを、母親の暁子さんに謝罪する義務があったわ。そう思わない？　美知香さんに頼まれたからって、ほいほい連れ立って出かけたのは軽率だと思わない？　そこで止めるのが大人の分別というものよ」

私はうなだれて縮こまっていた。桃子は自分の部屋で寝ているはずだが、妻がこんな大きな声を出していたら、そのうち目を覚ましてしまう。お父さんとお母さんがケンカしてると、驚いて怯えるに違いない。

「桃子に聞こえるよ」

弱々しく抗弁したら、妻は目じりを吊り上げた。「こんなときだけあの子をだしにしないでください！」

そのひと言と、妻の予想外の激怒ぶりに私はふと目を開かれた。おや？　と思った。だがその思いは、何だかずいぶんとずるい感情のようだった。私に都合のいい解釈のようだった。

妻は続けてこう言った。「このごろのあなた、わたしや桃子のことなんか二の次じゃない！

頭のなかはいつもほかのこと、ほかの人のことでいっぱいって感じがするの。どうしてそうなの？　なぜそんなふうに誰にでも優しくして、深入りしてしまうの？」

妻はただ私のだらしない行動に腹を立てているだけではなく、やきもちも焼いているのだ。

ここで笑ってはいけない。ニヤつくなどもってのほかだ。真摯に反省しなくては。

「そんなつもりはなかったんだ。ごめんよ」

ひたすら謝って、詫びて、謝罪した。妻は生き生きと怒り、いろいろなことを持ち出しては並べ立てた。どれも些細なことであり、今さらそこまで言わなくてもという事柄もあったけれど、私は言い返さなかった。どんどん言わせて、全部聞いていた。

実を言えば、ちょっと新鮮でもあったのだ。我々はこれまで喧嘩らしい喧嘩をしたことがなかった。そのように繕っていたわけではなく、そんな必要のない生活のなかにのほほんと浸りきっていたから。

それでも、彼女の虚弱な身体のことを考えると、そろそろ宥めにかかるべきだ——という頃合いが来ると、賢い菜穂子はちゃんとそれを承知していた。唐突にすとんとソファに腰をおろすと、子供みたいな半ベソ顔になり、

「わたし疲れちゃった」と言った。「こういうの、嫌いよ」

「うん」

「うんじゃないわ。嫌いだって言ってるのよ」

「うん」

「バツとして何かしてもらおうかしら」

「何なりと」

私は平伏した。と、妻は吹き出した。

「あなたは本当に優しいのね。底抜けだわ。でも、わたしもそうなのかもね。わたしたち底抜け夫婦なんだわ」

六本木にある、某有名レストランのケーキが食べたいと言い出した。何度か行ったことのある、午前四時まで営業している店だ。私はタクシーで買いに出かけた。大きなケーキ箱を提げて乗り込んだ帰りの車では、運転手に、

「奥さんにお詫びのお土産ですか」と問われた。

「それにしちゃお客さん、まだできあがってないですけどね」

「夫婦喧嘩したんだ」と、私は言った。運転手は可笑(おか)しそうに言った。

「そりゃ大変だ。ご健闘をお祈りします。だけどケーキで機嫌がとれるなら、優しい奥さんじゃないですか」

帰ると、桃子も起きていてリビングにいた。

「ほら、罰ゲームが帰ってきた！」

妻はいわゆる「ハイ」になっていて、わざわざ桃子を起こしたらしかった。大人の分別がないのはどっちだ。

妻が二つ、桃子がひとつ、午前零時過ぎにケーキを食べて、歯を磨いて、二人で仲良く桃子のベッドに入って寝てしまった。私は皿やフォークを洗い、戸締りを確かめて、独り寝をした。枕に頭をつけるころになって、古屋暁子と美知香は今夜をどう過ごしているだろうかと考えた。こんなんだから、妻が怒るのに。

翌朝起きると、菜穂子はキッチンにいた。眠そうに目をしょぼしょぼさせながら、

「胸やけがするの」

「寝しなにケーキなんか二個も食うからだ」

「桃子ったらわたしを蹴飛ばしたのよ」

「素直に自分のベッドで寝ないからだ」

「そうね。あなたを蹴ッ飛ばすべきだった。失敗したわ」

そんなことを言いながらも朝食を作ってくれたから、機嫌は治っているのだった。傍から見ればそれこそ〝犬も食わない〟雰囲気だったろう。が、朝刊を広げるとその気分は消し飛んだ。続報が載っていた。

奈良和子のアパートの部屋から、青酸カリが発見されたという。

急いでテレビをつけた。あいだに天気予報や交通情報を挟みながら、どの局でもこの件を扱っていた。

正確には、奈良和子の部屋にあったハンドバッグのなかから薬品を包んだような小さな紙包みが発見され、調べてみたら青酸カリだったのだという。朝から各局のレポーターたちは色めき立っていた。保険金殺人という言葉が連呼されている。

あるコメンテイターが、今度発見された青酸カリが、古屋明俊氏の殺害に使用されたものと同一ならば、事件は解決したも同然だろうと述べている。成分分析をすればすぐわかると。

毒物であれ薬物であれ、百パーセント純粋なものはあり得ない。必ず、ある程度の微少な割合で不純物が混じっている。その不純物を調べれば、事件Aと事件Bで使われた毒物が同じものであるかどうか、見分けることができるのだ。

まだ例の少年が出頭してくる以前から、我々の目には四件の連続無差別毒殺事件と見えていたものに対し、捜査当局が疑惑を抱いていたのもこのせいだった。二番目の横浜の事件と、四番目の古屋氏の事件で検出された青酸化合物には、他の二件のそれとは、それぞれ異なる不純物が含まれていたのである。となれば、出所（でどころ）が違う可能性が高い。

我々一般市民がそれについて知ったのは、二番目の事件が狂言だったと判明したときのことだ。確かあのときも、同じコメンテイターが同じ説明をしていたような記憶がある。

「横浜の事件で自殺した社長さんは、取引先のどこかから青酸カリを盗んだとかいう話だったわよね？」

「うん。薬品会社だったかな」

「無差別殺人をしたあの男の子は、ネットで買ったんでしょう？　奈良さんはどうやって青酸カリを手に入れたのかしらね」

やっぱりネットじゃないかと私が言うと、妻はコーヒーカップを手に首をかしげた。

「奈良さんて、いくつ？　五十歳ぐらい？」

「だったと思う」

「その年代の一人暮らしの女性が、そこまでネットに詳しいものかしら」

「詳しくなくてもできるんじゃないか。買い物なんだから」

「でも、Tシャツを買うのとはわけが違うわ」

チャンネルを替えてみると、そちらではキャスターとコメンテイターが、この事件にはまだ不透明な部分が残っていると話していた。

「自殺した奈良和子という女性には、古屋明俊さんが飲んだウーロン茶に青酸カリを混ぜることはできなかったはずですからね。それ以前に飲ませていたということはあり得ない。あれは即効性です。飲めば一分も経たずに効いてくる」

「カプセルを使ったのでは？」

「だったら、ウーロン茶のなかに青酸カリが残っていたのはおかしくないですか？」

今後の捜査の進展が待たれますねと、大急ぎでキャスターが言い、その言葉尻にかぶってＣＭが始まった。乳飲料のコマーシャルだ。ウーロン茶でなくてよかった。

「こういうとき、どうなるの？」

私は妻に尋ねた。彼女は推理小説好きだ。昨今のミステリー作家は詳細に取材し正確に書くので（まあ例外もあるが）、小説といえどもあてにできる。

「容疑者というか、犯人が死んでしまった場合はどういう扱いになるんだい？」

「被疑者死亡により書類送検、なのかな」妻はすぐに答えた。「でも、今度の場合はまだいろいろ調べなくちゃならないと思うわ。あのコメンテイターの人の言うことは正しいもの。奈良さんがどうやって古屋さんに毒物を飲ませたのかわからないでしょう」

「そのへんも遺書に書いておいてくれれば手間が省けてよかったのにな」

妻はまた私を叱りたそうな顔になった。

「あなた、いっぺんに気が楽になったみたいね」

「そう？」実際、気分がほどけている。

「うん。気持ちはわかるけど。これで暁子さんも美知香さんも安心できるものね」

我々の会話に呼応するように、ＣＭあけのテレビ画面に古屋母娘（おやこ）の住まいの玄関先が映った。レポーターがインターフォンを押す。私も妻も思わず見入った。

インターフォンから、古屋暁子の声が聞こえてきた。「すみませんが、今わたくしどもがお話しすることはありません」

画面がスタジオに切り替わると、私も妻も同時にため息をついた。

「今日一日ぐらいは、まだ大変そうね」

私は携帯電話をチェックした。美知香からのメールは来ていない。起き抜けに書斎のパソコンも見てみたが、そちらにも何もなかった。

「話を戻しちゃうけど、ウーロン茶のことで、ひとつ考えられるのはね」

テーブルに両肘をつき、掌（てのひら）を合わせて、妻が考え考え言い出した。

「奈良さんが古屋さんに、カプセルを使って毒を飲ませたとするでしょ。古屋さんは奈良さんのアパートを出て、犬と散歩を続ける。だんだんカプセルが溶けてくる。古屋さんは気分が悪くなってくる」

私はうんうんとうなずいた。

「暑い日だったし、ちょっと休もうと思う。コンビニに入ってウーロン茶を買う。それを飲みながら家に帰る途中で、本格的に毒が回ってきて倒れてしまう。ね？」

「うん。それで」

「紙パックでも何でも、飲み物をストローで飲むときって、吸い上げた分を全部飲んでるわけじゃないのよ。ストローから口のなかに入って、また容器のなかに戻ってる分もある。ほんのちょっぴりだけどね」

「なるほど」

「だから、古屋さんの飲み残しのウーロン茶のなかに毒物が入ってしまった——古屋さんの唾液（だえき）と一緒にね。そういう可能性は、なくはないと思うの」

「吐き気がしていたりして、毒が逆流して唾液に混じっていたと」

「そう。ただの想像だけど」妻は眉間に皺を寄せた。「でも、青酸カリって本当に素早い毒だから、効き始めたらそんな時間はなかったかもしれない。不純物の混ざっていた割合と、青酸カリ自体の劣化の度合いによるのかな……」

青酸カリは、密封しておかないと炭酸ガスを吸って炭酸カリに変化してしまい、毒性が薄れると同時に、それを飲んだ者に嘔吐をもよおさせるようになる。だから青酸カリを飲んでも、稀にではあるが助かるケースもあるのだ。雑誌で見かけた知識を、私は思い出した。

「あらイヤだ。桃子を起こさなくちゃ」

妻があわてて椅子を引いた。私もテーブルから立って着替えを始めた。ネクタイを締めていたら、起きてきた桃子が困ったような顔で、

「お母さん、おなかがヘンだよ。朝ごはん食べたくないの」と言った。私は「胸やけ」という言葉を教え、妻に軽く睨まれた。

18

昼休みに、美知香が電話してきた。マスコミを避けるため、学校を休んで家にいるという。

「お母さんが、杉村さんにお詫びしたいって言ってるの。電話かわっていい？」

謝るのはこちらの方なのに、古屋暁子はまったく私を責めなかった。美知香の我儘を詫び、親切にしてくださって有難かったという。

「娘の気持ちを考えたら、一度ぐらいは、わたしが奈良さんのところへ連れていくべきだったんです。そこまで頭が回らなくて」

「無理もないことです。美知香さんはどんな様子ですか」

声の調子に変わりはなかったのだが、心配だった。

「冷静に受け止めてるようです。でも、ああいう気質（たち）で言い出したら聞かない娘ですからね。杉村さんが同行してくださらなかったら、一人で出かけていって、ずっとひどいショックを受けることになっていたでしょう。本当に助かりました」

淡々とした口調だった。本音かどうかはわからない。徹底したビジネスウーマンである彼女は、こんな私的な局面でも、私が今多コンツェルンに連なる人間であることを勘定に入れているのかもしれない。最初に会ったときの、彼女の北見氏に対する無造作な低評価を考えると、それは充分あり得ることだった。

「古屋さんご自身は、大丈夫ですか」

驚いたことに——いや、そうでもないか——彼女はふっと微笑んだようだった。

「あの人が父を手にかけたのだとしたら、それもまあ……受け止めるしかないことです」

これも本音なのかどうなのか。

「父は女運のない人でした。娘のわたしも含めての話ですけど」

もう、奈良和子が犯人だということで、彼女の気持ちは割り切れているようだった。

「警察からは何か？」

「今のところは何もありません。会わせる顔がないんでしょう。わたしにも美知香にも」

「コンビニの店長の、萩原さんには——」

「さあ、会ってないのでわかりません」

さすがに、私なんかにそこまで訊かれるのは心外だという口ぶりになった。

美知香がまた電話に出た。ごめんなさい、と謝る。「あたし、杉村さんの疫病神（やくびょうがみ）だね」

「そんなことはない」

電話の向こうでインターフォンが鳴っている。

「うるさいでしょ。もうちょっとの辛抱だと思うんだけどね」

「そうだな。ちゃんと食事はしてるね？」

「食べてる食べてる。家にこもりっきりでやることないから、お母さんと一緒にケーキ焼いてるくらいだし」

「胸やけに気をつけなさいよ」

なんで？ と問いかける美知香に笑って、私は電話を切った。

その日は午後から月例の企画会議があった。といっても、次号つまり新年号ではやることが決まりきっており（グループ各社社長の年頭の挨拶（あいさつ）を載せるだけでページは満杯だ）さりとて二月号の企画を熱心に話し合う気分にはまだなれず、印刷所の仕事納めがあるから通常よりもハイペースで進めなくてはならない作業手順の確認をするだけだ。

いちばん熱心だったのは、今回初めて会議に参加したゴンちゃんである。五味淵さんからも何かある？ と編集長に促されて立ち上がった。少しあがっているようだ。

「座っていいわよ」

「あ、ハイ。アルバイトの五味淵です」

あらためて挨拶した。谷垣副編が微笑んでいる。ゴンちゃんをいたく気に入ったようで、あの子はいい子ですね、本当にいいお嬢さんを見つけてきてくれましたと、私まで礼を言われたことがあった。

「わたしは先週から、読者の皆さんからの投書やメールを整理してまとめる作業をしていました。先月号では、『次長さんが斬る』というコーナーへの反響が多いようです」

まとめた資料を配り始める。

「今多物流倉庫の黒井さんという方へのインタビューなのですけれども、読者の声が多いのは、黒井さんのお仕事についてのお話ではなくて、談話の最後の方にちらっと出てくるシックハウス症候群のことなんです」

自分でまとめたインタビューだから、私はよく覚えている。黒井次長のお嬢さんがシックハウスによる喘息に苦しんでいるのだ。このコーナーでは、家庭や家族のことも少し尋ねるのが慣例になっていて、たいていの場合は「妻の協力に感謝しています」とか、「家族のためにも頑張ろうと思っています」というセリフで締めくくられるものなのだが、黒井氏の場合は、私はその事柄をインタビュー原稿に盛り込んだ。

「今は家族一丸となって、この見えない敵を退治しようと奮闘しているところです」

というのが、黒井氏の談話の末尾だ。これに反響が来たというのだった。

「同じように、ご家族がシックハウスで悩んでいるという読者の方が多いんです。メールだけでもびっくりするくらいの件数でした。なかでもそちらの――」

ゴンちゃんは資料をめくって示した。

「お手紙で来たものなんですが、大作ですよね」

A4サイズで三枚分ある。

「その方の場合は、シックハウスではなくて、宅地土壌汚染の問題なんです。購入申し込みをして手付金を打った建設中の分譲マンションに土壌汚染が見つかって大変だったということです」

「あれ、それって大阪の方の話じゃない？　ニュースで見たよ」と、加西君が乗り出す。彼もゴンちゃんを気に入っており、それは谷垣さんとは違う種類の気に入り方で、何度かデートに誘ったらしい。

「どじょうおせん？」編集長がいかにも不得要領に反復する。「シックハウスと違うの？　ていうか、わたしはどっちもよくわかんないわ」

ゴンちゃんはうなずいて、「わたしも知らなかったんですが、このお手紙に詳しく書いてありました。シックハウスというのは、文字通り家のなかの問題で、壁紙の接着剤とかワックスとかの塗剤、稀には家の材質そのものから発生する化学物質のために、住んでいる人がアレルギー症状に苦しんでしまうことをいいます。土壌汚染というのは――」

「土です、土」加西君が割り込む。「家やマンションが建っている土地そのものに化学物質が染み込んでいて、人体に悪影響を及ぼすんです」

「はい、そうです。最近では、さっきおっしゃった大阪の複合施設の件が有名です。でも、このお手紙のケースはまた違います。この方のマンションは東京の下町にある物件なので」

達筆の手紙には、事の経緯が手際よく綴ってあった。昨年の秋、問題の新築マンションの購入を決めたのだが、半月ほどすると、匿名の文書が届いたという。差出人は、その土地で以前操業していたスクラップ処理工場の元従業員だといい、工場を閉鎖解体、土地を売却する際、調査で明らかな土壌汚染が発見されていたにもかかわらず、何らの対策もとられていない。そのまま住んでは危険だと訴えていた。

驚いて販売会社に問い合わせると、妙にしどろもどろの返答だ。怪しみながらもどうしたらいいか戸惑っているところに、今度は同じ立場の購入希望者だという男性から連絡があった。彼がまとめ役になり、この件に関する説明会を開くよう、業者に働きかけているという。問題の文書は、購入希望者全員に送りつけられていて、すでに事は動き出していたのだ。

まとめ役の男性は、販売会社と交渉するだけでなく、件のマンションの近所の評判も聞き調べていた。あの土地はやばいよ。工場があったころ、隣の公園の植え込みが何度植え替えても枯れちゃってたし、土台工事をしてるときには、掘り返した土から吐き気がするような嫌な臭いがぷんぷんしたよ。風下の家は、窓を開けられなかったくらいだよ。

購入希望者たちは一丸となり、業者を追及した。結果、土壌汚染の事実が確認され、建設中のマンションは取り壊し、土壌の汚染除去・地質改良作業からやり直しとなったのだという。

「ヘェ。これ、ちゃんとやらないと都の条例違反になるのね」

資料に目を落としていた編集長が、くわえ煙草で呟いた。

「そうなんですね。ビックリしました」

今の家を買い、リフォームする際のにわか勉強で（妻のにわか勉強のおかげで）、私も少しぐらいは知識がある。東京都が、「東京都公害防止条例」とその施行規則を全面改正し、「都民の健康と安全を確保する環境に関する条例」といういささか長いがわかり易い規則を制定・施行に踏み切ったのは、平成十三年からのことである。土壌汚染対策に関する条項もここに盛り込まれている。これにより、有害物質取扱事業者と土地改変者は、土壌汚染を調査し、必要な場合は対策をとることが義務付けられるようになった。

字面を見ると怖いようだが、有害物質取扱業者とは、環境庁が基準を設けて定めた二十四種類の物質——私が空（そら）で覚えているのは、水銀、鉛、カドミウム、六価クロム、亜鉛、トリクロロエチレンなどなど——を、工場や作業場で扱う業者のことである。土地改変者というと、これまた何をする者かと思ってしまうが、三千平方メートル以上の敷地内で土地を切り盛りしたり、掘削などを行う者のことを指す。

「土地の改変」だから、工場を壊して土地を売ることもそれにあたるのだ。

「なんでズルけちゃったのかしら、このマンション業者は。それとも土地を売った方の責任?」

「そりゃ売主に責任があります。でも、この場合は双方が気を合わせてネグってしまったんでしょう。きちんとしたデベロッパーなら、たとえ土地の売主がやらなくても、対策をこうじて当然です。条例があるんですから」

「杉村さん、詳しいんですか?」

ゴンちゃんが目を丸くしている。編集長がチビた煙草の先で私を指した。

「この人はホラ、お屋敷建てたばっかりだから」

家を買うとき、家内が勉強してたんだと、私はゴンちゃんに説明した。

「熱心だったもんだから、仲介の不動産屋さんが感心してね。そこまで必要ないですというところまで教えてくれた。こっちはそれを聞きかじって、チラホラ覚えてるという程度だ」

「杉村さんの奥さん、超美人だから。不動産屋も張り切ったんだよ」

加西君が茶化（ちゃか）すのに、ゴンちゃんは真面目に感心している。

「わたしこんなこと、初めて知りました。それでね、このお手紙の方は、黒井さんのおうちの件も、家のなかをいくら調べても原因物質が見つからないのなら、土壌汚染なんじゃないかって書いてるんですよ。で、『あおぞら』誌上で、同じような問題で悩んでいるグループ社員の情報交換の場が作れないかというご提案です」

皆がわいわい話しているところで、私は資料に添えられた手紙を最後まで読んだ。この下町のマンションの場合は、汚染の隠蔽(いんぺい)があったことを暴く直接のきっかけは、工場の元従業員の内部告発だ。この元従業員が誰なのかは、事態が落着してもとうとうわからなかった。が、購入希望者たちが関係者を調査したところ、当時の従業員たちには体調不良を訴える者が多かったとわかった。さらに、工場の東側に隣接していた幼稚園では園児の喘息発症率が異常に高く、「喘息幼稚園」と呼ばれていたというから驚きだ。現在では、この幼稚園が元の工場経営者を相手取って訴訟中だと書いてある。

スクラップ工場であれ何であれ、有害物質を扱う工場が、必ずそれを垂れ流すわけではない。結局は経営者の問題だ。義父がこれを読んだらどんな感想を持つだろう――と、ぼんやり考えていたら、いつの間にかこの手紙の提案を実現する担当が加西君に決まっていた。アシスタントはゴンちゃんだ。

「うちに何冊か家内の買い込んだ本があるから、参考に持ってくるよ」と、私は言った。加西君、ゴンちゃんにいいところを見せるチャンスだ。

「言っとくけど、うちは掲示板やってんじゃないんだからね。ちゃんと記事にしなさいよ」

編集長が釘(くぎ)を刺して、会議は終わった。

帰宅途中で、私は奮発して花束を買った。持って帰ると、玄関先で妻が笑み崩れる。

「あらまあ。まだ反省してるの？」

「それもありますが奥様、これは本の借り賃です。知識も少々お借りしたいのですが」

ダイニングの壁に、桃子が幼稚園で描いた「おほしさまとおつきさま」なる題名の絵が貼り出されていた。とてもよく描けていたので（構図が斬新だ！）、私は親バカ丸出しで褒めに褒めた。あまりに感心したので、桃子を寝かしつけるとき、即興で「おほしさまとおつきさま」というお話を作って聞かせてしまったほどだ。おほしさまとおつきさまが恋に落ち、別の銀河系に駆け落ちしてしまうというストーリーで、二人（？）の恋を阻むのは、当然、たいようさんである。

「ねえお父さん」

「何だい」

「おほしさまとおつきさまは、二人でとおくへいっちゃうんでしょ」

「そうだよ。たいようさんに叱られなくていいところへね」

「とおくへいったら、二人だけだよね」

「そうだね」

「ケンカしない？」

私はちょっと黙った。

「二人だけになってケンカしたら、さびしいもんね」

「そうだね。だからケンカはしないよ」

やはり、昨夜のゴタゴタを聞かれていたらしい。子供の耳は侮れない。

桃子がスヤスヤ寝てしまってから、私と妻にとっての「たいようさん」は誰だろうかと考えてしまった。義父だろうか。私の両親だろうか。あるいは「たいようさん」などいなくて、ただ私たちがそう思い込んで逃げ出しただけなのか。

どっちにしろ、もう喧嘩はやめだ。

ご教示を賜りたいと申し述べておいたせいか、妻はコーヒーをいれて待っていた。ケーキの箱はどうなったのか。

「では、何について知りたいわけだね、君は」

そっくり返っている。

新居に落ち着いても、まだ興味は続いているのだろう。会議でのことを話すと、妻は生き生きと目を輝かせた。本だけでなく、自分で作ったファイルやノートまで持ち出してくる。それを見ると、やはりシックハウスのことだけでなく、宅地土壌汚染についても記してあった。

「うちの場合は、前の方が長いことここに住んでいたでしょう。もともと住宅地だし。だからね、不動産屋さんも最初は、土地は調べなくていいって言ってたの。わたしも気にしてなかった。リフォームに使う材料のことだけに専念してたのよ」

ところが、リフォーム計画を進めているうちに、当の不動産屋の社長が、奥さんやっぱり一応調べてみましょうと提案したというのだ。

「八広(やひろ)さんて人よ。覚えてる？　わたしが知らないうちに、近所をずうっと聞き歩いてくれて。十五年前、うちの北側の二軒先に、大きなクリーニング工場があったってことを調べてきてくれたのよ。クリーニング屋さんて、化学薬品を使うでしょ」

「こんな場所にクリーニング工場？」

「あったんですって。北側のあのへんは、準工業地域になるのよ。ぎりぎりの境界なんだけど。十五年前っていったら、バブルの終わりのころよね。もともとの地主さんが土地を売って、それがまた転売されて転売されて、もっと値上がりを待ってるところにバブルがはじけて、ゴタついた挙句(あげく)にクリーニングのチェーン店が土地を借りることになって」

ただ、そこが操業していたのはたかだか三、四年のことだったそうだ。

「ご近所ともいろいろ揉めてたんですって。だから長居できなかったのね。揉めたいちばんの原因は、一日中車の出入りが激しくてうるさい、ということだったらしいんだけど」

朝出して、夕方にはクリーニング済みの衣類を返してくれる便利なクリーニング・チェーン店の工場のなかには、二十四時間操業のところもあると聞いたことがある。

「とにかく評判のいい工場じゃなかったから、薬剤の処分も心配だ、調べましょうって」

妻は青焼きの図面を広げた。私には初めて見るものだ。

「これね、この青い太線が建物のあるところ。こういうふうにマークがついてるでしょ？　ナンバーを打って、六つあるわ。これが土壌汚染の調査のために土を採取した場所なの」

「こんなふうにやるんだね」

「この六ヵ所採取が基本なんですって」

今度は別の書類を取り出す。

「で、これがその結果よ」

私は書類を手に取った。「濃度計量証明書」とタイトルがついている。左肩上に資料の種類や採取期日、採取者、採取場所が書いてあり、右肩には検査にあたった会社名と計量管理者の氏名が明記され、押印があった。

本文は細かな一覧表だ。私がおぼろに記憶していた化学薬品のほかにも、テトラクロロエチレンとかセレンとかベンゼンとか有機リン化合物とか、砒素、フッ素、アルキル水銀――びっしり列記されている。二十六種類あった。

そのなかに「全シアン」という項目がある。シアン――青酸化合物の全種類という意味だろう。急に頭が逆戻りして、奈良和子のことがよぎった。彼女がバッグのなかに隠し持っていたという青酸カリの分析が終わるまで、どれくらいかかるだろう。

「全部基準値以下。不検出という項目もけっこうあるでしょう」指差しながら、妻は言った。

「だからこれで安心。評判の悪いクリーニング工場への疑惑は邪推でした、ごめんなさい」

「砒素なんかまで調べるんだな」

「こういうものはね、必ずしも人為的な汚染とは限らなくて、もともとその土地に含まれている場合もあるんですって。ナポレオンは砒素を使って毒殺されたという説があるでしょ？　遺体を調べたら、たくさんの砒素が検出されたから。でもあれも、遺体の埋葬されていた土地が、もともと砒素を豊富に含んでいたせいじゃないかという反論が出ているのよね」

この書類は一枚ではなく、ホチキスでとめられた続きがあった。写真のコピーだ。「資料採取（土壌分析用）」と添え書きしてある。六ヵ所の採取ポイントを撮影したものだ。どのポイントにも、住所と採取日と、採取にあたった会社名を記した黒板が立てられていて、一緒に写っている。採取した深さも書いてある。

「大変な手間だ」私は妻の顔を見た。「奥さま、この検査にはお金がかかったんですよね？」

「もちろんでございます」妻は大真面目（おおまじめ）にうなずいた。「四十万円ぐらいだったかな。領収書の綴りは全部まとめてあるから、見る？」

それは我が家のプライバシーでもあるから、メモだけ取らせてもらうことにした。

「検査料はうちで払ったんだね」

「ええ、そうよ」

「本来は売主が負担するべきものだよな？」

妻はちょっとくちびるを尖らせた。「八広さんもね、クリーニング屋さんのことがわかった時点で、売主さんに相談してくれたの。でも、そんなの納得できないって怒られちゃって」

だからうちで負担したのよ、という。

「そうか、売主がここに住んでいた人で、不動産やマンションの開発業者じゃなくて、有害物質取扱業者でもないから、必ず調査しなくてはならない〝義務〟はなかったわけだ。三千平方メートル未満だしね」

「そう。でも八広さんは、個人の売主さんでも、うちの場合と同じように、調査を勧めてみることがありますと言ってた。売主さんのためにね」

「売主の？　なぜだい？」

「万がいち、あとで問題が起こった場合に大変だからよ」妻は明快に答えた。「その土地を買って家を建てて住んだ人が、具合が悪くなったとするでしょう。調べてみたら土壌が汚染されていました。その場合は、売主が何も知らなくても責任が生じるのですって。裁判を起こされたら、絶対に負けるそうよ」

ずいぶんと厳しい。

私は困惑していた。「その場合の汚染は、売主のせいじゃないかもしれないだろ？　それでも責任があるのかい」

妻はぱんと手を打った。

「そうなの。さすが、いいところに気がつきますね、わたしの生徒は」

いつの間にか生徒になっている。先生はますます興に乗る。

「土壌汚染に関しては、それが本当に難しい問題なんですって。いったい誰が責任をとって、汚染をきれいに取り除くために必要な費用を負担するのか」

売主なのよ、と断言する。

「汚染したのが売主ではなくても、それしかないの。ほかに持っていきようがないのよ」

買い手が大手のデベロッパーやマンション開発業者の場合は、それが商売だから、売主と話し合って妥協点を見つけ、負担し合うこともできるだろう。最終的に、その費用が物件の販売価格に跳ね返ることも考えられるが、必要なコストとして勘定に入れることができる。

しかし、個人の場合はどうか。

「調査に四十万円かかった。調べてみたら土壌が汚染されているとわかった。改良するにはどれぐらいかかるんだろう」

「汚染の度合いや化学物質の種類によってケースバイケースだけど、基本的に、調査料の十倍ぐらいは覚悟しておかないと。桁が違うわね」

それだけの金を、売主は土地を売る前に負担しなくてはならないのだ。あるいは、改良の手間と資金の要ることを勘案して、土地の値段を下げなくてはならなくなる。

「しつこく聞くけど、それはすべて、汚染が判明した時点での売主の責任と負担になる?」

「そうなの」

妻はうなずき、腕組みをした。

「だから、ちょっと危ないなぁと思えば調査を勧めてはみるけれど、調べたがらないし調べない売主が多いのも無理はないんだって、八広さんは言ってたわ。理不尽な感じもするものね。うちが悪いわけじゃないのに、改良費用はうちが出すんですかって」

私もそう思う。

「よっぽど危険性がみえみえの場合しか、売主は乗り気にならないね……」

「君ねぇ、化学物質へのアレルギー反応は」

妻は本当に教師のような口ぶりになってきた。今にもどこかから黒板が出てくるのではないか。

「人によって違うのですよ。敏感な人もいれば、あまり感じない人もいる。だから、売主さんは永年住んでいて何もなくても、買主さんには症状が出ることもある。その場合は、なおさら不公平な感じがするわよね」

また、汚染された土地に住んでいても、誰にも何も障らないケースもあり得る。だったらわざわざ寝た子を起こすまでもない。調べなくたっていい。

「売主が、その前の持ち主に遡って責任を追及することはできるんじゃないか？」

妻は笑った。「できるでしょうけど、でも無駄じゃない？　そこがずっと宅地だったなら、前の前の持ち主だって何も知らない可能性の方が高いわ。汚染物質は他所から来てるのよ」

「じゃあ、その〝他所〟を突き止めて責任を問えばいい」

妻は重い物を持ち上げる仕草をしてみせた。

「とても、とっても大変な調査よ。またお金と手間がかかるわ。立証も難しいでしょう」

そんなふうに子供じみた仕草をすると、妻と桃子はよく似て見える。

「でも、仮にそれができたとするわよね？　たとえば、汚染源は二十年前にここにあった管理のよくない板金工場だったと判りました。その工場の経営者はもう亡くなっていて、工場は残っていないし会社もない。板金工場の社長さんの息子さんは、ごく普通のサラリーマンです。さあ、調査料と改良費を請求して、取ることができるかしら」

易々とできるとは思えません、先生。

「不幸なことよね。そういうケースが少なくないのですって」

何とか突き止めてはみたものの、汚染源となった工場や作業所の経営者（あるいはその遺族）が、自分たちの生活にさえ困っているという例もあるという。時間が経過しているから、相手が老齢の年金生活者である場合も多い。

「それに、いちばん大きな汚染源は〝国家〟なんですって」

先生がまた驚くようなことを言う。

「どういう意味？」

「戦争よ。空襲で焼け野原になった場所、とにかく瓦礫（がれき）を埋め殺して復興したわけでしょう。そうしないことには立ち行かなかったから仕方ないんだけど、結果的に、東京の地面の下には何が埋もれていてもおかしくなくなっちゃったのね」

埋め殺しとは凄（すご）い表現である。

「だから戦争はしちゃいけないんだわ。やっぱりそうなのよ」

小学生の女の子のような凜々（りり）しい顔をして、小学生の女の子のような正義感に満ちたセリフを、妻は吐いた。

私は妻の勉強ぶりにあらためて感心しつつ、内心、この勉強の土台になっている情熱が、とても「安全」なものだということも思っていた。どうしてもそれを考えてしまう。

調査料四十万円？　売主さんは、こっちが払う筋合いなんかないと怒ってる？　じゃあいいです、うちで払います。もしも汚染が見つかったら、除去作業に四百万円？　仕方ありませんね、安心して暮らすためのコストです。払いますわ。裁判なんて大変ですし。

そんな対処をすることのできる妻の――心のなかだけだから、あえてこう呼ぶ「今多菜穂子」の――恵まれた経済環境が、彼女の鷹揚（おうよう）さと知的好奇心を支えている。

これが仮に私の姉だったらどうだろう。

今住んでいる家と土地を売り、新しい家やマンションを買う計画を立てている。さまざまな手を尽くして資金繰りをし、ローンを組む目処も立った。

そこへ、土壌汚染の可能性があるから調査をした方がいいと勧められる。数十万円かかります。でも先々何かあったときのために、やっておいた方がいいですよ。

姉は承知するだろう。真面目な市民だから。調査料を出すには、他の出費を削らなくてはならない。そのために、ほしいと思っていたシステムキッチンを諦めて、ワンランク落とすことになるかもしれない。虎の子の定期預金を解約しなくてはならなくなるかもしれない。

それでも、調査と検査の結果、何事もなければまだ幸いだ。もし、何かの化学物質が基準値を超えていたならば、今度は土地改良の費用がかかる。今度は調査料よりもひと桁上の出費になる。借入金を増やし、ローンを組み直さなくてはならないかもしれない。最悪の場合には、売却と新居購入の計画そのものを白紙に戻さなくてはならなくなるかもしれない。

生々しい想像に、私は一人で首をすくめた。姉の声まで聞こえてくるような気がした。この上まだ数百万円必要になるんですか？　それじゃとうてい無理だわ——

それは姉だけの声ではない。ごく普通の一般市民の声だ。それに、もっと悪いケースだって考えられる。今の家のローンを払いきれなくなったから、経済状態が悪化したから、泣く泣く家と土地を手放す場合だってあるだろう。一円でも高く売りたいと思っているところに、いきなり予想外の出費を突きつけられ、それをしなければ裁判沙汰になる可能性があると知らされて、途方にくれる売主もいるだろう。

条例が施行される以前に購入した分譲住宅なら、何も知らずに買った土地に汚染があった場合、その後始末だけをしなくてはならない。

もちろん、ことは売買がからんだ場合に限らない。そこに住んでいる自分たちに健康被害が出たときも、自分たちの出費で回復しなくてはならないのだから。

「八広さん、言ってたわ」

考え込んでいる私の目を覚まそうとしたのか、妻がちょっと声を大きくした。

「個人の家の場合は国や自治体で補助金を出すべきだって」

あるいは、有害物質指定業者にあらかじめ共済基金のようなものに加入してもらい、その業者の近隣地に土壌汚染が発生し土地改良の必要が生じた場合には、そこから一定の拠出金を出すなどの措置も考えられるという。汚染源が特定できない場合には、国や自治体が救済に乗り出せばいい。

「今はまだ、そういう制度はないのかな」

「ないそうよ。これからでしょうね。なにしろ条例ができてまだ何年も経ってないんだもの」

シックハウスのことは知っていたゴンちゃんも、宅地土壌汚染については初めて聞いたと驚いていた。私自身、自分の家のことがなければ何も知らなかったろう。

喘息、偏頭痛、皮膚炎、低血圧、貧血、常習的なめまいや嘔吐感。こうした症状の多くは、昔は「虚弱体質」でひとくくりにされていたものだ。「気の病」だと片付けられる場合もある。目に見えない毒は、具体的な愁訴になって初めて外に顕れるが、本体は隠れたままだ。それでも確実に生活をむしばみ、不安や焦燥、周囲の無理解による心労などの二次的被害も呼び込んでしまう。派生する医療費や経済的損失だってバカにならないはずだ。

家が病み、土地が病み、人が病むことはすなわち、国が病むことなのだ。

翌日、私は妻からもらった資料を揃え、早速編集部に持って行った。加西君もゴンちゃんも驚いた。

「奥さん、凄いですね！」

「とりあえず、ネットの検索と新聞のスクラップ作りを始めようと思ってたんですよ」

「実例を集めてわかり易い記事にまとめれば、読者の声も集め易くなるでしょう？」

それはいいと、私は二人を励ました。「あおぞら」の新しい使い道が発見できるかもしれない。編集長は不満かもしれないが、「掲示板」役も大いに結構と、私は思った。

年末進行ということもあり、編集部にも師走の忙しさが満ちてきた。

年内にけりをつけようと、犯罪を司る神（そんな神がいるとすればの話だが）も気をきかせたのかもしれない。クリスマス・イブまであと一週間というところで、奈良和子の所持していた青酸カリの成分が、古屋明俊氏の殺害に使用されたものと一致したというニュースが出た。

割り切れない部分は残っても、どうやらこれが落着場所のようだった。

19

菜穂子と桃子のクリスマス・プレゼントを何にしよう。

しきりと考えながら電車に揺られ、デザイン会社で打ち合わせをして出てきて、また考えながら地下鉄の駅に向かって歩いているとき、私は、自分は今南青山におり、北見一郎の住む団地が近くにあることを思い出した。

彼とは、美知香が救急車で運ばれた騒ぎの折に会ったきりだ。その後のホームページのこともあるし、彼の容態も気にかかる。訪ねてみようと思い立った。北風が強く、寒さは厳しいが空は爽やかな冬晴れだった。少しばかり歩くのも悪くない。

見覚えのある四角い建物と、敷地内の児童公園が見えてきたとき、胸ポケットの携帯電話が鳴った。着信表示画面には「公衆電話」という文字が並んでいる。

それを見た瞬間に、閃いた。私は以前、こういうことをさんざん繰り返したのだ。だからゆっくり呼びかけた。「もしもし？」

応答はない。だが気配はあった。

「もしもし？　杉村ですが」

ガサガサと雑音がした。先方が受話器を動かしたのかもしれない。そして声が聞こえてきた。

「なんだ、生きてたのね」

原田いずみだった。

私は道を横切っているところだった。携帯電話を耳にあてたまま渡りきり、児童公園に入った。別段、鼓動が速くなることも、怒りで顔が熱くなることもなかった。むしろ、正直なところほっとした。

君も生きていたんだねと、そんな台詞が喉元まで出かかった。

このごろの編集部では、原田いずみの動静が話題になることはなくなっている。いずれは警察が捕まえてくれるだろう、もう思い出したくないという空気がある。とりわけ、彼女の過去を知ってしまった編集長と私のあいだでは、彼女は一種のタブーになってしまったようだ。

一方、我が家では、妻がときどき思い出したように彼女の名前を口にする。そして、

「やっぱり、あれは嘘だと思うわ」

そんなふうに言う。

「あれ」とはつまり、原田いずみが実兄の披露宴で「暴露」した事柄だ。胸の悪くなるような嫌な話だが、なにしろ私は妻への隠し事が下手だし、彼女は聞き上手ときているので、結局話してしまったのだ。

私が心配したほどには、妻はショックを受けなかったようだ。眉をひそめ、どこか痛いところがあるかのような顔つきで考え込み、

「本当にそういう事実があって、原田さんが情緒不安定になったんだという園田さんの説もわからないではないし、その方が理にかなう気もするけれど……」

「できすぎてるかな」

「というより、彼女が深い傷を受けた被害者なら、そんな形で暴露するなんて、とうていできないだろうと思うのよ。あまりにも攻撃的すぎるもの」

なるほどと、私は思った。原田いずみが兄から性的虐待を受けていることを知った第三者が、見るに見かねて怒りのあまり告発に及んだというならば話は別だが、本人がいきなり——というのは、確かに考えにくい。

とはいえ、我々はこうした不幸な事態の専門家ではない。素人考えは、ほどほどにしておいた方がいい。

ただ妻は、原田いずみがまた何かしでかしたり、仕掛けてくるのではないかということではなく、むしろ彼女自身がどうにかなってしまうのではないかと案じていたのだった。

「自分で自分を傷つけたり、自殺をはかったり……しないかしら。警察に追われる身になって、彼女はたぶん、とっても怯えているはずよ。追い詰められて、自棄になるかもしれない」

この電話の向こうの原田いずみは生きている。私の耳には、彼女の鼻息が聞こえた。

「ちゃんと生きていますよ」私は穏やかに言葉を返した。「我々が命びろいしたことは、あなたもニュースで知っているはずだ」

「あの程度の睡眠薬で死ぬわけないじゃない」

一時は私の耳に染み付いてしまった、あの笑いながら怒るような口調で、彼女は言った。

「我々を傷つけることが目的じゃなかったと」

フンと、彼女は鼻息で応じた。

「ちょっとビックリさせようと思っただけよ。あたしが今でもあなた方のそばにいるってこと、思い出させてあげようとしただけ」

「で、今はどこにいるんです？」

端的に訊いたのが効いたのか、彼女はちょっと黙った。それから短く問い返した。

「どこだと思う？」

「わかりません。私にわかるのは、原田さん、あなたが次に行くべき場所だ」

「警察でしょ？」

「違う。あなたのご両親のところです」

今度の沈黙は長い。ぷつりと切れたように、原田いずみは黙り込んだ。

「お父上にお会いしました。わざわざ編集部を訪ねてきてくださったんですよ。あなたがしでかしたことを詫びて、我々に頭を下げて、涙ぐんでおられました。見ているこちらの方が辛い光景でした」

　彼女はまだ何も言わない。息を詰めているのだろう。その顔色を、固く食いしばった口元を、私は想像した。

「ご両親の現在の居所を、あなたがまったく知らないのならば、私の方からご両親に連絡をとってもいい。会いなさい。会って、今度はあなたがご両親に謝るんです。そして一緒に――」

　警察へ出頭しろと言う前に、彼女の尖った声が私の耳朶(じだ)を打った。

「聞いたの？」

「え？」

「あたしの父親から、あたしがあいつらに何をしたのか聞いたんでしょ。言いなさいよ。あいつらが黙ってるわけないんだから。あいつ、しゃべったでしょ？　何から何まであんたたちに言いつけたんでしょ？　いずみは性悪娘で、私たちの人生はあの子に破壊されたんだって言ったんでしょ？」

　尻上がりに早口になる、あの上擦(うわず)ったような口調が戻ってきた。

　私は柔らかな声音を保った。難しいことではなかった。今では、私ははっきりと彼女を哀れんでいた。自分でそれを自覚した。

「私が聞いたのは、あなたがあなたのご家族に何をしたのかということです」

　裂けるように短く笑ったかと思うと、原田いずみは急に小声になり、呟いた。

「みんなそう。いつもそう。いつも、嘘つき呼ばわりされるのはあたしの方なのよね」

「それじゃ、あなたがお兄さんの結婚披露宴でぶちまけた話は、真実だというんですか」

「どうせ信じやしないくせに」

「真実だったんですか？」

三度の沈黙。しかし、震えるような呼気は聞こえてくる。

泣いているのだ。

「真実って何？」嗚咽が喉にからんだ声で、原田いずみは問いかけてきた。「本当のことって何なのよ。誰にとっての真実が、客観的な真実になるの。誰がそれを認めてくれるのよ」

誰がそんな権利を持ってるのよと、今や明らかに泣き出して、彼女は言い募った。

「嫌なこと、いっぱいされたわ。何もかも嫌なことばっかりだった。家でも学校でも、どこへ行ったって同じだった。それは真実じゃないっていうの？　あたしが受けた傷は偽物で、あたしがつけた傷だけが本物なの？　どうしてそうなるのよ」

私はゆっくりと移動して、児童公園のブランコに腰をおろした。あの日、美知香が座っていたあのブランコだ。

「その〝嫌なこと〟は、本当に、あなたが暴露したような事柄だったんですか」

声がまた、囁きのレベルにまで落ちた。

「兄さんなんか大嫌いだった」

「お父上は、あなたはお兄さんを慕っていたとおっしゃっていました。お兄さんもあなたを大事にしていた。優しい兄さんだった。子供のあなたが学校で辛い思いをしているとき、あなたを見捨てはしなかったと」

兄は彼女にとって、唯一の味方だったのではないか。しかし彼は成人し、自分の人生を歩み始め、血を分けた妹よりも大切な女性と巡り会って、彼女と共に生きようとした。原田いずみはそれを許すことができなかったのではないか。兄に捨てられるくらいなら、兄を壊してしまおうと思ったのではないか。

「嘘よ」

千切って投げるような言い方だった。

「みんな嘘」

「何が嘘なんです。どの〝みんな〟なんですか」

「あんなの嘘だったって言ってるの！」

私は携帯電話を耳から遠ざけた。今のは告白ではなく、白状でもなく、悲鳴だ。

「嘘よ。嘘っぱちよ。兄さんは何にもしてないわよ。だけどあたしは嫌だった。幸せそうな兄さんが嫌いだった。あたしだけ置き去りにして、どっかへ行っちゃうなんてひどいじゃない。そんなの不公平よ」

「だから嘘をついたんですか。嘘をついてお兄さんを傷つけ、お兄さんの妻となる人を死に追いやった。それであなたは満足でしたか？」

ひと呼吸、息を溜めるような空白をおいてから、原田いずみは笑い出した。

「満足なんかするわけないじゃない。もっともっと苦しめてやりたかった。全然足りなかったわよ。兄さんもあの女も、あたしの味わった苦しみの半分も知りやしなかったんだから」

ひび割れた泣き笑いの声に、私はしばらくのあいだ返事をしなかった。何気なく足を動かすと、ブランコの鎖が、きぃっと鳴った。

その音が私に、あの日ここに、一人で腰かけていた古屋美知香の姿を思い出させた。うなだれた彼女の横顔を思い出させた。彼女がやがて、風に煽られるようにしてブランコから転げ落ち、地面に倒れたときの様を思い出させた。

「――あなたが何に、どんなふうに苦しめられたのか、私は知らない」

脳裏に浮かぶ美知香の姿を、消し去るのではなく留めるために、私は目を閉じて言った。

「でも、傷ついたり苦しんだりしているのは、あなただけではない。世の中であなた一人だけが、格別に不公平に、不幸を背負わされているわけではない。誰でもみんな、何かしらの重荷を抱えているんです」

原田いずみは素早く切り返してきた。

「有難いお説教ね」

強靭（きょうじん）な獣が、攻撃を受けてむしろ生気を取り戻し、戦闘態勢に入るのにも似て、その声音にはもう涙の影はなかった。

「杉村さん、あなたがそういうきれい事を並べる人だってことぐらい、あたし、ちゃんと知ってる。お見通しなんだから。あたしの人を見る目を軽んじない方がいいわよ」

「私はどんな人間に見えますか」

「甘ちゃんよ。苦労も不幸も何ひとつ知らないくせに、高いところから他人を見下して、偉そうなことばっかり言いたがるんだわ」

ひどく悲しくて、私は反論しなかった。

「誰でもみんな、何かしらの重荷を抱えているですって？　フン、あんたなんかに何がわかるっていうのよ。自分は重荷を背負ってもいないくせに」

「それならあなたは、どんな人間ならば心を許せるというんです？　あなたが親しみを感じ、信頼を置き、尊敬の念を抱くのはどういう人物ですか」

意外な質問だったのだろう。これまで、こんな問いをぶつけられたことがなく、考えてみたこともないのだろう。原田いずみが息を呑んだようになるのが、私にはわかった。

「あなたを満足させることのできる人間は、どんな人間です？」

彼女が使っている公衆電話のそばには、道路があるようだ。車の通り過ぎる音がする。一方、この児童公園のなかは静かだった。

「そういう人をお探しなさい」

うるさい車の通行音にまぎれないように、私は少し声を強めた。

「あなたが本当に求めるなら、そういう人物が見つかるはずだ。それならあなたは、もう嘘をついて自分を守ったり、他人を傷つけたりしなくてよくなる。そう思いませんか」

彼女が何か呟いた。聞こえなかった。

「私の言いたいこと、あなたに言えることは尽きました。電話を切ります」

携帯電話を耳から離しかけたとき、原田いずみが叫んだ。「あんたなんか大嫌いよ！死んじまえ、ゲス野郎！　今に見てなさいよ、このままじゃおかないんだから——罵詈雑言の途中で、私は通話ボタンを切った。そのまま携帯電話をじっと手にしていたが、彼女がかけ直してくる様子はなかった。

ブランコから立ち上がり、北見氏の部屋を目指して三号棟の階段をのぼった。

二階まであがったとき、北見氏の二〇三号室のドアが開いて、女性が一人出てきた。それじゃまた伺いますねと明るく室内に声をかけ、重たいドアに手を添えて、静かに閉める。

彼女が階段の方に向き直ると、私と目が合った。私は会釈した。女性は微笑して、いかにも親切そうな、（何でしょうか？）という表情を浮かべた。

三十歳代半ばの、きれいな人だった。短くカットした髪。淡いピンク色のうわっぱりを着て、荷物でふくらんだ大きなショルダーバッグを提げ、コートを腕にかけている。足元は運動靴だ。うわっぱりを見て見当がついた。おそらく、この人は介護ヘルパーだ。

「北見一郎さんにお目にかかれるでしょうか。私は杉村と申します」

「お知り合いの方でいらっしゃいますか」

「はい、以前にもお訪ねしたことがあります」

一度だけまばたきをして、女性は私の目を見た。「お仕事のお話でしょうか」

「いえ、お見舞いに寄っただけです。北見さんのご容態はいかがでしょう」

彼女は閉めたドアの方に目をやった。「ずっと落ち着いた状態ですが、あまり長い面会や、込み入ったお話は無理かと思います。北見さんのご病気のことは、もちろんご存知なのですね」

死病であることを承知しているのかという、婉曲な問いだった。私ははいと応じた。

「わかりました。ちょっと訊いてみましょう」


それから五分ほど後には、私は北見氏のベッドの脇に座っていた。

最初にここを訪ねたとき、午後の陽があたっていた和室に電動式のベッドが据えられて、北見氏はそこに横たわっていた。あの日よりもさらにひとまわり痩せ、顔色は土気色に褪せて、頭髪が抜けている。

しかし、澄んだ目の色はそのままだった。私の訪問を喜んでくれた。

「そろそろあなたが来てくれるんじゃないかと思っていました」

かすれた声でそう言って、にっこりしたのだ。

室内は居心地よく整頓されており、幅をきかせている大きなベッドと、部屋の隅に片付けられている点滴の台などの器具、それと独特の薬の匂いを除けば、あの日と変わるところはない。うわっぱりの女性は、私が来たことで、もう少しここにいるつもりでいたようだった。それを北見氏が丁重に断った。佐藤さんが来るのを待ってる人がいるんだからと。

佐藤さんと呼ばれたうわっぱりの女性は、申し訳なさそうに気にしながら出て行った。無理をしちゃいけませんよと、北見氏に何度も言い聞かせていった。

「あの方は看護師さんですか、ヘルパーさんですか」

「両方、かな」北見氏は照れくさそうな顔をした。「我を張って入院しないもんだから、あちこちに余計な手間をかけさせてるわけです」

と言いつつ、病気の子供がワガママをきいてもらえて嬉しがっている――というような感じもする。

「区の職員じゃなくてね。ホスピスの人です」

「ああ」

「だから、カウンセラーでもあるのかな。そっちの専門家はまた別にいるんだけど、月に一度しか会わないから」

私は目を伏せた。北見氏の痩せ細った腕を見た。清潔なカバーのかかった毛布と布団はぺったりと平らで、その下に成人男性の身体が隠れているとは思えない。

「杉村さん」

上半身を四十五度に起こしたベッドの上で、北見氏が私に呼びかける。目を上げると、彼は楽しそうにくすくす笑っていた。私の顔をのぞきこむようにして言った。

「頼みますから、どういう顔をしたらいいかわからないという顔だけはせんでください」

「いや、はい」

「こうなっちゃ、仕方がありません。寿命です。それでも私は恵まれているんですよ。こうして静かに過ごせるんですから」

うなずいて、私も微笑もうと努力した。

「病院だのホスピスだの、こういう手配は、全部別れた女房がやってくれたんです」

「奥さんが」

「ええ。初めてあなたにお会いしたあと、救急車で運ばれましてね」

「美知香さんに聞きました」

「そうでしたか。あれで三度目の入院だったんですが、初めて女房が病院に来ましてね。私の病気のことを知ってるはずがないと思ってたんで、驚きました」

以来、何かと世話を焼いてくれているのだと言った。抑えようもなく嬉しげで、その目には感謝の光が宿っていた。

私は、何か温かいものに洗われるような気がして、肩から力が抜けていった。

「私はおそろしく勝手な亭主でしたが、女房は――私が言うのも何ですが気が優しい女でね。こんな私を見かねたんでしょう。最期まで付き合ってあげると言ってくれています」

よかったと、私は言った。ほかに言葉はない。

「しかし、身体のことを考えたら、本当は入院した方がお楽なんじゃないですか」

「そうなんですよ。ですから、年内には病院に戻ろうと思っています。その方が、女房も正月をゆっくり過ごせるし、私の気は済んだしね」

どういう意味かと問いかける前に、察しよく続けた。「こんな我儘を言って家にいるのは、私も一応、顧客というかお得意というか、まあ、私に信を置いてくれている依頼筋をいくつか抱えている身でしたからね。ある日突然いなくなって、ハガキ一枚送って、〝入院しました、廃業です〟というんじゃ申し訳ないと思ったからなんです。仕事が仕事でしたから」

気持ちはよくわかった。

「どんな格好であれ、お客さんたちにひと渡り会って説明ができるまでは、ここで頑張っていたかったんです」

それももう、終わりましたという。

「あなたで最後だ」

真っ直ぐに私を見る。

「会社の皆さんと一緒に、大変な災難に遭われましたね。ニュースで見ていました」

「ご心配をかけてしまいました」

「原田いずみさんについては、私も少し見込み違いをしていたようです」

北見氏はベッドの足元の方に視線を下げ、申し訳なかったと呟いた。

「ああいう危険なことまでやらかすような女性ではないと思っていたんですが」

長い話だが、私はかいつまんで経緯を話した。原田いずみの父親に会ったことも話した。

枕に頭を落とし、天井を仰いで北見氏は言った。「辛い話です」

「まったく」

「真実、そういうことがあったとしても辛いし、なかったとしても辛い。どっちに転んでも良い目は出ないサイコロだ」

「それで——つい先ほどなんですが、ここへ来る途中で」

携帯電話の件を打ち明けると、それまでは沈痛な面持ちながら落ち着いていた北見氏が、急に起き上がった。私はあわてて支えた。

「だ、大丈夫ですか」

「杉村さん、なんでそんな大事なことを先に言わないんです」

「大事なことですか。やっぱり、すぐ警察に報せた方がいいでしょうか」

電話が切れてしまった以上、逆探知はできないだろうし、そもそも向こうは公衆電話なのだから、急ぐことはないと思っていた。

「そういう意味じゃありません」

北見氏は、私の腕にすがってベッドの上で座り直した。

「どうやら原田さんは、あなたには特にこだわっているようだ。そうでなければ、携帯電話なんかに連絡してこないでしょう。編集部の皆さんを怯えさせたいのなら、そちらに電話するのがいちばん効果的だ」

「それはそうですが、私は彼女とのトラブルの交渉窓口でしたからね。その分、他の部員たちより憎まれても仕方ないかもしれません」

「どうもそれだけじゃないような気がするな」

痩せこけて、ほとんど骨と皮のような北見氏なのに、顔をしかめると眉間に深い皺が寄った。

「杉村さん、何か隠していませんか」

唐突な問いに、私は目を丸くした。

「何かって、何です?」

「あなた自身のことで」

鋭い眼差しで見つめられて、私はあわてた。

「それはあの、まさか私が原田さんに何かけしからんことをしたとかいう意味で」

険しい表情のまま、北見氏は吹き出した。

「したんですか？」

「まさか！　とんでもない」

「だったら落ち着いて考えられるでしょう。そもそもあなたは何者です？　今多コンツェルンの社内報を作っているとおっしゃっていましたが、入社以来それだけをやってきたわけじゃないでしょう？」

人生のなかで、おまえは何者だと問われる局面が来るとは思わなかった。言われてみたら、私は何者なんだろう。

「私は――途中入社なんですよ。家内との関係で、今多コンツェルンに入ったんです」

菜穂子のことを話すと、北見氏は右手で自分の額を押さえ、大きなため息をついた。

「ああ、それですね」

「それって」

「だから、あなたが今多コンツェルン会長の娘婿で、あなたの奥さんが大金持ちだということですよ。原田さんはそれを知ってるんでしょう」

「知るはずありません。うちの編集部じゃ、誰も彼女と親しくなれませんでしたから、私がしゃべらない限り、知る機会なんかなかった」

「他の部署の人に聞いたのかもしれません。噂話（うわさばなし）を聞きかじることだってある。原田さんは目ざといし耳ざとい。杉村さん、今まで何度もびっくりさせられてきたのに、まだ彼女を見くびっているようだ」

私は先ほどの彼女の言葉を思い出した。あたしの人を見る目を軽んじない方がいいわよ。この場合の「人を見る目」というのは間違った表現だと思うが、しかし——

「だったら彼女は、なんでそのことを言わないんでしょうね。会長の腰ぎんちゃくとか、金持ちの女房のヒモだとか、皮肉たっぷりに罵ってよさそうなものだ」

北見氏は疲れたのか、ベッドに横になった。私は手を貸した。

「あなたやあなたの奥さんのような人に、憧れているからですよ。一方で、ひどく憎んでもいるからです」

「裕福——ということですか」

「それも大事な要素ですが、それだけでもないな。まあ、満たされていて幸福だということですよ。しかも、傍から見ても間違いなくそう見えるということ。そして、失礼を承知で言うならば、あなた方は何の苦労もなくその幸せに恵まれたということだ」

もちろん、あなたにはあなたの、奥さんには奥さんの気苦労があることは承知で申し上げるんですよと、北見氏は断りを入れた。

「ただ、原田さんにはそこまでわかりません。わかるくらいなら、あんなふうにはならない」

私は、ずっと胸に引っかかっていた疑問を取り出した。

「ここで初めてお会いしたとき、あなたは、原田いずみは正直すぎるくらい正直な普通の女性だとおっしゃいましたね」

「ええ、言いました」

「私には、その意味がわからない。彼女は嘘つきだし、どこからどう見ても普通の人間じゃないでしょう」

　北見氏は物憂げな口調で問い返してきた。

「じゃ、普通の人間とはどういう人間です？」

「私やあなたが、普通の人間じゃないですか」

「違います」

「じゃ、優秀な人間だとでも？」

「立派な人間と言いましょうよ」北見氏は疲れた顔で微笑んだ。「こんなにも複雑で面倒な世の中を、他人様に迷惑をかけることもなく、時には人に親切にしたり、一緒に暮らしている人を喜ばせたり、小さくても世の中の役に立つことをしたりして、まっとうに生き抜いているんですからね。立派ですよ。そう思いませんか」

「私に言わせれば、それこそが〝普通〟です」

「今は違うんです。それだけのことができるなら、立派なんですよ。〝普通〟というのは、今のこの世の中では〝生きにくく、他を生かしにくい〟と同義語なんです。〝何もない〟という意味でもある。つまらなくて退屈で、空虚だということです」

　だから怒るんですよと、呟いた。

「どこかの誰かさんが〝自己実現〟なんて厄介な言葉を考え出したばっかりにね」

　煙に巻かれているような気がするのに、その一方で、私はひどくたじろいでいた。

「つまり、私と北見さんでは〝普通〟の定義が違うってことですよ」

「しかしあなたは、私とあなたのどちらの定義でも、〝普通〟の範疇からはみ出している」

「私はあの、そうなるために、つまり妻が金持ちだから結婚したわけではないです」

北見氏は低く滑らかな声をたてて笑った。

「もちろんそうでしょう。あなたみたいな人の好い人間が、財産目当ての結婚なんかできるわけがない」

褒められたのか貶(けな)されたのか。何とも応じようがなくて、私は頭をかいた。

「そう、原田さんは怒ってるんです」と、北見氏は言った。断定ではなく、まして断罪でもなく、お天気の話をするような口調だった。

「彼女のお父上もそう言っていました。子供のころからいつも何かに怒っていたと」

「そこから成長できなかったんでしょう」

「なぜそんなことが起きるんです？　私にはわからない」

「私にだってわかりませんよ。誰にもわからない。ただ、そういうケースがあると認めるだけだ。それしかできません」

北見氏が半身を起こし、枕元の小テーブルに載っている水差しに手を伸ばす。私はベッドの足元を回って、コップに水を注いで差し出した。

「ありがとう」

少しずつ嚙(か)むように水を飲み下すと、北見氏は私を見た。

「私は昔、警察にいました」

私はうなずいて応じた。

「二十五年間、犯罪捜査に携わっていたんです」

この人はいわゆる「刑事」のイメージと違う。同じ警察官でも、交通課で安全指導をしていたとか、事務畑にいたんじゃないかという私の読みは完璧に外れていたわけだ。

「犯罪を起こすのは、たいていの場合、怒っている人間です。その怒りには正当な理由がある場合もあれば、ない場合もある。いや、〝ない〟というのも、あくまで客観的にはないように見えるというだけで、本人にとってはちゃんとあるんですがね」

警察がやれることは、犯罪の後始末だけなんですと言った。

「あるとき、私は急に疲れてしまいましてね。そういう〝怒り〟に付き合うのがしんどくなってしまった。ましてや、後片付けばかりやることが空しくなってしまった。同じ苦労をするのなら、もう少し——早い段階で、後始末の一歩か二歩手前で何とかすることはできないのかと考え始めてしまいました」

だがそれは、警察組織のなかにいては不可能だ。だから辞めましたと、静かに言った。

「こんなふうに説明すると理路整然としているようですが、なぁに、これは後説でね。当時はただただ逃げたかった。もうたくさんだ、うんざりだという気持ちだけだった」

「でも結局、あなたは探偵になった」

北見氏の笑顔が広がる。

「ええ、なりました。それで果たして、一歩か二歩手前で何とかする役に立てたかどうかは怪しいものですが、まあ、私の気持ちは収まった。引き換えに、女房子供を失いましたが」

私は空になったコップを北見氏の手から受け取り、小テーブルに戻した。

「当時、女房は私をいくじなしだと叱りました。彼女と子供のことをまったく考えてない、自分勝手だと怒りもしました。当然ですよ。女房も仕事を持っていましたから、こんな役立たずのだらしない亭主におんぶしていなくてよかった。さっさと子供を連れて出て行きました」

「でも、今はあなたのそばに戻ってきておられる」と、私は言った。

北見氏はゆっくりとうなずいた。「有難いと思っています」

「子供さんは――」

「とっくに成人してますからね。もう自分の考えを持っている。母親の苦労を見ていますから、そう簡単に親父(おやじ)を勘弁する気になれないんでしょう。まだ会いに来てくれません。いや、なんでこんな昔話をしたかと言いますとね」

照れたように片手で顔を拭った。

「まあ、私は私なりに考えて選んだ道だから、これでよかったと思っていると言いたかったんです。だからこそ、ここで自分が引き受けた件はきちんとファイルを閉じて、引き継ぐものは引き継いで、死んでいきたい。ちょっとそこの、キャビネットを開けてみてくれますか」

部屋の隅にある、和室には不似合いな事務用キャビネットを指した。「死んでいきたい」という真っ直ぐな言葉に動揺していた私は、ぎくしゃくと立ち上がった。

B4サイズのファイルが入る大きさの四角い引き出しが二段重ねになったキャビネットだ。開けると、とても手応えが軽かった。それもそのはず、上段はすべて空っぽ。下段も、青い表紙のファイルが一冊入っているだけだった。

「そのファイルは、古屋美知香さんのものです。持ってきてくれませんか」

私はファイルを取り出し、北見氏に渡した。

「ホームページの件を相談されたとき、今度は正式に契約書を書いて引き受けたんです」

言ってから、弁解するような目になった。

「無料で引き受けたんですよ。ときどきここへ来て、元気な顔を見せてくれればいい。報酬はそれでいいからと」

北見氏は、ずっと美知香を案じていたのだ。公園で倒れた彼女を見守っていたときの彼の顔が、私の脳裏をよぎって消えた。

「閉店前の大サービスだと言ったら、泣かれてしまいました」

罪な台詞を言ったものである。

「さっき、〝あなたが最後だ〟と言ったのは、どうやら私にはこのファイルを閉じることはできそうにないから、あなたに引き継いでもらいたいという意味だったんです」

差し出されたファイルをとっさに受け取ったものの、私は当惑した。

「事件は解決したじゃないですか」

なぜかしら、北見氏はちょっと口を閉じ、間を置いた。それから「そうですね」と言った。気になる間だった。

「しかし、美知香さんにとってはまだ終わったわけではない。現にホームページは更新を続けているし、メールもまだ来ています。彼女のなかでひとつのきりがついて、もう更新しなくてもいいという気持ちになるまで、私に代わって見守ってやっていただけませんか。美知香さんにはもう、その旨を話してあります」

「私でいいんですか」

「そもそもはあなたが彼女と始めたことですよ」

と言われると、逃げようがない。

「そう長くはかからないでしょう。ただ、それでも私の体力は保ちそうにない。正直なところ、もう細かい文章を集中して読むことはできないんです」

この様子では当然だ。何とか年を越すことはできても、来春の桜を見ることはかなわないだろう。寒梅さえも無理かもしれない。

北見氏は死んでしまうのだ。

「お願いできますか」

「わかりました。確かにお引き受けします」

ファイルを両手に、私は頭を下げた。

「よかった。いいタイミングで来てくださいましたよ。美知香さんから聞いたのでしょう？　北見が会いたがっていると」

「いえ、たまたま近くにいたので、お見舞いをと思い立っただけでした。美知香さんからは、話を聞いていません」

北見氏は楽しそうに笑った。「やっぱりあなたは人が好い」

今度は褒められたんだろうか。

「ファイルを読んでもらえばわかりますが、ぶっそうなメールがあるんですよ」

奈良和子逮捕の報を受けて美知香が文章をアップした後で来たメールで、

——事件は終わったわけじゃないぞ。

——オレが真犯人だ。

——今度はおまえを殺してやるからな。

美知香を脅しつけるような内容だという。

「これについては、美知香さんに警察へ届けるように言いました。人騒がせなイタズラだと思いますが、万にひとつ、彼女とお母さんの身辺におかしなことが起きるようなら、すぐ警察に動いてもらえるようにしておいた方がいい」

「同感です」

ちょっと首筋が寒くなった。

「そんな顔をしないでくださいよ」北見氏が冷やかすような口調になった。「大きく報道される事件が起きると、こういう連中が出てくるもんなんです。口で言うだけの、無害な連中ですから」

「まったく無害とは思えませんがね。美知香さんは怖がってませんか」

「あなたよりは気丈です」

からかわれてしまった。

「それともうひとつ、やはりメールで連絡してきた人物がいましてね」

事件のあったコンビニ「ララ・パセリ」の元従業員だという青年が、古屋暁子と美知香に会って謝罪したいと申し出てきたのだという。

元従業員？　私は、店の前を掃除していた元気のない若者を思い出した。

「近所のことだし、彼は今でもときどき美知香さんたちを見かけるそうでね。ただ、その場では声をかける勇気が出せないから、メールですみませんと言って寄越したんです」

それなら、ますます彼に間違いない。

「偶然ですが、私はその青年を知っていると思いますよ」

彼と会ったときのことを話すと、北見氏の目がすうっと細くなった。

「掃除を、ね」

「あの店の持ち主である、店長の父親に頼まれたと言ってました。で、彼は美知香さんたちに会ったんですか」

何を考え込んでいるのか、北見氏はまだ目を細めたままだ。北見さんと呼びかけると、ふっと目を見開いた。

「え？　ああ、まだなんです。美知香さんとしては、コンビニの店員さんに責任はないんだから、謝ってもらうのも気の毒だしと」

「向こうは責任を感じていたようですよ。商品管理が甘かったんだって」

「まあ、そういう考え方もあるでしょう。彼はだいぶ思いつめているようだ」

思い出すだに、そんな感じだった。自転車を押して帰ってゆく、あの淋しい背中。

「あなたが顔見知りなら、なおのこと都合がいい。いっぺん彼に会って、一緒に古屋家を訪ねて、仏壇に線香をあげようと誘ってみてやってくれませんか」

「お安い御用ですが、謝罪したいというのなら、とっくにその程度のことを思いつきそうなものですけどね」

北見氏はまた半目になった。「そう思いますが……気詰まりなのかな。美知香さんには、ここで会ってみたらどうかと提案して、彼にもそう持ちかけてみたんですがね。いざそうなると、尻込みするようです」

あの青年、人付き合いが上手い方ではなさそうだった。

「よろしくお願いします。ハシタテ君という青年ですよ。ちゃんと名乗ってきたんです」

外立と書くそうだ。珍しい姓である。

「と、これが私の引き継ぎだったんですが」

北見氏ははあっと息を吐き出し、薄い掌で、さらに薄い胸のあたりをゆっくりと撫でた。

「原田さんのことも積み残しになってしまった」

「そっちは警察に任せますよ。心配しないでください」

「いや、心配です」

声音が硬くなった。

「杉村さん、よくよく気をつけてください。彼女を甘く見てはいけない」

あまりにも真っ直ぐな視線、真剣な口ぶりだったので、大丈夫ですよと笑おうとしていた私は失敗した。

「そんなに厳しい状況でしょうか」

「そう思えます」

「私はそこまで彼女を怒らせたと」

北見氏は答えなかった。

妙な間合いに、電話が鳴った。子機が枕元（まくらもと）に置いてある。北見氏が出た。

「あ？　ああ、起きているよ」

話し始めてすぐ、奥さんからだとわかった。通話はすぐに終わった。どうやら、これから来るらしい。私はファイルを手に、あえてすれ違いで退散することにした。どんな理由で誰がいても、ここでは邪魔者だと思ったから。

20

十二月二十三日の祝日、桃子の通う幼稚園で、父母も参加してのクリスマス会があった。

私は妻と連れ立って出かけた。ミッション系のこの幼稚園では、毎年この会で、子供たちがキリスト生誕にまつわる簡単な音楽劇を演じる。桃子は「東方の三博士」の一人に扮し、マントの裾を引きずって登場した。

「あれ、わたしが縫ったんだけど、ちょっと丈が長すぎたわね」と、妻は心配顔だ。

どうしてどうして、私はよくできた劇を楽しんだ。桃子はちゃんと台詞を覚えていたし、歌声もきれいだった。

会の後、園の近くで遅めの昼食をとった。桃子は「ホントはマリアさまをやりたかったんだよ」とムクれていたが、録画した舞台の様子を見せてやると、まんざらではなさそうで機嫌を直してくれた。厩の馬という役柄だってあるのだから、東方の三博士、いいではないか。

二人を家に帰し、私は萩原運送へ向かった。北見氏と約束したものの、目先の仕事に追われて時間がとれず、今日になってしまったのだ。祝日だが、運送業者のことだから、営業している可能性はある。

先に、「ララ・パセリ」の店舗の方をのぞいてみた。閉じたシャッターの前に枯れ落ち葉が溜まっていた。今日はまだ、あの外立君という青年は掃除に来ていないようだ。

張り紙を見ながら、萩原運送に電話をかけた。有難いことに、すぐ応対があった。やはり営業している。会社の場所を尋ねると、

「すみません、年内はもう、引越しの予約はいっぱいなんですが」

「いえ、引越しではないんです。外立さんにお会いしたいのですが」

「ハシタテ?」

電話の相手は女性で、事務員だろう。可愛らしいハイトーンの声がさらに跳ね上がる。

「そういう名前の社員はおりませんけど……」

「社長さんが経営しておられた『ララ・パセリ』の従業員で、今も店舗の清掃をしに来ている若い人がおられますよね？」

ああ、あの、と、納得の声が聞こえてきた。

「あの人なら——ちょ、ちょっと待ってくださいね」

社長、社長と呼んでいる。応じる声がするが、何を言っているのかまではわからない。

「それじゃ、どうぞいらしてください」

萩原運送は、道順を聞くまでもないほど近くにあった。トラックが三、四台は楽に入りそうな広い駐車場と、それに隣接するプレハブの事務所。雨避け（あまよ）の庇（ひさし）の上に掲げられた「萩原運送株式会社」の横看板は、昔の時代劇映画のタイトルのように骨太な筆致で書かれている。

事業所の入口で、先ほどお電話した者ですと切り出すと、すぐ萩原社長が出てきた。テレビ画面では首から下しか映っていなかったが、この迫力あるおっさんを見間違いはしない。

「あんたどこのテレビ局？　それとも週刊誌かい？　まだケンジに何か用があるんかね」

つっけんどんというか、砂袋で殴るような質（ただ）し様だった。

「ケンジというのは、外立君のことですか」

バカ息子の店長のことかと、一瞬思った。

「そうだよ。まだ何かしゃべらせたいのかね。ああいう世間知らずの子供を、いいように使わないでやってくださいよ。あんたら、大人なんだからさ」

私は諄々（じゅんじゅん）と説明した。外立君が古屋美知香のホームページにメールをくれたこと。自分はそのホームページの管理を手伝っている者で、外立君には以前一度会ったことがあると。

「はあ。ケンジがそんなことを言うてますか」

急に言葉が柔らかくなり、社長は私に手近の折りたたみ椅子を勧めてくれた。自分が先に腰をおろす。椅子がぎしりと鳴った。

「あれも困ったもんでね。ノイローゼになってんじゃないかと思いますよ」

「古屋さんのことで、だいぶ責任を感じているようですね」

女性事務員がお茶を運んできてくれた。他の社員たちは仕事で出払っているのだろう。事務所のなかに、ほかには誰もいない。

萩原社長は体格がよかった。白いシャツの上に分厚いカーディガン。だぶだぶのズボン。白髪頭は散髪したばかりのようにきちんと整えてある。首には、きっとお守りを提げているに違いない。成田山のお守りだ。

「気にすんなって、私らも何度も言い聞かせたんだけどね。あの子の責任じゃないんだ。うちのバカ息子が悪いんだから。それより何より、まず犯人が悪い。あの女でしょう、ホラ自殺しちまった、古屋さんの愛人とかいう」

ここを訪ねる前、脅迫メールと外立君のことを話すために、美知香に連絡した。そのとき彼女は、警察の捜査はまだ続いていると言っていた。

「奈良さんがどうやってお祖父ちゃんに毒を飲ませたのかわからないから、犯人と決め付けるのはどうかって、捜査本部のなかでも意見が分かれてるんですって。だから、人数は減っちゃったけど、まだ本部は解散してないんです」

脅迫メールについても、至急発信元を調べると言っていたそうである。ただしこれらの動きは、もう新聞でもテレビでも報道されていないから、社長が何も知らなくても無理はない。

「保険金狙いなんて、たいしたタマだよ。今日日、中年女は怖いね。何やらかすかわかったもんじゃないよ」

ずずと茶をすすり、萩原社長は言った。

「外立君は、長いこと息子さんの下で働いていたんですか」

「いやぁ、せいぜい三月ぐらいでしょう。倅が雇ったんだけどね」

この近所の子ですよという。

「だもんで、私はあの家の婆さんを知っててね。本当ならこっちで使ってやりたかったんだけど、あの子は身体が弱くて力仕事が駄目なんだ。運転もできんし。だから倅ンとこで働いててよかったと思っとったのに、あんた、あの事件が起こったら、倅の奴、従業員の面倒も見ンと、スタコラ逃げ出しやがって」

だるまの湯飲みをわしづかみにして怒る。

「私も初対面のとき、外立君はあんまり元気そうじゃないなと思ったんですが、やはりどこか悪いんですか」

「喘息」と言って、社長は茶を飲み干し湯飲みをぽんと置いた。「ひどいんですよ。しょっちゅうぜいぜいゆっとってね。子供のころからだったなぁ。だから小児喘息で、大人になったら治るかと思ったのに」

「彼は今、いくつですか」

「二十二か三か、そこらじゃないかな。ひょろひょろに痩せてるんで、まだ高校生ぐらいに見えるでしょう」

萩原社長はちらりと肩越しに女性事務員を気にした。彼女は机につき、伝票を整理している。

「うちの社員たちは、特に女の子らがね、あの子を気味悪がってしょうがないんですわ。顔つきが暗いでしょう」

「ええ、まあ」

「私も、もうちっと胸張って明るい顔しろ、そうでないと見つかる仕事も見つからんぞって言ってるんだけどね。だけどあの子も可哀想な子でさ。親の縁に薄くてね」

「ララ・パセリ」の閉店店舗の掃除も、社長が外立君になにがしかの給料を払ってやるためにこしらえた仕事のようだ。

「彼は一人暮らしですか」

「さっき言った婆さんと二人で住んどるの。あの子から見たら、父方の祖母ちゃんになるのかな。もう八十で、寝たきりの婆さんですよ」

「ご両親は――」

「逃げたんだわ」と、またすっぱり即答だ。「もう十年ばかり前になるかなぁ。ケンジはまだ小学生だったと思うけど」

外立君の家は、彼の祖父つまり彼が今一緒に住んでいるお祖母さんの夫の代には、小さな印刷工場を経営していたのだそうだ。今の家の一階部分が工場兼作業所だった。

「爺さんはちゃんとした人だったよ。うちがお客さんに配るカレンダーも、あのころは外立印刷で作ってもらってたんだ。ただあの人は無類の酒好きでね。それで寿命を縮めちまった」

工場は、一人息子である外立君の父親が継いだ。

「爺さんに鍛えられた職人肌の印刷工でさ、腕は悪くなかったんだ。でも、なんちゅうかねぇ……」

萩原社長は天井を仰いで嘆息した。

「営業ができなんだの。口下手(くちべた)で人付き合いがからっきし駄目で、だからお得意さんに愛想のひとつも言えんし――」

職人気質は、経営者としての才覚とは矛盾するものだということなのだろう。私がそう言ってみると、萩原社長は渋面のまま何度もうなずいた。

「人に使われてる身ならそれでも何とかなるんだろうけども、小さいとはいえ手前(てめえ)が経営者じゃ、それは通らんよな」

工場はみるみる経営が傾いた。それはもう、日々傾く音が聞こえてきそうなほどだったそうだ。

「普通はね、そういうパターンになると、行き着くところは見えてますわ。倒産して、工場も家も土地も銀行に持ってかれて、すっからかんだよ。けども、今みたいになっちまう前は、あの婆さんがしっかりしとってね」

今よりも若く元気だったころは、それはそれはきつい人だったそうだ。

「カトンボみたいな体格だけどさ、近所じゅうに響きわたるような声で、よく倅をどやしつけてたもんだ。しっかりしろってな。嫁さんとも喧嘩ばっかりしとったな」

倅夫婦との軋轢(あつれき)の原因は、彼女が外立家を仕切っていたことにもあった。

「婆さんが、がっちり財布を握っとった。だけど結局はそれが幸いしたんだよ。工場が駄目になったとき、婆さんが爺さんの残した保険金をしっかりとっておいたから、それで借金もチャラにできてさ。土地も家も婆さんの名義になってたし。あれが倅のもんになってたら、金貸しを喜ばせるだけだったよね」

夫が死んだとき、息子には何も相続させず、すべて自分のものにしていたわけか。実に握力の強い女性だが、それ以上に気になる言葉があったので、私は割り込んで問い返した。

「借り入れ金があったんですか？」

「うん」と応じて私の顔を見て、萩原社長は笑った。

「そんな深刻なもんじゃないよ。私らみたいな零細企業じゃ、ちょっとした設備投資だの、つなぎのために借り入れをするのは当たり前だから」

「でも現金を持ってたのに――」

社長はさらに大笑いし、サラリーマンにゃわからねぇかと言った。

「それはそれだよ。そういうのを使ってやりくりしちゃっちゃ、いざというとき困るじゃないの。それに、ケンジの親父さんの借金はたいした額じゃなかったからね。人を大勢使ってたわけじゃねぇから。いちばんかかるのは人件費だからね」

こうして、外立君の父親は都内の印刷会社のサラリーマンになった。要らなくなった機械と機材を売却し、一階部分を住まいに改装して、

「これでようよう落ち着いたかなぁと思った矢先ですよ、あんた、杉村さん」

ひと呼吸入れた萩原社長は、やおら目を剥いて私に呼びかけ、手でぶつ仕草をした。

「ケンジのおふくろさんが家出しちまったの。駆け落ちだよ」

男がいたのだそうだ。

「今でも信じられんのだけどね。そんなふうには見えなかったからさぁ。いつの間にかなぁ、しれっとして男をつくってた。女ってのはわからんよ、ホントわからん」

感慨にふける社長のそばで、私は、ある日突然母親に置いてきぼりをくらった外立少年のことを考えていた。

「夫婦仲は――？」

「よかったんだか悪かったんだか」

言い捨てて、社長は照れ隠しのように強く咳払いをした。

「たいがいはそうじゃねぇのかね。当たり前にちまちま暮らしてりゃ、夫婦仲はいいですか悪いですかなんてこと、自分とこのことだって、いちいち考えやしないよ。ましてや他所様じゃさ」

ま、姑との問題があったかなと、小さく言い添える。喧嘩ばかりしていたと、さっき聞いたばかりだ。

「それでも、子供を連れていこうとは思わなかったんでしょうか」

「だからさ」社長は目を細め、私を慰めようとするように身を乗り出した。「女はわかんねぇっていうんだよ」

妻の思いがけない裏切りに、傷心し気落ちしたのだろう。外立君の父親は、まもなく勤めをやめてしまった。しばらくは家で鬱々と（母親に怒鳴られながら）過ごしていたが、やがて彼もふっと家を出てしまい、以来、消息は知れない。

「世を儚んだというか、何というか。あれはあれで女房に惚れてたのかなぁ」

萩原社長のどんぐり眼に、憂愁と表現するべき色が宿った。

「もう生きてねぇだろうな……」

いずれにしろ、父親が何に絶望し、何と縁を切りたくなったのかわからないまま、外立君は再び捨てられたのだ。

「当時、外立君はいくつでした？」

「小学校の五年か、六年だったかな。声変わりもしないうちだよなぁ」

あらためて彼の不幸を嚙みしめるように口をもぐもぐさせて、何か言う代わりに、鼻から太い息を吐き出した。

「それでもさ、あの祖母ちゃんがいて、がっちり家に根をおろしててくれたから、あの子だって何とかあそこまで育ったんだよ。いよいよ老衰がきちゃって動けなくなるまでは、婆さんパートや内職でせっせと働いてたからね。そうでなかったらとっくにホームレスだ、ホームレス」

同情しているのだろうが、口ぶりはがさつである。事情をよく知る近所の人間の遠慮のなさが、これまでの語りの端々から飛び出している。

「それじゃ今は、外立君が一人でお祖母さんの面倒をみているんですか」

「そうだね。生活費は祖母ちゃんの年金に頼ってると思うよ。あの子は定職についたことがないからさ」

二人でつましく、家賃がかからないから何とかやっているのだろう。

「古いご近所のよしみがあるからね、私も面倒みてやりたいのは山々なんだけど」

萩原社長は口元を器用に捻じ曲げた。

「けどねえ、いくら気の毒に思ったって、あんたわかるでしょう、丸抱えで養ってやるわけにはいかんのよ。お他人様だからさ、ねえ？」

「ええ、そうでしょうね」

「今度の事件のことでさ、ケンジの奴、けっこう重宝に使われてね。レポーターとか記者の連中、さんざんあいつにしゃべらせたの。私はこんな口の利きようだし、下手なこと書かれたら黙っとらんけど、ケンジはおとなしいからさ。だけど私も止めなかったんだよ。取材に応えれば、いくらかでも金、もらえるだろうと思ったんだ、あの子が。小遣い程度でもさ」

「私も、外立君がレポーターに取材されている様子をテレビで見ました」

あ、そうと、社長はフンフンうなずいた。

「でもあんまし、金にはならなかったようだね。新聞社とかは、払わないんだね。そういうもんなんだかね？」

「ケースバイケースでしょうが」

外立君がもっと事件の中心にいる重要人物であるならば、取材合戦が白熱し、お礼をはずむとかいう話にもなったのだろうが、いかんせん彼は脇役だった。

「うちの倅はろくでなしだからよ」

またぞろ社長は怒る。とにかく倅のことを口にするとカッとなるようだ。

「店を閉めたのはしょうがないけど、ケンジの面倒だけはちゃんとみてやれよってあれほど言ったのに、放ったらかしだ。また芝居なんかやりくさって」

「息子さんは、じゃあまた演劇の方に」

「やっとりますよ。新宿だか渋谷だか、何か穴倉みたいな場所借りて、ブレ、ブレ、ブレシトとか何とか」

「ブレヒトですか」

「そんなような前衛劇だとか何とか。何とかを待ってる何とかとかいう芝居だとさ。うわ言みたいなことばっかり抜かしやがって」

怒る割には息子と話しているようだ。

「あんた、杉村さん」

社長は私の渡した名刺で名字を確認し、もう一度女子事務員を気にして、声を落とした。

「亡くなった古屋さんの知り合いなら、あんた、わからんかな。倅の奴、まだ古屋暁子さんと会ってるんだろうかね？」

私は思わず苦笑した。「さあ、それはどうでしょう。私にはわかりません」

社長は分厚い肩を揺さぶってため息を吐いた。「いっとき、あの人といい仲になったばっかりに警察のお世話になる羽目になってさ。私だって取引先の銀行に合わせる顔がなくて、冷汗かきましたよ。だけど倅は懲りない奴だから」

「あくまで私の知る限りですが、お二人が今も親しいということはなさそうですよ。お付き合いをしていたときだって、単なる友人関係だったんじゃありませんか」

そうかねぇ、そうかなぁと、社長は呟く。

頃合いだ。私は腰を上げた。

「お邪魔しました。外立君の家を訪ねてみます。場所を教えていただけないでしょうか」

本当にご近所だった。私が事務所を出ようとすると、社長があわてて呼び止める。

「あんた、杉村さん。古屋さんの知り合いだっていうし、今多コンツェルンなんてでっかい会社の人だから、私もあんた信用してしゃべったんだから、ケンジには、私があれこれしゃべったって言わないでやってくれよね」

もちろんですと、私は答えた。親切でよくしゃべるこの社長さんは、しかしそれでも自分のおしゃべりのせいで失敗することはないのだろう。人を見て、あしらう術を心得ている。私がこういう——北見氏にも笑われるほど丸出しの「お人好し」の顔をしていなかったなら、違う名刺を出していたなら、萩原社長の態度はまったく違っていたはずだ。

取材に来たテレビ局のクルーも、バカ息子ドラ息子と連呼して言いたいことを言うこの人には手こずったのではないか。それを思うと、少しばかり愉快な気がした。

「これ、持ってってやってくれませんか」

社長はあわてたように懐から財布を出すと、女子事務員に「封筒、封筒」とせっついた。渡された茶封筒に、一万円札を突っ込む。

「私から見舞いだって。ケンジの奴、具合悪くして寝てるはずだから」

三日前からのことだという。だから「ララ・パセリ」の掃除もされていないのだ。

「また発作が出て寝込んじゃったらしいんだ。でもいや、見舞いはまずいかな。それだと遠慮するだろうから、給料だって言ってやってください。掃除代だって」

「わかりました。確かにお預かりします」

封筒を受け取って、私は外に出た。駐車場から反対の方向へ行こうとして初めて、プレハブの事務所のそちら側の植え込みに、クリスマス・ツリーが立ててあることに気づいた。

私と一緒に外に出てきた萩原社長は、冷たい北風に顔をくしゃくしゃにしている。

「従業員がね、こういうものは気分だからって、毎年飾ってるんだよ」

小ぶりだが、生の樅(もみ)の木だ。小さなランプがたくさんくっついたコードがぐるぐる巻きにされている。夜になればきれいな色でまたたくのだろう。

「明日はクリスマス・イブですからね」

「私らの景気には関係ないんだけどさ」

大きなくしゃみをひとつして、カーディガンの前をかき合わせ、社長は事務所に引っ込んだ。

ケンジは「研治」と書くのだった。プラスチックのプレートにマジックで書かれた、風雨に薄れかけた表札を見てわかった。

どこからかかすかに「ジングル・ベル」が聞こえてくる。途中で通り過ぎた小さな商店街のスピーカーから流れてくるのだろう。

私が今見上げている古い木造家屋には、クリスマスらしい装飾品はひとつもなかった。「ジングル・ベル」の響きも不似合いだった。

道の両側に小奇麗な住宅が立ち並び、自転車が行き交う。もしもこの二階家が、こんな町中ではなく、山道の途中や田畑のなかにぽつりと存在していたならば、誰もこれを住居とは思うまい。廃屋と決めつけるだろう。

あまりに傷んでいるので、築年数の見当がつかない。ただ、この家が私より年長であることには間違いがないだろう。土台から傾ぎ、壁の羽目板はあちこちで剝げ落ち、反り返って縁が白くなっている。トタン葺きの屋根の溝には泥が溜まり、暗緑色の雨樋が二ヵ所で折れて垂れている。その先端が地面に触れているので、パッと見たときには、地面から何かおかしな細長いものが生え出て、奇怪な新種の蔦のように屋根までからみついていると錯覚しそうだ。

右隣は今風の三階建て住宅で、左隣はざっと十台ほどの車が入りそうなコインパーキングになっている。外立家は右に傾いているので、瀟洒な三階建てに肩を貸してもらい、ようやく立っている負傷兵のように見えた。

家の左横腹は往来からまる見えだ。軒下に物干し竿が一本渡してあり、そこに洗濯物が吊るしてある。シャツや下着と並んで、婦人もののパジャマが二組。コインパーキングとの境界線ぎりぎりのところに、汚れたごみバケツが二つ転がっており、その手前に見覚えのある自転車が一台寄せてあった。

表札の上に、丸いボタンが設置されている。ボタンから延びるコードは、玄関の引き戸を通って家のなかに消えている。呼び出しブザーだろう。私はそれを一度強く押し、何も聞こえてこないのでもう一度押した。今度は低い音がした。

玄関の引き戸はアルミ枠に曇りガラスをはめ込んだもので、やはり傾いでいた。反応がないので三度目に押そうかと思ったころ、灰色の人影がすうっと浮かんできて、戸がガタついた。

「ごめんください」

顔を出した外立君に、私はそう声をかけた。

最初に会ったときにも増して、彼は顔色が悪かった。くたびれたジャージ姿で、靴下は穿いていなかった。横になっているところだったのかもしれない。

外立君は私の顔を覚えていたようだ。必要以上に驚かせたくなかったから、私はすぐ手短に事情を説明した。最初に会ったとき、曖昧な態度だったことも詫びた。

「ああ……そういうことだったんですか」

急に目が覚めた様子で、ジャージの袖でごしごしと顔をこすった。すみません、こんな格好で、と、喉にこもるような声で言った。

「こちらこそ、突然押しかけて申し訳ない」

彼は私に、家にあがるよう勧めなかった。私もそのつもりはなかった。外立君が見るからに決まり悪そうに縮こまっていたから。

家のなかは暗かった。まだ陽はあるし、コインパーキングの側の窓からは光が差し込んでいるのに、なぜかしら暗く感じた。何もかもが古く、雑然として、ありとあらゆる場所に生活用品が積まれたり並べられたりしているので、風通しが悪いせいかもしれない。

私は玄関の上がり框に腰かけ、外立君はそこに膝を畳んで正座した。私はふと、実家のことを思い出した。

私の父は役場の職員だったが、果樹園も経営していた。家は果実の選別や梱包を行う作業場と棟続きになっており、勝手口には土間があった。そこの上がり框に、よく近所のおばさんたちが来て座っていたものだ。縁側も同じように使われたが、そこで話していると目立つので、祖母も母も、親しい隣人たちと噂話やおしゃべりに興じるときには、もっぱら勝手口の方に座り込んでいた。

もう、その家はない。兄の代になって建て直し、テレビのCMに出てきそうな立派な二世帯住宅に変わった。その家には土間もないし、来客が気楽に腰を据えることのできる上がり框もない。

このシチュエーションは懐かしいんだというようなことを、私は一方的にしゃべった。外立君は黙って聞いていて、表情もほとんど動かさない。貧弱な無精ひげの浮いた顎がこけている。

「萩原社長をお訪ねして、君の家が近所だって教えてもらったんだ」

社長からの「給料」を差し出した。外立君は受け取ろうとしない。給料ならもうもらったからと、むしろ手を引っ込めようとする。

「でも、社長さんのお気持ちだから」

封筒を手に押しつけて、握らせた。彼はひとつ頭を下げて、それをジャージのポケットに押し込んだ。

「体調がよくないんだってね」

また、ひょこりと頭を下げる。「いつもだから。慣れてます」

家の奥で、誰かが動き回るような気配がした。かすかな足音に、外立君はすぐ反応した。

「ちょっとすみません」

するりと立って、短い廊下を足早に戻ってゆく。バアちゃん、と声をかける。

半開きになった障子戸の向こうを、痩せた老婆が、かがむほどに背中を丸め、骨ばった足をゆっくりと動かして横切ってゆくのがちらりと見えた。萩原社長は「寝たきりだ」と断言していたが、そうでもないらしい。

外立君が戻るまで、かなりかかった。一人になると、それまではしゃべったり聞いたりすることにまぎれておとなしくしていてくれた嗅覚がうごめきだし、この家のなかにどろりと淀んだ生活臭が、鼻を通って胸の奥まで重たく染み込んできた。

「すみませんでした」

せかせかと戻ってきた外立君は、靴下を穿き、ジャージの上をセーターに着替えていた。

「缶コーヒーでも買ってきます」

「いいよいいよ、おかまいなく」

外へ出ようとする彼の肩を押して座らせた。

「お祖母さんのお加減はどんななの」

外立君の目に、（社長から聞いてるんじゃないですか）と覗う色が浮かんで、すぐ消えた。

「病気じゃなくて歳ですから。特にどっか悪いってわけじゃないんです」

「そうか。君がお世話をしてるんだってね」

彼は生真面目にかぶりを振った。「週に二回、老人保健センターの人が来てくれるんです。オレ一人じゃ、バアちゃんを風呂に入れてやれないから」

「君の方は？　かかりつけの医者はいるんだろ？　喘息だって聞いたけど」

外立君がやっと正面から私を見た。青白い顔に、薄汚れた風体に、痩せた顎と尖った喉仏。確かに女性の受けは悪いだろう。が、間近に見る彼の目は驚くほどきれいに澄んでいた。

「たいしたこと、ないです」

そのきれいな瞳を伏せて、彼は肩をすくめる。

「薬さえちゃんと飲んどきゃ平気なんです」

私には、強がりに聞こえた。何もかも「平気」だとは思えなかった。彼の体調も、彼の暮らし向きも、彼の閉じ込められている環境も。

気詰まりな間が空いてしまった。

「古屋さんには、ホントにお詫びしたいんです」

ぼそっとこぼすように、うつむいたまま外立君が呟いた。彼の言葉は、口から出るとすぐ失速する。そして塵（ちり）のように落ちる。初めて会ったときもそうだった。何かしゃべるそばから、自分の言葉を「ララ・パセリ」の前の歩道に散っている落ち葉やゴミと一緒くたに掃き集め、ちりとりに入れてしまおうとしていた。

「美知香さんも彼女のお母さんも、君には責任なんかないと言ってる。君が自分を責めていることを知って、二人とも心を痛めてるよ。心配している」

外立君は膝の上でぎゅっと拳（こぶし）を握った。拳も痩せていた。

「私と一緒に、お線香をあげに行こうか。お墓参りの方がよければ、それでもいい。メールじゃなくて、いっぺん美知香さんに会おう。彼女と会って話ができれば、君の気持ちもすっきりするんじゃないかと思う」

下を向いたまま、外立君は何度も何度もまばたきをする。頬がこけているので、まばらな睫毛（まつげ）

が目立つ。私は彼が泣き出すのではないかと思い、それをまともに見るのは気の毒で、目を逸らした。

長袖のセーターを、彼は肘までまくりあげていた。剝き出しになった腕に、鳥肌が浮いていた。確かに玄関先は寒い。建て付けが悪い上に、呼び出しブザーのコードを挟んでいるので、玄関の引き戸がぴっちり閉まらないのだ。冷たい隙間風が通る。私はコートを着込んだままだからいいが、これでは外立君の身体に障る――

彼は震えていた。正座して固まったまま、小刻みに身を震わせていた。その震え方は、寒さのせいだけではなかった。

ゆっくりと、呼吸も止めて音もなく、私は顔を上げ、うなだれたままの外立君を見た。ずっと息を止めていた。うっかり吐くと、声が出てしまいそうだったからだ。

自分のせいだと、彼は言う。

自分の責任だと。自分が悪かったのだと。

その言葉を、私も古屋母娘も萩原社長も、額面どおりに受け取ってはこなかった。すべて、生真面目な外立君のナイーブな心が、古屋氏の横死に傷つき、過剰に自罰的になっているせいだと思っていた。

それはけっして軽率な思い込みではない。誰だって同じように考えるだろう。外立君に、どうして本当に責任がある？　どうして、彼が「自分が悪い」と口にするとき、そこに違う意味を読み取ることができる？

誰も考えつきはしない。そんなことは。

いい、いい、そんなこと。

まさか。

彼は「ララ・パセリ」で働いていた。青酸カリ入りの飲料を、冷蔵ボックスに仕込むことができた。機会はあった。充分に。

しかし、そんなことをする理由がない。

今度は私の方が固まってしまった。突拍子もない思いつきに頭を占領されて、目がちかちかした。

そのとき突然、調子外れの笛のような音をたてて息を吸い込んだかと思うと、外立君が激しく咳き込み始めた。身を揉んでぜいぜいあえぎながら、ジャージのポケットに手を突っ込み、吸入式の薬のカートリッジを取り出した。私は彼の背中を撫でてやろうと手を伸ばしたが、結局は、彼が薬を吸い込んで何とか落ち着くまで、ただうろたえていただけだった。

「す、すみません。もう大丈夫です」

呼吸を整えながら、外立君はカートリッジをしまおうとして、取り落とした。私はそれを拾い上げて渡した。一瞬触れただけだが、彼の指は冷え切っていた。

「――大変だね」

「たいしたことないんです。ホントですから」

洗い晒しの布のように色の褪せた顔で、外立君は私に笑いかけようとした。そして、

「それじゃ一度、古屋さんに紹介してください。お願いします」

深々と頭を下げる。私はようやく息をついて、うん、うんと声を出した。

喘息の発作の引き金になるものはいろいろあるが、激しい緊張もそのひとつではなかったか。ストレスも。プレッシャーも。

外立君が、私の訪問の何に緊張するというのだ。この状況の何が、彼のストレスになる？

銅鑼のように、私の心臓は鳴っていた。まさか。まさか。

今、外立君と目が合わなくてよかった。目を見たら、考えを読まれたかもしれない。

それとも、私の考えを彼が知り、心の動きを読み取ったなら？ また発作が起きるか。それとも彼の口が開いて、何が真に彼を苦しめているのかを語り始めるのか。

考え過ぎだ。そんなことがあるわけがない。

「いつが、いいかな」と、私は訊いた。

外立君は気弱そうに首をひねった。「オレは、いつでもいいです。バアちゃんが急に具合悪くなるとかするとダメだけど、それさえなきゃ、ヒマですから。仕事もないし」

「体調は大丈夫？」

「平気です。けど」拳で口元を拭った。「年末で忙しないときだから、古屋さんの迷惑になるといけないですよね。美知香さんの都合のいいときでいいです」

「明日はクリスマス・イブだしね」

口にしてから、言葉の空々しさに自分で白けた。外立君のこの暮らしのどこに、クリスマス・イブなんてものが入り込めるだろう。

「美知香さんに聞いてみよう。君に連絡するにはどうしたらいいのかな。メールがいいかな」

彼は自前のパソコンを持っていないという。美知香へのメールは、近所のマンガ喫茶のなかにあるパソコンコーナーから送ったのだと、また決まり悪そうに説明して、携帯電話の番号を教えてくれた。

「それじゃ、電話するからね。お大事にして、元気を出してくれよ。いいね？」

外立君は私を送り出すと、ガタつく引き戸を苦労して閉めた。

私は彼を置き去りに歩き出した。どうしても、ただ訪問して用件が済んだから帰るのだという気にはなれなかった。どうしても、彼を置いてゆくという気がした。傾いた家と折れた雨樋と、隙間風の吹き抜ける薄暗い座敷と、彼の介護を必要とする老婆と、その老衰の病身の匂いと、彼の自由を阻んでいる彼自身の病と、苦しい生活と、先の見えない孤独と、そうしたすべての不遇を彼に押しつけて。

お他人様だから。

しかし、行きには伴っていなかった厄介な連れを、帰り道の私は、コートの下に隠していた。疑惑という連れを。何とも知れない直感が生み出してしまった不安を。

誰かに追われているかのような早足で、萩原運送に戻った。社長は私の顔を見て目を瞠った。

「すみません社長さん、息子さんにお会いしたいんですが、どこへ伺えばいいでしょう?」

21

萩原社長が「穴倉」と評したのは言葉の綾(あや)ではなかった。彼の〝バカ息子〟が主宰する劇団「星雲」のクリスマス公演は、新宿三丁目にある雑居ビルの地下二階奥、以前は機械室であったらしいスペースで行われていた。

私がようやくそこへたどり着いたとき、すでに開演五分前だった。萩原弘――芸名「昴(すばる)コウジ」は演出担当であると同時に主演俳優の一人だそうで、どう無理を言っても会えるはずがない。

仕方なく、私は芝居の切符を買った。

狭いところだ。席数は五十あるかないかだろう。舞台も貧弱で、ステージ付きのカラオケボックスを見るようだった。そもそも演劇などやるような場所ではないのだろう。この設定そのものが趣向になっているのか、舞台装置も大道具もなく、ただ梯子（はしご）がひとつぬぼっと立てられている。

それでも客は入っていた。私は最後列の端に座った。折りたたみ椅子だった。まもなく、上手（かみて）から着膨れた男が一人出てきて、梯子の下に立ち止まり、ピンスポットに照らされて長台詞（ながぜりふ）を言い始めた。この人が萩原弘かと目を凝らしてみたが、付け髭（ひげ）と目深にかぶった帽子のせいで、社長に似ているかどうかもわからない。そのうち、下手（しもて）から今度は三人、同じような出（い）で立ちの男たちがぞろぞろ登場し、てんでに勝手な台詞を言い始めてやかましい。

私は席を離れた。さっきチケットを売っていたカウンターに若い女性が一人いて、芝居を放棄して出てきた私をきつく睨みつけたが、気にしないことにした。

妻に連絡しなくては。思いついて携帯電話を取り出すと、彼女から三通もメールが来ていた。「出かけたっきりの鉄砲玉さん、今どこにいるの？」という問いかけが並んでいる。大急ぎで急な階段をのぼり、ビルの外に出て電話をかけた。

妻に何も言われないうちに、先んじて、私は三べん謝った。それから、急用ができたと説明した。

「どこにいるの？」

「新宿の、きわめて不条理な芝居が上演されている場所」

「シアターアプル？」

「そこからはたぶん、百万光年ぐらい離れてると思う。質的に」

我が妻は寛大にも三度鼻を鳴らし、「フン、だ」と言っただけで許してくれた。

「今日はもう仕方がないわ。夕食は桃子と二人で済ませます。でも、明日はちゃんと帰ってきてね」

「もちろん！」

「調子のいいお返事ですこと。ホント言うと、昼間もいてほしかったんだけど」

古屋さんがうちに見えたのよ、という。

「美知香さんが？」

「お母さんもご一緒だったの。いろいろお世話になったからって、手作りのクッキーと、桃子にクリスマス・プレゼントを持ってきてくださったわ」

「よくうちがわかったな」

「病院で会ったとき、わたしご挨拶したから。一度遊びにいらっしゃいって言ったし」

そんな社交辞令を言うくらいだから、菜穂子は特に気難しいわけではないし、人嫌いでもないが、普段非常に狭い世界で暮らしているので、人付き合いには不慣れである。

「一人じゃ気詰まりだったろう。ごめんよ」

妻はころころ笑った。「それがね、ゼンゼン。楽しかったわ。お茶しながら、三人でいろいろおしゃべりしちゃった。美知香さん、素直で可愛いお嬢さんね。暁子さんもいい人だわ」

なんだ、気づかって損をした。

「美知香さんに編み物を教えてあげることになったの」

妻は手芸が好きだ。私から見ると少々移り気に見えるほど、何でもかんでもやってみる。今の時期は編み物だ。

「学校が休みになるから、習いに来る時間があるでしょう。お母さんの誕生日が一月の末なので、手作りのセーターをあげたいんですって。いいわよね？」

反対する理由は何もない。美知香が、ホームページの切り盛り以外のことに関心を持ったのは喜ばしい。

「よろしくお願いします、先生。二人から事件の話は出なかったかい？」

「かけらも。わたしも忘れてた」

ますます結構。

「あ、そうそう。睡眠薬騒動のときのあの病院から、正式な領収書を出すのを忘れていたので郵送したいって、住所を確認する電話があったけど」

「今頃（いまごろ）？」

領収証？　もらったかもらってないか、覚えがない。それこそ忘れ切っていた。

「事務手続きの間違いがあって遅れましたって、謝ってたわ。以上、報告はそれだけです」

妻が電話を切ろうとしたので、私は呼び止めた。実はね、と言って、後が続かない。

「どうしたの？」

「いや、何でもない」

外立君のことを話したかったのだが、呑み込んだ。今はまだ何の根拠もない推測だ。妻だって意見の言いようがないだろう。

「急用なんて、あなた、もしかしてまた探偵みたいなことしてるんじゃない？」

私はえへらえへらと笑った。ちゃんとえへらえへらと聞こえるように。

「ただ芝居を観てるだけだよ」

「シアターアプルの百万光年彼方(かなた)で?」

携帯電話をしまって階段を降りてゆくと、カウンターには誰もいなくなっていた。椅子が空いていたので、そこに腰かけた。「昴コウジ様」宛(あて)の花籠(はなかご)が、カウンターの下で枯れかけていた。花が枯れるほどの期間、上演しているのか。それともこの芝居に合わせてわざと枯れた花を贈ってきた奇特な人物がいるのか、しばらく座って考えた。それから、その設問について検討するのと、上演されている芝居と、どちらが興味深いか確かめるために、また客席に戻った。残りの九十分間観劇し、次の機会がもしもあるならば、私も昴コウジの芝居には枯れた花籠を贈ることにしようと決めた。

「星雲」のスタッフジャンパーを着た女性に案内してもらって、ようやく萩原氏に会えるまで、それから三十分ほどかかったろうか。彼は楽屋にいたが、まだメイクを落としておらず、着膨れたままで付け髭もつけていた。おかげで、最初に出てきたあの男が彼だったのだと、やっとわかった。

本物の探偵なら名刺を出して「私立探偵です」と言えば済むところを、妻の言う「探偵みたいなこと」をしているだけのサラリーマンである私は、どうしても自己紹介が長くなる。萩原氏は私の説明を理解しているのかしていないのか、へえとかはあとか合いの手をはさみながら聞いていて、口を開いたら、

「ところで芝居はいかがでしたか?」と訊いた。

「興味深い作品でした」

「そうでしょう、そうでしょう」

彼は上機嫌でそっくり返った。そこそこハンサムな顔立ちだ。

「ベケットの『ゴドーを待ちながら』の、ブレヒト流の解釈なんです。本来、ゴドーを待つのは個人じゃなく、群衆であるべきだ」

ちょうどそのタイミングで、楽屋に出入りしていた他のスタッフや役者がいなくなったので、私は切り出した。「外立研治君のことで、少々お伺いしたくて来たんです」

萩原氏は、次に言おうとしていた言葉の形のまま口を開いて、止まった。

「あなたのコンビニの従業員です。よくご存知ですよね」

かくんと音がしそうなふうに、わざとらしく口を閉じ、彼は片方の眉毛(まゆげ)を吊り上げた。ひょっとすると、メソード演技というのを披露してくれているのかもしれない。

「ケンジが何だって言うんです？」

「さっきお話ししたように、彼と会ってきたんですが、だいぶ体調が悪いようで」

「ああ、いつもですよ」

萩原氏は鏡に向かい、慎重な手つきで付け髭を剝がし始めた。楽屋は舞台よりはるかにちゃんとした造りになっている。このビルのなかには、機械室兼用ではない小劇場があるのだろう。

「お父さんの萩原社長にお伺いしてきたんですが、彼のことは子供のころからご存知だということでした。近所に住んでいますからね。あなたも彼とはお親しいんですか」

「親しいというほどじゃありませんよ。親父の方がよく知ってるんじゃないかな」

付け髭を取ると、急にぼっちゃんぼっちゃんした顔になった。

「嫌なことを思い出させて恐縮ですが、例の事件が起こったとき、あなたも外立君も警察の取り調べを受けたと思うんです。当時、外立君はどんな様子だったんでしょうか」

初めて、萩原氏の顔に演技ではない驚きが浮かんだ。目が丸くなる。

「どんなって——何の権利があってそんなこと訊くの？」

やたら雄弁で難解そうだが意味のない芝居を見せられたせいで、私は調子が狂っていた。短兵急な質問になっている。

「申し訳ありません。事情は先ほどご説明したとおりです。外立君のあの落ち込みようが、私はどうしても気になりまして」

楽屋のドアが開き、カウンターにいて私を睨みつけた若い女性が入ってきた。萩原氏はちらっと彼女に視線を投げた。

「チカ、外しててくれ。しばらくここには誰も入れるな」

チカという女性は、また私を睨んだ。

「何なのよ」

「いいから出てろ」

それなりに威厳のある命令だった。チカは従い、ドアがばたんと閉じた。

「ありがとうございます」と、私は言った。確かに頭でっかちの芝居道楽のバカ息子だが、まったく配慮のない人物ではなさそうだ。

「それ、どういう意味です？　おたく、僕やケンジを疑ってンですか。もういっぺん訊くけど、何の権利があって？」

私ももういっぺん説明を繰り返した。今度は身を入れて聞いてもらえたらしい。反感と反発と不審の色はそのままだが、萩原氏の目に理解の色が浮かんできた。

「ケンジは、あんな大それたことやる人間じゃありませんよ。もちろん僕もね」

目張りの入ったまぶたをぱちぱちさせて、すっと目を逸らし、

「暁子さん――古屋さん、元気ですか」

萩原社長は私に、倅と古屋暁子はまだ付き合っているのかと訊いた。倅は倅で、古屋暁子は元気かと尋ねる。

「お元気です。いろいろな心労から、やっと立ち直ってきたようですよ」

「そりゃよかった」

その呟きを聞くだけで、彼はまだ古屋暁子に心を残しているのだとわかった。

「おかしなことになっちゃってね。彼女には悪いことしました」

「あなたの責任じゃありませんよ」

「ってことは、おたく、僕を疑ってはいないわけだ。いやぁ、新鮮な見解だ」

「もう、誰もあなたを疑っていないはずです」

「そうは問屋がおろさないんだな、現実は」

またメソード演技に戻り、ロバート・デ・ニーロのように肩をすくめる。

「奈良和子が自殺したからって、事件が片付いたわけじゃないですよ。僕のまわりにはまだ、警察の監視の目が光ってる」

「捜査本部は縮小されたと聞きました」

「解散したわけじゃないでしょ」

「古屋暁子さんは、監視されてる様子などありませんよ」

「本人が気づいてないだけじゃないかな」

意地悪な言い様だが、横顔は気弱だった。

「まあ、いいや。どっちにしろ警察が気にしてるのは僕と暁子さんだけです。ケンジは疑われたことなんかないですよ。一度も、そんな目で見られたことはない」

「はっきりした理由があって？」

「さあねぇ。刑事はそういうこと、容疑者には話してくれませんから」

投げ出すようにそう言いながら立ち上がり、舞台衣装のコートを脱いで、ハンガーにかけた。

「事件当時、古屋明俊さんがウーロン茶を買いに来たとき、あなたは店にいらした」

「レジにね」

「外立君はいましたか」

「いましたよ。昼勤だからね、彼は」

「古屋暁子さんは、当日の朝、あなたの店でドリンク剤を買った。その映像が店内の監視カメラに残っていた。それが疑われるきっかけになった。そうですよね？」

「そうです。だけどそれはあくまできっかけでね。焦点は僕と暁子さんとの関係にあった。それと、彼女の親父さんの財産」

「しかしそれがわかるまでは——」

わかってないなぁと、萩原氏は笑った。歯並びが見事に整っている。

「そういうこと、探り出すの早いですよ、警察の連中は」

鏡台の縁に寄りかかり、腕を組む。

「暁子さんから聞いてませんか。自分のみっともないことはしゃべらないのかな。最初に親父さんが変死したって報せを聞いて、刑事と会ったとき、彼女、バレバレに様子がおかしかったんです。私のところにも、すぐ連絡してきましたからね。わたしたち疑われるわ、どうしようって。だもん、ひとたまりもないですよ。すぐ嗅ぎつけられた」

世間に報道されていたよりも、私が聞いていたよりも、もっとずっと早い段階から、捜査陣の目は萩原氏と古屋暁子の上に焦点を結んでいたということか。

翻せばそれは、外立君の存在は最初から盲点になっていたということではないか。

「監視カメラのことでも、さんざん責められましたよ」

「暁子さんの映像ですか」

「そうじゃなくて、うちの監視カメラの設置位置がね、ヘボだったから」

問題のウーロン茶が入っていた冷蔵ケースは、最初から死角になっていたのだという。

「暁子さんがドリンク剤を買った棚は写るんです。でも、ウーロン茶の棚はその手前でね。そこは写らない。わざとそうしたんだろうって」

萩原氏は頭をかきむしった。鬘ではなく、地毛だ。ウエーブのかかった豊かな髪だった。

「フランチャイズ契約をするとき、監視カメラの設置位置の指導があるんですよ。セキュリティーは大事ですからね。でも僕は、商売なんかやる気なかったから、テキトーだった。本当に、ただいい加減にしてただけなのに、そこんところを深読みされて、突っつかれてね」

「ララ・パセリ」の親会社からも叱責されたそうだ。信用問題だから当然だろうが、彼はひどく不満そうに口を尖らせている。

「たとえ僕が誰か殺そうとするとしても、自分の店で、自分の目と鼻の先でやったりしませんよ。だいたい、あんな手口じゃ毒入りウーロン茶が誰の手に渡るかわからない。危なくって」

それだけ言うと、急に勢いがついたようにさっさと服を脱ぎ、私に背を向けて着替え始めた。

「しかし、今頃になってケンジが疑われるなんて、思ってもみなかったなぁ」

「私も疑っているわけではないんです。ただ気になります。彼があまりに思いつめているので」

「そういう子なんです。世の中の不幸を一人で背負ってるような子ですからね。他人の不幸も、みんな自分のせいのような感じ方をしちゃうんじゃないかな」

ズケズケと言う。が、外立君を評するのには的確な言葉かもしれない。

「あの子には人殺しなんかできません。古屋さんには何の恨みもないんだし、顔だって覚えてたかどうか」

「古屋さんを狙ったとは限りません。無動機殺人というのもありますよ」

「それこそ、ケンジにはもっとも縁のないものです。無動機の動機もないですよ」

笑っている。外立君をかばっているようであり、軽んじているようにも聞こえた。

「警察も、一応はケンジから事情聴取してましたけどね。まるっきり圏外だった。最初からシロです。おたく、一人で考え過ぎですよ」

鏡の前の元の椅子に戻ってくると、面白そうに目を輝かせながら、しげしげと私を見た。

「ま、ケンジに会うと、誰でもちょっと面倒みてやりたくなるんですよね。ちょっとだけね。でも深入りはできない。あんまり暗くて、ブラックホールみたいだから」

私は正座して震えていた外立君を思い出した。削げた顎や骨ばった肩。かすかな気配の動きに、祖母ちゃん、と声をかけてすぐ立ち上がったこと。乱雑で薄暗い座敷のなか。傾いだ家。おぼつかないよちよち歩きで横切って行った、蠟のように白い老婆の足。

「うちの親父もあれこれ力になってやろうとしたんだけど、いろいろありましてね。結局は手を引いちまった」

ふと思い浮かんだことがあったので、私は口に出した。

「あの家――家にはもう価値がないでしょうが、土地を売ったらどうでしょうね。少しはまとまった金になるでしょう。それでお祖母さんを病院に入れるとか。とにかく、当面の生活がずっと楽になることは間違いない」

鏡の前に肘をついていた萩原氏は、意外そうに身を起こした。

「ナンだ、親父から聞いてないですか」

「何をです？」

「あの土地、売れないんですよ」

「お祖母さんのものだということでしたが」

「ああ、そういう問題じゃなくて。土地がね、ダメなんです」

汚染されてるから、という。

「ケンジもいっぺん、売ろうとしたことがあるんですよ。二、三年前だったかな。あいつの祖母ちゃんが最初に入院したときだから」

今私が考えたのと同じことを、外立君も考えたのだ。

「祖母ちゃんが、そンなら萩原の社長さんに相談に行けって言ってね。うちの親父、あの婆さんと知り合いだっていうだけじゃなくて、ずっと町内会長とかやってたりして、まあ人望があるもんで」

頼られた萩原社長は、懇意にしている地元の不動産業者を紹介し、親切に世話を焼いたそうだ。

だが――

「不動産屋さんがね、ケンジの喘息がひどいのを気にしてね。あいつの病気は喘息だけじゃないんだけど。偏頭痛もひどいし、血圧もぎょっとするほど低いし、貧血もある。うちでバイトしてるときも、何度かひっくり返っちゃって」

萩原氏の顔を見つめて、私はうなずいた。

「それで、土地を調べたんですね？」

「ええ。そしたら出るわ出るわ、僕は詳しいこと知らないですけど、十種類だかの有毒物質が出たって。それで売却話はおじゃんですよ」

沼の水をかき混ぜたときのように、私の頭の底から、妻に教えてもらったにわか知識が湧き上がってきた。

「それは正式の地質調査だったんですね？　六ヵ所採取という――」

「詳しいことは、僕は知りません。でも親父が不動産屋からこ～んな書類を見せられてましたから」萩原氏は右手の親指と人差し指で、二センチくらいの厚さを示してみせた。「本格的な検査だったんじゃないですか」

「その検査料は誰が」

外立家の土地は狭いが、それでもまとまった金がかかったに違いない。

「当座は親父が立て替えてやって、ケンジがちょっとずつ返済するということで。今もやってるんじゃないかな。少なくとも、僕の店で働いてるときはまだ返してました。毎月の給料から、一万円とか五千円とか。それでいいって、親父が。利息も取らないで」

お他人様にできる、めいっぱいの親切だ。

「それだけじゃなくて親父は、せっかく調べたんだからやっぱり土地は売った方がいいって、ケンジを説得したんですよ。地質改良にかかる費用を試算させてね、その金は萩原運送が融資してやるって持ちかけて」

土地が売れたら、その代金から返せばいいと。外立家に入る現金は減ってしまうが、それでも現状を打開することはできる。

「ケンジもその気になってたんです。ところがねぇ」

演技なのか素なのか、両肩を大きく上下させて、萩原氏は長いため息を吐き出した。

「今度は祖母ちゃんが聞かないんですよ。何度説明しても納得しない。おたくの土地はこういう状態で、これこれこういう段取りを踏まないと買い手がつかないんだって、不動産屋と親父と二人がかりで説得してもダメ」

「なぜです？」

「そんなのウソだって言い張るんです。なんでそんな金がかかる、おかしいじゃないか。萩原の社長さんは、不動産屋とグルになって嘘ついて、あたしらからこの土地を騙し取ろうとしてるんだって、ギャアギャア泣くわ喚くわ」

瘦せた青白い足の映像が、また浮かんだ。

「そんな話を信じ込むおまえもおまえだって、頭からケンジを怒鳴りつけましてね。おまえは世間の怖さを知らない。もう萩原の社長なんか信用しちゃいかん、と」

私もため息が出た。

「ま、あんな年寄りに、理詰めで言っても無理なんでしょうけどね。親父も苦笑いしてた」

と言う倅の方は、明らかに今でも気を悪くしていた。目に怒りの光が灯る。

「うちの親父はそれなりの資産家だし、けっして腹黒い人間じゃない。誓って、下心なんか持ってませんでした。ただ相談されて、ほかに頼るあてのないケンジを放っておけないから助けてきたんだ。それを、世話になったことはケロッと忘れて、一方的に詐欺師呼ばわりされちゃ、たまったもんじゃありません」

何だかんだいっても、萩原父子は仲がいいのだろう。彼は父親を好いているし、信頼しているのだ。だから甘えられる。

「誰があんな、たかだか十二、三坪の土地欲しさにそんな手の込んだ真似をするかって」

「では、その段階で本当に売却を諦めた――」

「祖母ちゃんの目の黒いうちはダメだってことでね。どうせ、いずれはあの土地、ケンジのものになるんですから」

でもあの祖母ちゃん、なかなか死にそうにありませんよねと、毒のある笑い方をした。

「外立君のあの症状が土壌汚染のせいであるなら、お祖母さんの方にも、何らかの健康被害が出ていてもおかしくないですね」

「どうかなぁ。親父の話だと、若いころからあんまり丈夫な人じゃなかったらしいですけどね」

「汚染源は特定できなかったんでしょうか」

「そんなの無理、無理」萩原氏は顔の前で手をひらひらさせた。「雲をつかむような話ですもん。僕が覚えてる限りでも、あのへん、町工場がいろいろありましたからね。板金屋、メッキ屋、塗装屋――ケンジの家の隣の、今コインパーキングになってるところ、わかります？　あそこには鉄線加工工場があったんです。道端に、捻じ曲がって錆びた鉄線の端切れみたいなのを、いつも山ほど積んでてね。今じゃあんなことやったらいっぺんで問題になるんだろうけど、僕が子供のころは誰も気にしなかった」

そういう時代だった。おおらかであり、大雑把だった。今頃になってそのツケが回ってくるなど、誰も想像していなかった。

「そもそも外立さんとこだって、ケンジの祖父さんの代には印刷屋をやってたんです。印刷業だって、扱うものによっちゃ、昔は有機溶剤とか使ったんじゃないのかなぁ」

「そうすると、外立家のあるあたりは、最近になってあんな感じに住宅が建ったんですか」

「バブルが境目でしたねぇ。もちろん、全部がそうじゃないですよ。昔からの家もあるから」

バブル経済の最盛期、小さな商店や町工場が、土一升金一升にまで高騰した地価に魅せられ、代々の家業を閉じ土地家屋を手放すことは珍しくなかった。また、それを煽る開発業者が大手を振って跋扈していた。おかげで、東京の街は虫食い状態になった。バブルの風が吹き過ぎた後、そういう場所は野ざらしのままになった。せいぜいいいところで駐車場だ。


昨今の都心回帰ブームの到来で、比較的安価な建売住宅が建ったり、マンションができたり、ようやくその傷がふさがりつつある。もっとも、バブルの黄金も、その後の凋落と修復の機運も、私自身は実感がない。経済誌で仕入れた知識だ。

「大田区の町工場はね、伝統があるし誇りを持ってるから、バブルのときもみんなよく踏ん張って持ちこたえたんですよ。でも、やっぱり目先の利益に惹かれちゃった人たちも多くて。それは誰も責められないですからね」


熱っぽく語る萩原氏が、少し羨ましい。これは彼の故郷の話なのだ。小難しい舶来哲学などにかぶれずに、この体感を芝居にしたならば、よっぽどいい脚本になるだろうにと、余計なことを考えた。


時は流れた。周囲の土地の持ち主も転々と変わった。汚染源の特定も追及も、やるだけ無駄か。突き止めたところで、賠償が得られる確証もない。

「ケンジの親父さんが、あのまま印刷屋を続けてればね、ちょっとは違ったでしょう。ケンジもつくづく、運のない子ですよ」

話に区切りをつけるつもりで、私は両手でぱんと膝を打った。

「しかし、まったく希望がないわけじゃない。いずれは彼が、ある程度まとまった遺産を継いで、自分の人生を切り開くことができるようになるわけだから」

からかうように眉毛を上下させ、萩原氏は笑顔になった。「お？　考えを変えてくれましたか？　もうケンジを疑ってない？」

まだ半端な気分だったが、私はうなずいた。

「確かにあなたのおっしゃるとおり、考え過ぎだったかもしれません」

「そうでしょう、そうでしょう」満足そうだ。

「でも、何とか外立君を元気づけてあげたいものです。彼には同年代の友人がいそうもないし」

「ああ、いませんねぇ。あいつ、ホントに孤独です」

噛み締めるようにうなずいたかと思うと、ぱっと目を輝かせた。

「ちょっとインスピレーションが湧いてきちゃったなぁ」

「は？」

「いや、こんなこと、いっぺん親父としゃべったきりでしたからね。他所(よそ)に漏らすような話じゃないし。でも、土地に染み付いた過去が今を生きる人間を損ない、孤独をもたらすっての、いいでしょう？」

土地ってのは人間の歴史ですものねと言う。

「そこに住む人間の営みが刻み込まれてる。でも、良いことばっかりとは限らない。邪悪も染み込んでる。それが〝毒〟だ」

「化学物質ですよ」

人の手で蒔くこともできるが、人の手で除去・分解することもできる。

「嫌だなぁ、そう言っちゃぁおしまいです。おたく、創作ってものがわかんない人ですね。ま、だからエリートなんだろうけど」

別れ際、萩原氏は私にメリー・クリスマスと声をかけた。板についた小粋な口調だった。真似することができなかったので、私は手を振った。私がエリートかどうかはともかく、萩原氏はやっぱり役者だということか。

新宿の街は、明日のイブへと持ち越すことのできる楽しみを求める人びとで、まだ混雑していた。幸福を共に分かち合う誰かがそばにいる人たちと、押し合い、すれ違ってゆく。

私も家に帰れば妻子がいる。今日は待ちぼうけを食わせてしまったが、明日のイブには一緒にケーキを囲む。娘のために、私と妻はサンタクロースごっこをして、肩を並べて娘の笑顔を見ることができる。

だから私は孤独ではないはずなのに、今は寂しかった。街を押し包む浮かれ気分の喧騒が、私に負の催眠術をかけている。それでも私はそれが術で、帰宅すれば嘘のように消えることを知っているから幸せなのだと思った。

クリスマスには自殺者が増えるという。

22

グループ広報室では、なにしろ忙しい時期だから特にクリスマス・パーティーはしない。忘年会も、年内の作業が終わる仕事納めの二十八日に、一緒にやっつけてしまうという気軽さだ。

今多コンツェルンでは、各部や各社単位で年末の宴会があるが、我々編集部員は、取材がない限りどこからもお呼びがかからない。そのかわりといっては何だが、毎年二十四日には、午後になると会長室からクリスマス・ケーキの差し入れがある。

ゴンちゃんは感激した。「会長って、お優しいんですね！　わぁ、これ代官山の『パブロ』のケーキですよ！　半年も前から予約しないと買えないんです。さすがですねぇ！　やっぱ財界の巨頭は違うわぁ」

睡眠薬騒動以来、本人曰く「トラウマになりました」のでコーヒーポットに近づこうとしなかった彼女だが、今日は嬉々としていれてくれた。我々は揃って三時のお茶を楽しんだ。

「ゴンちゃんはイブをどうするの？」

加西君を横目に、私は軽く訊いた。本日の加西君は、気合の入ったネクタイの締め方をしている。スーツも新調してないか？

「あ、わたし省ちゃんとこ行きます」

加西君ががくんとずっこける音が聞こえてきそうな気がした。

ゴンちゃんが秋山省吾の従妹であることを、私としてはずっと伏せておくつもりだったのだが、いつの間にかみんなに知れ渡っていた。聞けば、何かの拍子に本人がペロリとしゃべってしまったのだそうだ。ゴンちゃんの話には実に頻繁に「省ちゃん」が登場するので、隠しようがなかったのかもしれない。もっとも、それならゴンちゃんというコネを最大限に利用してやろうというような風向きは、今のところまったくない。それも彼女の人徳かもしれない。誰も、このお嬢さんを板挟みで困らせるようなことはしたくないのだ。

「仕事を手伝うの？」

「はい。省ちゃんにご飯食べさせなくちゃ。忙しくって忙しくって、徹夜続きだし」

彼も年末進行地獄のまっただなかなのだ。だからゴンちゃんは、このごろまめに彼の仕事場に顔を出しているそうで、

「一昨日なんかね、玄関開けっ放しで、床に転がってたんです。わたし一瞬、省ちゃんが誰かに襲われて、倒れてるんだと思っちゃいました。パッと見ただけじゃ、寝てるのか死んでるのかわかんなくって」

あはははと、加西君が引き攣って笑う。誘うなら、もっと前から手を打っておかないと。ゴンちゃんは忙しいお嬢さんなのだ。

「じゃ、このケーキを一切れ持って行ってあげたら？」と、編集長が優しい。「わたしたちだけじゃ食べきれないもの」

「ありがとうございます！　省ちゃん、甘いもの好きなんですよ」

秋山氏の名を聞いて、昨日の私のにわかな周章狼狽を、彼ならどう思うだろうかと考えた。「考え過ぎですね」と、やはり笑うだろうか。

北見氏の顔も思い浮かべたが、彼は入院したころだろうし、何より、私はこのファイルを引き継いできたのだ。もう彼を煩わせることはできない。一人では振り切れない疑惑を、誰かに笑い飛ばすか整理してもらうには、秋山氏しかあてがなかった。私は、一人では立っていることのできない「探偵」だ。

「忙しいのは、年内ずっと続くのかな」

私が尋ねると、ゴンちゃんは力を入れて「ずっとずっとずうっと」と答えた。

「お正月もです。だから逆に、遠慮なんかしません。わたし、スキーに連れてってもらうつもりなんです。省ちゃんだってそうやって無理しないと休めないんだし、どんなに待ってたって暇な時なんか来ないんだから、いいんです」

それなら、私もいいか。「近々、杉村がちょっとお邪魔したいって、伝えてくれる？」

「了解です！」ゴンちゃんは凜々しく敬礼した。

残業するという谷垣さんに謝って（いいのいいの、遠慮しなさんな。お子さんが小さいうちだけですよ、クリスマスが楽しいのは）、定時で社を出た。駅まで、加西君と一緒になった。バレバレに落胆している。

「年頃（としごろ）の女の子が、従兄（いとこ）とばっかり仲がいいっていうのは、どうなんでしょうね」

不満そうに愚痴る。

「別にいいんじゃないか。従兄とは、結婚したってかまわないんだから」

加西君は、どこか柔らかい場所をえぐられたみたいな顔をした。

「何でも段取りが大事だって、いつも谷垣さんに教わってるだろ？　今回はちょっと伏線が足りなかったな」

彼の背中をひとつ叩いて、私は電車に乗った。

家では妻が待ちかねていた。去年は帽子と白い付け髭だけだったのに、今年はサンタの衣装一式が揃っていた。

「縫うの、大変だったんだから」

ケーキに蠟燭（ろうそく）を灯し、クラッカーを鳴らし、私は「ホー、ホー、ホー」と喉を鳴らし、桃子は「主は来ませり」を歌った。サンタの衣装以上に私を驚かせたのは、今年は本格的な七面鳥料理が出たことだった。習いに行ったのよと、妻は照れた。

食事の終わりごろに、電話が鳴った。義父からだった。ひとつの会合から、もうひとつの宴会へ移動する途中らしかった。プレゼントを送ったから、そろそろ着く頃合だと言った。

「そうそう、盆栽をありがとう」

妻とさんざん悩んだ挙句、義父には盆栽を贈ったのだった。小さいが形のいい南天だ。

「お気に召していただけましたか」

「うん、書斎に置いた。昔から南天は好きなんだが、菜穂子はよく覚えていたな」

――母がね、お父様と出かけるめったにない機会に、南天の着物をよく着ていたの。

「私の方は、今年はちょっと趣向をして届けることにしたから、遅くなってしまった。ついでに、新年まで君らの顔を見られそうにないんで、声だけでも聞いておこうとかけたんだ」

今多家では元日の昼に義兄の家に集まり、挨拶を交わして一緒に屠蘇を祝う。経営者としては戦力外の私と妻も、家族としてその席には連なるのだ。その後、義父と義兄たちは、果てしなく続くように見える年賀の来客たちの応対に追われる。

「桃子がカルタ取りを楽しみにしています」

従兄姉たちと集まって遊ぶのだ。

義父は桃子と話し、妻が最後に電話を代わった。お父さま血圧はどうと、妻は問うている。玄関のチャイムが鳴り、桃子が「来た！」と飛び出した。

今多家が懇意にしているデパートの外商部員が、サンタの扮装をして、大きな袋を担いでニコニコしていた。

「サンタさんが二人いる〜」

桃子がぴょんぴょん飛び跳ねる。私と配達部員は笑い合い、彼は桃子に「ホー、ホー、ホー」とプレゼントを渡した（喉声は私の方が上手かったと思う）。それから小声で私に、

「今年から始めたお得意様に限っての特別サービスなんですが、配達先のお宅でサンタがかち合う危険性があることを報告いたします。スミマセンでした」と謝った。

「よく似合いますよ」

私が冷やかすと、彼は帽子越しに頭を掻いた。

「いえ、ご主人の方が様になっておられます」

家族三人で、互いのプレゼントも、義父と義兄たちからもらったものも、笑ったりビックリしたりしながら、大騒ぎして開けて楽しんだ。私と妻は、蓋を開けてみたら、どちらも本を贈りあっていた。

「似たもの夫婦だわね」と、妻は笑った。

桃子は私に、絵をくれた。山の絵だ。

「お父さんの好きな景色をかこうと思ったの。お母さんがね、お父さんは山がお好きよって」

桃子の描いてくれた絵は、私の記憶にある山河とは違っていた。この子が知っている山の景色は、軽井沢や蓼科だ。私が生まれ育った場所には行ったことがない。連れて行ったことがないのだから。桃子は父方の祖父母の顔を知らず、従兄姉たちに会ったこともない。

私の故郷は、それがどんなに記憶と異なっていようとも、今ではもう、桃子が描いてくれる山河のなかにあるのだ。そういう人生を、私は選んだ。

義父は妻に、毎年何かしらアクセサリーを贈ってくれる。桃子には外国製のクレヨンのセットだ。私には、「菜穂子に選んでもらった」と書いたカードを添えて、革製品などの小物が来るの

が常だった。

今年は違った。丁寧に薄葉紙で包まれた、手書きのお仕立券だった。義父が永年背広をオーダーしているあの店「キングス」の、店主が直々(じきじき)に書いたものだ。

「もう、あなたもここで仕立ててもいい頃だっていう意味よね」と、妻は素直に喜んでいる。

今多家の一員として認められたという意味かと問おうとして、寸前でやめた。嬉しいねと言って、大事にしまいこんだ。

いつもより夜更かしをしたものだから、桃子は電池が切れるようにパッタリと寝てしまった。私は後片付けを引き受け、妻は風呂に入った。上の義姉(ねえ)さんからもらった浴室用のアロマキャンドルを、さっそく試してみるという。

片付けといっても、食器洗い機に入れるだけのことだ。部屋の明かりを暗くして、またたくクリスマス・ツリーの電飾を肴(さかな)に、残ったワインを一人で飲んでしまった。

私の両親と兄と姉は、今夜をどう過ごしているだろうと思った。

それぞれに楽しいに違いない。両親に何かあれば、いくら私が勘当の身だとしても、姉や兄が報せてくれるはずだ。便りがないのは良い便りだ。皆で集まって、無事にクリスマス・イブのケーキを食べたことだろう。

あるいは両親も、「クリスマスが楽しいのは子供が小さいうちだけだよね」と、普通に夕食を食べ、普通にテレビを観ているだけかもしれない。兄のところはもう、子供たちは高校生だ。自分たちの予定で忙しいだろう。姉夫婦には子供がいないし、夫婦二人でロマンティックになるというタイプではない。

「主は来ませり、主は来ませり」

小さく歌ってみた。音が外れていた。

昨夜をどこでどう過ごしたのか、加西君は見事なまでの宿酔(ふつかよ)い顔で出社してきた。来たかと思ったら身を翻して洗面所に飛び込み、げっそりして戻ってきて、フラフラと席に着いた。

「あらら〜。どうしたんですか加西さん」

ゴンちゃんが明るく心配する。冬休みに入ってからは、毎日フルタイムで来てくれているのだが、今日ばかりは休んであげてほしかった。朝っぱらからこの邪気のない顔は、加西君には酷だ。もっとも、ゴンちゃんが休んだら休んだで、昨夜何があったんだと彼は煩悶(はんもん)することだろうから、どっちでも大差ないか。

「若いっていいわね」

肘をついて煙草をふかしつつ、ぶすっと編集長が言う。

「若くっても飲み過ぎはいけませんよ〜」

ゴンちゃんが調子っぱずれの鼻歌まじりに新聞のスクラップに取りかかり、それを横目に見ながら、

「あんたってヤな娘(こ)ね」

「え?　わたしですか?」

「そ。ヤな娘ってのは、いい娘って意味よ」

私は国連停戦監視団の如(ごと)く粛々と、自分の仕事にかかった。

知らん顔を決め込んだお詫びでもないが、ゴンちゃんにランチをおごることにした。近所のイタリアンレストランでクリスマスの特別ランチを出しているからだ。

「今日が本当のクリスマスなんですよね」

　楽しそうなゴンちゃんは、しかしふっと声を低くして、

「わたし、何かやっちゃいましたか？」

「何かって何を」

「編集長、ご機嫌悪かったでしょ」

「あれはそういう種類のものじゃないよ。気にしなくていいんじゃないかな」

「わたし編集長、好きなんです。だってすごく真っ直ぐな方だから」ゴンちゃんは真面目に言う。

「でも、それを上手く伝えられなくって」

　うん、よくわかる。

「そんなことうっかり言ったら、かえって本当に怒らせちゃいそうで」

「怒りゃしないだろうけど、照れるだろうね。で、怒ったふりをするんだ」

「そうなんですか〜」

　ゴンちゃんの澄んだ目が、急に翳（かげ）った。

「原田いずみさんて人も、そうだったんでしょうか。上手く伝わらなかったのかな」

　若いゴンちゃんは、原田いずみをどう思うのだろう。ちょうどいい機会だから、私は北見氏とやり合った〝普通〟論について話してみた。

「杉村さんと北見さんて方の、どっちの意見もわかる気がするんですけど」

　珍しく眉間に皺を寄せるゴンちゃんだ。

「ただ、北見さんの〝普通〟という言葉の定義は、それでもやっぱり過激すぎると思います。もちろん、わざとそうしているんでしょうけど」

わたしも同感ではある。が、北見氏の説を否定し切ることもできない。何となく納得してしまったというか、説伏されたような気がした。現代社会では、〝普通〟であることはすなわち生きにくく、他を生かしにくいということだ――

〝普通〟の価値は、そこまで下落しているのか。ならば、その反対語としての〝特別〟には、どれほどの価値があるのだろう。

「北見さんて、怖い人ですね」

「怖い？」

「はい。〝どこかの誰かさんが、自己実現なんて厄介な言葉を考え出したからだ〟って、わたしたちなんかには、とても辛い指摘です」

辛いという表現がくるとは思わなかった。

「わたしたち、まだどこのナニモノでもないでしょ？　いずれはどこかのナニモノかになりたくて一生懸命やってるつもりだけど、望んだ結果が出るかどうかはわからない。結果が出る人と出ない人の差がどこにあるのかも見えない」

ランチが運ばれてきた。

「最初から、自分はどこかのナニモノかにならなければいけないんだって、考えずに済めば楽ですよね。でも、もうそうはいきません。わたしたち、みんなそうしなくちゃならないってことを知っちゃったから。目覚めちゃったから」

目覚めた、か。

「原田さんて人は、わたしは本人を知ってるわけじゃないからいい加減な憶測だけど、そういう強い気持ちをいっぱい持っていて、だけどそれが独りよがりなもんだから、空回りしちゃって失敗して、どうして上手くいかないんだって、いつも怒ってたんじゃないでしょうか」

ちょっと首をかしげて、

「原田さんは、顔の見える相手が憎たらしいんですね。世間が憎いから、誰でもいいからやっつけちゃえっていう、通り魔とかとは違う。自分のそばに顔が見えて、その顔が笑ってるのが憎いんじゃないでしょうか」

彼女を笑っているのではなくても。

自分は同じように笑うことができないから。

だから兄さんの幸せも壊した。その結果、自分自身をも決定的に壊すことになった。あの残酷な嘘の暴露で、彼女は引き返し可能地点(フェイル・セーフ)を超えてしまったのだ。あとはもう進むしかなかった。どれほど進路が間違っていても。

「笑うことなんか、ホントは簡単なのにね」

ゴンちゃんは言って、フォークを手にした。

「こういう美味(おい)しいものをおごってもらって、ああ得をした、杉村さんはいい人だ。そう思うだけで、ワタシ幸せです。いただきま〜す」

23

ゴンちゃんに連れられて秋山氏の仕事場を再訪したのは、二十八日の昼過ぎのことだった。御用納めの日である。グループ広報室でも仕事らしい仕事はない。それぞれ自分の机のまわりを片付け、ビールで乾杯して一年の労を労い合い、早々に解散する。だから、その足で秋山氏を訪ねることにしたのだった。

忙しいからこそ死ぬほど退屈だから、何か面白い話を持ってきてくれるならいつでも歓迎しますと、秋山氏は言ったそうなのだ。彼はバーボン党だというので、好みの銘柄をゴンちゃんから聞き、それをぶら下げて行った。

「いいなぁ、皆さんは今日で御用納めでしょう」

本日の秋山氏は床に倒れておらず、寝てもおらず、無精ひげもなかった。仕事部屋も私が初めて訪ねたときよりは片付いている。ゴンちゃんの努力の成果だろう。

「秋山さんも、年内の原稿はもう入れてもしょうがないでしょう。印刷所が停まるから」

「そうなんですけどね。担当者が休んでるあいだに見なくちゃならないゲラが山積みです」

嘆き節も売れっ子ゆえのことだ。なるほどゲラが積み上げてある。が、その脇にスキー旅行のパンフレットも何冊か。私は微笑した。舌鋒鋭い若手評論家も、可愛い従妹には弱いか。

ゴンちゃんは道中で、日用雑貨をあれこれ買い込んできた。勝手知ったる従兄の家だ。それを収納したり整理したり、こまこまと活動を始める。

「省ちゃん、ダメじゃない。昨日が生ゴミ回収の最終日だったのに、ゴミ出さなかったね！」

「一週間もすりゃ、また回収に来るだろ。いいよ、そのまま置いときゃ」

それよりコーヒー、と頼み、

「睡眠薬は入れるなよ」

彼がからかうと、ゴンちゃんはふくれた。

「嫌な冗談言わないでよ」

「そうだよなぁ。おまえの本年最大のトピックだったもんな。ほかには何もないのかよ、ハナの女子大生」

「うるさいよ！」

ゴンちゃんがいれてくれたコーヒーに、秋山氏はバーボンをどぼどぼ落とした。

「翻訳ものの私立探偵小説で読んだんですよ。主人公がこういう飲み方をしてる。これなら、昼から飲んでも酔っ払わない。コーヒーのおかげで、酩酊（めいてい）しながら覚醒（かくせい）できる」

が、その探偵はアルコール依存症になるそうだ。

「私はコーヒーだけで結構です」

秋山氏は大笑いした。「杉村さんて、本当に安全な人だなぁ。これまでの人生で、危ない橋なんか渡ったことないんでしょう」

「省ちゃんたら、また失礼なこと言って」

私は笑った。「確かにないですね」

結婚——ぐらいかな。

「だからちゃんと暮らせるんだよ。省ちゃんも少し見習いなさい」

説教しながらゴンちゃんは、私と彼女自身のためにクッキーの缶を開ける。

「で？　そんな安全印のあなたを悩ませてる問題って、何なんです？」

「悩みですか」

「屈託がありそうな顔をして来たじゃないですか。判り易い人ですよ。僕でお役に立てることなのかな」

意地悪な口つきだが、言っていることは親切だ。私はこの毒舌家で怜悧（れいり）でやり手の従兄に、育ちの良いお嬢さんであるゴンちゃんが懐く理由がわかるような気がした。この親愛が恋愛感情に発展するかどうかはともかく、加西君には手強い敵がいる。

　萩原社長を訪ねたことを振り出しに、私は外立君に対する疑惑について話した。秋山氏はそのあいだにコーヒーをお代わりした。

　二杯目にはバーボンを入れなかった。話の途中から、彼の表情がだんだん険しくなるのがわかった。それが私を緊張させた。

「思い過ごしですよと、笑われると覚悟してきたんですがね」

　秋山氏は黙ったまま、私ではなくゴンちゃんの顔を見た。彼女はクッキーを食べるのもコーヒーを飲むのもやめて、不安そうに目をしばたたいている。

「おまえ、帰れ」

「なんで？」

「いいから帰れ。おまえが聞くような話じゃないよ」

「でも気になるよ」ゴンちゃんは私に瞳を向けた。「杉村さん、本当にその人が犯人だと思うんですか？」

「ど、どうかな」私はあわてて水をかけた。「単なる想像だからね。自分でもよくわからないよ。あんまり深刻に受け止めないで」

「確かめてみたら？」ゴンちゃんは、今度は従兄に向かって言った。「もういっぺん会って、話してみればわかるかも」

「だとしても、おまえには関係ない」

「そんなことないよ。美知香ちゃんのお祖父さんの事件だもの」

あたしたち、一緒に睡眠薬を盛られた仲なのよと、私には冷汗ものの台詞を吐いた。

秋山氏は、さもさも参ったというようにため息をついた。「会って話して白状させるのか？簡単に言うなぁ」

白状させる。ストレートな言葉だ。

「疑わしいと思いますか」と、私は訊いた。

秋山氏はうなずく。「少なくとも、臭うという感じはしますよね」

何より、彼には機会があった、という。

「でも、私はただ——印象でそう思い込んでるだけかもしれないんですが。現に警察は、古屋明俊氏を殺害したのは奈良和子だと断定しているわけですし」

「警察だって間違うことはあります」

さらりと切り返された。

「見落としもしますよ。特にこの件では、外立君という店員は最初から捜査圏外に置かれていたという事情がある。奈良和子のことだって、彼女が自殺した状況からそう推察されるだけであって——」

言いかけて、秋山氏はつと口をつぐんだ。目に別の光が宿った。

「あ、でも毒物の件がありますね」

「どういうことです？」

「青酸カリですよ。彼女は、古屋さんが飲まされたのと同じ青酸カリを所持していた。それがいちばんの物証になってるわけでしょう？」

ゴンちゃんがぱんと軽い音をたてて手を打った。「遺書もあったよね？」

忘れてたけどと、目を丸くする。すっかり失念していたが、私も言われてみて思い出した。

「ちょっと待った」

秋山氏は身軽に椅子から立ち上がると、机の脇のスクラップブックの山から一冊取り出してめくり始めた。古屋氏の事件の記事を集めたものなのだろう。

「そういえば省ちゃん、あの原稿書いたの？　頼まれてるって言ってたよね」

古屋氏の事件も含めた、連続毒殺事件に関する原稿だ。彼はスクラップを調べながらかぶりを振った。

「断った。書きようがないし。そもそも専門外だからな」

「でも、事件には興味があったんだね」

おまえのせいだと、彼は言い返した。ゴンちゃんが古屋美知香と友達になったからだという意味だろう。やっぱり優しい。

「あった。これだ」

スクラップを手に、読み上げる。

「古屋家の皆様に迷惑をかけて申し訳なく思う。すべてわたしの責任です、お許しください」

そのまま、ちょっと肩をすくめた。

「この程度の内容じゃ、遺書は決め手にはならないな」

「どうして？」と、ゴンちゃんが突っ込む。

「古屋さんを殺したのはわたしです、と告白してるわけじゃないからさ」

「だって、そういう意味の文章じゃん」

「とは限らない。ほかの解釈だってできる」

私は秋山氏を見上げた。「たとえば奈良和子が、古屋さんを殺したのは娘の暁子さんだと思い込んでいたとか、ですか」

彼はうなずく。「そういう事態を引き起こしたのは、自分の存在があったからだと気に病んだ、とかね」

「それで自殺したの？　少し繊細すぎない？」

秋山氏は私に訊いた。「奈良和子という女性は、経済的には完全に古屋さんに頼っていたそうですよね」

「そのようです。だからこそ古屋さんも再婚を考えた。それに彼女は病弱で――」

「だったら、古屋さんを失った痛手は大きかったでしょう。しかも彼を手にかけたのは実の娘であるらしい。そこまで事をこじらせたのは自分の責任だ。申し訳ない。自分の今後も不安だ。どうしよう――と、一人で思いつめてしまっても不思議はないですね」

一種の後追い自殺という解釈もできるというわけだ。

「つまり遺書の存在はあまり気にしなくていい」

秋山氏は言い切り、パタンとスクラップを閉じ、それを元の山の上に戻した。それから、軽く両手を広げた。

「でも、彼女が青酸カリを持っていたという事実は揺るぎません。古屋さんに使われたのと同じ成分の青酸カリだ。偶然ではあり得ない」

奈良和子が第一容疑者であることに変わりはない――ということだ。私も一緒にスクラップの記事を確認した。青酸カリは、彼女の所持品であるバッグのなかに入っていたのだった。

「物証は嘘をつきませんからね」

おっしゃるとおりだ。ひと言もない。

「青酸カリの存在を忘れていました」私は額に片手をあてた。「面目ない話です。やっぱり、外立君のことは私の考え過ぎなんでしょう」

「でも気になるな」

秋山氏の呟きに、ゴンちゃんが苦笑した。

「どっちの味方なんだ、省ちゃんは」

「味方も敵もあるか。引っかかるんだよ」

立ったまま腕組みをして、彼は顔をしかめた。

「僕は犯罪には詳しくないけど、事件もののノンフィクションなんかはよく読みますからね」

省ちゃんは、字が書いてあるものなら何でも読むんですと、ゴンちゃんが解説した。

「過去にも、殺人事件があって容疑者が逮捕され、自白もして裁判にかけられて、刑が確定して——その後に、まったく別の人物が、周囲の人間に、実はあれは自分がやったことだと匂わせるというような例がありますよ。自殺したり失踪したりするケースもある」

「捜査当局にはマークされていなかった人物が真犯人だったということですね」

「ええ。そういう場合、やっぱりその人物は、ずっと挙動がおかしかったりするそうです。自責の念に耐えられないんでしょう」

外立君のうなだれた姿を、私は思い出す。彼を内側から苛んでいる自責の念は、単に店員としての責任感からのものなのか。それとももっと直接的な理由に根ざしているのか。

しかし、古屋氏を殺した青酸カリを所持していたのは奈良和子であって、外立君ではない。それは厳然たる事実だ。

「どんなことでも一人でどんどん悪い方向に考えて、煮詰まっちゃう人っているよね」

ゴンちゃんが小声で言って、とりなすように我々の顔を見比べた。

「外立君て人も、そういう性格なんじゃないかな。やっぱり犯人じゃないんですよ」

世の中の不幸をすべて一人で背負っているような青年だと、萩原元店長は評していた。

「身近で殺人事件が起こるなんて、すごいショックだと思うもの」

ゴンちゃんの頬が少し強張っている。

「わたしなんかには想像することしかできないけど、でもね、あの睡眠薬の事件ね。あれぐらいのことでも、わたし、今でもときどき怖い」

あれが睡眠薬じゃなかったら――

「もし、あの騒ぎで誰かがもっと酷(ひど)い目に遭っていたら、それが自分じゃなくても、わたし、ずっと引きずっちゃったと思うんです」

「ゴンちゃんがあんな嫌な思いをしたのは、元はと言えば我々グループ広報室のせいなんだ。ゴンちゃんは側杖(そばづえ)を食っただけで、何も責任なんかないんだよ」

私は努めて優しく言った。彼女はうんうんと首を振った。

「わかってます。ただね、ああいうことが起こったっていう事実そのものが怖いんです。それが殺人事件だったらなおさらでしょう。外立君て人は、きっと気が優しくて、だからショックも大きくて――」

「要するに弱いんだ」と、従兄が訂正した。ゴンちゃんはクスッと笑う。

「そうだね。でもわたし、責められないな。世の中の人はみんな、省ちゃんみたいに強くないんだよ」

俺だってそんなに強くないぞと、秋山氏はあわてたように言う。急にバツが悪そうになって、ひとつ空咳(からせき)をすると、

「ま、こいつの説が妥当ですかね」と、私に言った。私もうなずいて応じた。

「外立君に必要なのは自白ではなく、慰めと励ましということですか」

「プラス、現実的な支援」

秋山氏は私の言葉の足りないところを補ってくれた。

「仕事と金、それと健康。でも健康も、彼の場合、経済的な問題が解決すれば自動的に取り戻せそうじゃないですか」

皮肉だなと、またぞろ尖った口つきになる。

「猫の額ほどの土地でも、お祖母さんが死ねば、彼のものになるんでしょう？　それで彼個人の問題はクリアされる。でも、そのお祖母さんは彼のたった一人の肉親で、彼の介護を必要としている存在だ。見捨てるわけにはいかない」

あの薄暗く、饐(す)えた臭いのこもった家で、二人きりの生活。

「不幸ってのは、たいていの場合そうなんだな。あちらを立てればこちらが立たずというふうに嚙み合っちまってる。こんがらがってほどけない紐(ひも)みたいに」

だからといって、焦(じ)れてしまって、ほどく努力を放棄し、切り捨ててしまおうとすると、往々にして事件になる。

「外立君が祖母さん想いの青年だってのは、この場合、せめてもの救いじゃないですか」

秋山氏は言った。私にではなく、ゴンちゃんに言い聞かせているようだった。

秋山氏のおかげで気が晴れたので、外立君のことは妻に話さずに済んだ。自分の思い込みと早合点に、後ろめたい思いを味わったけれど、それもどうやらしまい込むことができた。

妻は家政婦さんと二人で正月の準備をしている。お飾りの手配や食材の購入。印刷を頼んでおいた年賀状ができてきたので、その晩、一緒に宛名書きを確かめ、手書きの添え文を書き足したりした。

「明日また、美知香さんが来るのよ」

今日も来ていたのだ、という。

「セーターを編むんだっけな」

「ええ。年末で忙しいのにすみませんなんて、挨拶するの。わたしなんか大してやることないんだから、あなたの都合さえつくなら大晦日だっておいでなさいって言っちゃった。いいでしょ?」

大掃除は業者に頼み、とっくに済ませてしまった。年賀状さえ出してしまえば、会社が休みになっても、私は家でブラブラしているだけだ。

「お邪魔なようなら、桃子と出かけようかな」

桃子のお稽古事も、正月明けまでは休みになるはずだ。一緒に本屋に行って、絵本を買おうか。映画もいい。正月になると混んでしまうから、今のうちがチャンスだ。

「だったら、ついでにお買い物もしてもらおうかな」

妻は買い物リストを作ったとかで、どこに置いたかしらと探し始めた。この人にはこういうところがある。何かやろうとするとき、必ずメモだの覚書だのを作る几帳面さと、それをうっかりどこかに置いてしまってわからなくなるそそっかしさが同居しているのだ。

「思い出した、バッグに入れたのよ」

しばらくして、照れ笑いしながら戻ってきた。

「今日ね、銀行に行ったから――」

大きなバッグをかき回して、また探している。

と、彼女の手が止まった。

「これ、何かしら」

バッグから、小さなパステルカラーの封筒を取り出した。可愛い花柄がついている。

「ラブレターじゃないか？」

からかう私をぽんとひとつぶって、妻は封筒を開けた。途端に笑みがこぼれる。

「見て。桃子のお手紙」

このごろ我が娘は、お手紙を書くことに凝っているのだ。内容はなんてことない。字は少なくて、絵だけのこともある。

たいていの場合、それらの手紙は、家のなかのどこかに隠されている。洗面所の戸棚のなか。読みかけの本のページのあいだ。朝、出勤しようと靴を履いたら、そこに入っていたこともあった。

「お母さん、こんにちは。びっくりした？」

その手紙にはそう書いてあった。びっくり顔のお母さんの絵が添えてある。

「新手ね。バッグのなかに隠したんだわ」

桃子は、今夜はもう寝てしまっている。

「いつ入れたんだろう。昼間は気づかなかったの？」

「全然。わたし、バッグのなかっていっつもごちゃごちゃなのよね」

それもこの人の性癖である。家のなかは「片付け魔」と呼びたいくらい整頓するのに、ハンドバッグのなかは混沌としている。

「こんなことでもなきゃ、ずっと気づかなかったかも。桃子をがっかりさせるところだったわ」

手紙を見つけたら、見たよ、ありがとうと言ってやらなくてはならないのだ。そうすると桃子は——私がときどき盛大にそうしてやるように——コチョコチョくすぐられたときみたいに喉声で笑って逃げ出してしまう。

「やっぱりラブレターだったじゃないか」

笑いながら言って、私は息を止めた。手紙を読み直していた妻が、怪訝そうに目を上げる。

私は妻のバッグを見つめていた。

「そういうことは、よくある?」

「そういうことって、どういうこと?」

「バッグのなかに、知らないうちに何か入ってるってことだよ」

妻は大きな目でまじまじと私の顔を見た。

「そんなことがしょっちゅうあったら大変よ」

「でも、あるよね」

「まあ、ね」

「何か入ってることに気づかないという場合もあるわけだ」

「あるでしょうね。現にあったわ」

妻は手紙をヒラヒラさせてみせた。

奈良和子のバッグのなかの青酸カリ。

「ちょっと待った」

昼間の秋山氏と同じ台詞を吐き、私は書斎へ走った。今度は早合点しないよう、まず確かめなくては。

スクラップブックではなく、私はメモを書いていた。それを見た。念のため美知香のホームページもチェックしてみた。

間違いない。問題の青酸カリは、小さな紙包みになっており、奈良和子のバッグのなかから発見されたのだった。近隣住人や知人の証言で、彼女が普段持ち歩いているものだと確認されたバッグである。

奈良和子のバッグのなかにあったから、彼女の所持品だとみなされた。

私は背中が寒くなった。

翌朝起きると、午前十一時まで待った。夜型の秋山氏が動き出すまで、最低でもそれぐらいは待つのが礼儀だろうと思ったからだ。

その時間を利用して桃子と手をつないで散歩に出かけ、十時開店の近所の書店で彼女の好きな絵本を選ばせ、買い与えた。本当は今日、桃子と映画に行こうと思ってたんだけど、お父さん急に御用ができちゃったんだ。ごめんね。

帰ると、訝(いぶか)しげな妻に娘を託し、書斎に飛び込んで電話をかけた。呼び出し音五回目で、寝ぼけた声の秋山氏が出てきた。

私はいきなり言った。「青酸カリの謎が解けたように思います」

ちょっと沈黙してから、彼は言った。「せっかちな人だな。とにかく、おいでくださいよ。僕はコーヒーを沸かします」

三十分で、私は彼の仕事場に着いた。秋山氏はジャージの上下姿でコーヒーを飲んでいた。まだ髭を剃っておらず、髪はボサボサだ。

片手にマグを、片手を腰にあてて、だらしなく立っていた。が、目は起きている。

「で、どう解けたっていうんです？」

私は妻のバッグと娘の手紙のことを話した。本人がまったく気づかないうちに、バッグのなかに何か入れられるということはあり得る。気づいていないからそのままになる。おそらく奈良和子は、自宅のベランダから地上目がけて身を躍らせるその瞬間まで、自分が普段持ち歩いているバッグのなかに、古屋氏を殺した毒物が忍び込んでいることなど、まったく知らなかったのだろう。

「そういう可能性があるということは、理解しました」

コーヒーを噛んで飲み下しながら、秋山氏はゆっくりとうなずく。

「でも、彼がやったとは限らないでしょう？」

「おっしゃるとおりです。でも外立君には、奈良和子と接触する機会があったはずです。古屋暁子さんにも萩原店長にもなかった機会です」

ほかでもない、「ララ・パセリ」だ。

「奈良さんは立場が立場でしたし、暁子さんとのあいだに不穏な空気がありましたから、古屋氏の通夜にも葬儀にも出られませんでした。古屋家を訪ねて線香をあげることもできなかった。そんな彼女が古屋氏の死を悼んで訪れる場所といったら決まっています。現場です。彼が倒れた路上か、彼が問題のウーロン茶を買ったコンビニですよ。両方を訪ねた可能性も高い」

花を手向け、手を合わせる。

秋山氏は濃い眉を吊り上げた。「その折に？」

「外立君と顔を合わせたんだと思うんです。ちょうど、あの店を訪ねたときの私と同じように」

彼は毎日掃除に通っていた。愚直な仕事ぶりだ。真面目な青年なのだ。だが、今や私の心には別の考えが生まれていた。彼はあそこにいたかったのではないか。誰かが彼を疑い、どうしてそんなふうに日参するのかと訝ってくれるのを願って。あるいは、自分のしでかした殺人事件の現場から、ただただ離れたくなかったのかもしれない。どういう心理なのかは想像するのも難しいが、それがもう終わってしまったことだと確かめるためか。それとも、毎日毎日現場を訪れて、そのたび脳裏に鮮明に蘇る犯行の記憶に、我と我が身を苛むことで罪滅ぼしをしようとしていたのか。

目に浮かぶ。悲しみに打ちひしがれ、殺人容疑をかけられていることの恐怖にげっそりとやつれた奈良和子が、花を手に「ララ・パセリ」にやってくる。そこには外立君がいて、閉鎖された店のまわりを丁寧に掃除している。彼は彼女に声をかける。どちら様ですか？　古屋さんのお知り合いでしょうか。

奈良和子の訪問が一度だったとは限らない。何度も訪れたかもしれない。私が彼女なら、きっとそうする。花が萎れないうちにまた足を運ぶだろう。

最初はたまたま遭遇した。が、二度目以降はどうだったろう。外立君は彼女が来るのを待ったかもしれない。奈良和子も、親切な元店員が店のまわりをきれいにしてくれる折に、新しい花束を持って行くようにしたかもしれない。

その花、今度はどこに飾りますか。あなたが手を合わせるあいだ、ちょっと荷物を持ってあげましょう――

「ストップ」

秋山氏が大きな声で私を遮った。

「杉村さん、想像力がたくましすぎますよ」

私は夢から覚めたようになり、口をつぐんだ。

「それじゃもう、仮説ですらない。想像です。奈良和子はコンビニを訪ねたかもしれないし、訪ねなかったかもしれない」

「ええ、確かめてみなくては」

「訪ねたとしても、外立君と会ったかどうかわかりません。会ったとしても――」

さらに抗弁しようとする私を、手を振って退けると、落ち着いてくださいよと言った。

「仮に、あなたの想像がすべて正しいとしましょう。仮定です。あくまでも仮定。大胆な仮説ですけどね、そうだとして」

私は秋山氏の顔から目を逸らさないまま、手近の椅子に腰をおろした。彼はひどく険しい顔をしていた。

「彼はそういう人間ですか?」

「というと」

「他人に罪を着せるような人間ですかね」

私は言葉に詰まった。

「今までのあなたの話を聞いた限りじゃ、彼はそういう悪意の持ち主じゃない感じがするんです。いやもちろん、我々は彼が青酸カリを使って無差別殺人をやらかしたと疑ってるわけだから、彼が天使だとは思っちゃいません。でも、事後工作としてそんな真似をするタイプだとは思いにくい。言い換えるなら、彼を動かしているのはそういう種類の邪悪ではない。違いますか?」

私の頭は私のコントロールを離れてぐるぐる回っており、秋山氏の現実的な疑問に答える方向に動いてはくれないようだった。

「おっしゃるとおり——だと思いますが」

「でしょう?」

秋山氏はマグカップをテーブルに置くと、両肩を下げ、はあっと息を吐いた。

「まあ、本人に会って聞いてみるのがいちばん早い。十分待ってください。着替えるから」

私はぽかんと口を開いた。「は?」

「彼に会いに行こうと言ってるんです」

「これからですか?」

「鉄は熱いうちに打て」そう言って、秋山氏は口元だけで笑った。「というより、彼のことが心配になってきちゃったんですよ。大きなお節介(せっかい)ですけどね」

昨夜いろいろ考えたのだ、という。

「おかげで気が散っちゃって、仕事がはかどりませんでした」

すみませんと、私は謝った。

「いいんです。あなたのせいじゃない。もともと僕はこういう人間だから、こんな仕事もしてるんです。何にでも首を突っ込みたがるし、モタモタしてる人間を見ると、つい意見したり、手を出したくなる。性分です」

しゃべりながら着替えている。

「実は、あなたから電話がなくて、この新しい見解を聞かせてもらってなくても、こっちからあなたに連絡して、外立君の家に連れていってもらおうと思っていたんです」

驚きで、私はまた言葉を失った。

「彼氏、気づいてますよ」

シャツに袖を通しながら、秋山氏は言った。

「あなたに疑われていると悟っています」

意味がよくわからない。「私は、あなたに話したようなことを彼にはひと言も――」

「言われなくても感じてる。あなたが疑惑を抱いた瞬間に、彼もそれと察したはずです。こういうのは相互作用ですからね。それが今の彼にどういう影響を与えるか、心配なんです」

「彼が真犯人でなくても？」

「ええ。それとは関係なしに」秋山氏はきっぱりと断言した。「外立研治真犯人説に、僕はまったく納得していません。ちょっぴりの状況証拠に、尾ひれをつけてふくらました妄想みたいな説に過ぎない」

手厳しい。私は首を縮めた。

「でも、それと、言うに言われぬ直感みたいなものは、また別です」

秋山氏の横顔が、急に翳った。今朝も好天で、カーテンを開けた窓からは光がいっぱいに差し込んでいるのに。

彼はひとつ首を振ると、その翳を自分で振り払った。

「とにかく、現に彼は自分を責めている。そこにあなたの疑惑という重石（おもし）が載ることで、状況が一気に悪い方に傾くかもしれない。時期も最悪だしね」

この年末が？　だから急ぐというのか。

「クリスマスとか正月とか、世の中が浮かれる時期には自殺者が増えます」と、秋山氏は続けた。

私はあっと思って、口元に手をあてた。

「このまま放っておくと、彼——無事に年を越せなくなるかもしれない」

その言葉は、まともに私を打った。

「繰り返しますけど、彼が犯人であるないにかかわらず、そういう心理状態に落ち込んでいる可能性が高いってことです。わかりますよね？」

わかりますと、私は何度もうなずいた。私自身、初めて外立君の家を訪ねたクリスマス・イブの前日に感じたことだ。この明るく幸福に満ちた世の中で——それは擬態に過ぎないのだが——彼は何と寂しいのだろうかと。

私がそれを口にすると、着替えを済ませて鏡も見ずに電気カミソリを使っていた秋山氏は、私の耳に刺さるようなちくちくと皮肉な笑い声をたてた。

「本来、あなたみたいな見るからに恵まれた人間が彼に接触すること自体が間違いなんです。邪気がないってのは、いちばん始末に悪い」

何も言えなかった。言葉の意味はわかるが、自分がどんな始末に悪いことをやらかしてしまったのかがわからない。いや正確に言うならば、自分のやったどのことが不始末で、どのことは不始末から免れているのか、その境界がわからない。

「この事件では、すでに奈良和子が死んでいます。彼女のことだって、彼女が犯人だったかどうかとは関係なしに、不幸な出来事だった。これ以上はもうたくさんだ。行きましょう」

秋山氏に急きたてられて、外に出た。

タクシーのなかで、秋山氏は段取りをつくった。僕がこの事件について調べていることにしましょう。あなたとはたまたま知り合いで、外立君のことを聞いた。関係者に取材したいと思っていたところなので、渡りに船と紹介してもらうことにした。

「余計なことは言わないで、ただ真面目な心配そうな顔をして黙っててくださいよ。いいですね?」

私は固く約束した。

24

子供のころ、私は正月よりも年末が好きだった。これからお正月が来るという期待感に満ちて、見慣れた町並みさえもきれいに見える。輝きを放つ。それが新鮮で、心が躍った。

外立君の家の前に立ち、長いこと忘れていたその感覚を、私は思い出した。あれは子供に限らず、誰でも持ち合わせている心情なのではないか。人は皆、幸せの最中にあるよりも、これから幸せがやってくるという確信と期待に満ちたひと時をこそ望むものではあるまいか。

外立家は、かつて幸せであったことも、これから幸せになる見込みもないように見えた。

望みはすべて断たれているように見えた。

そこだけ、年末も正月もないように見えた。きっとクリスマスのときもそうだったのだろう。だからあの晩、新宿の街の雑踏を歩きながら、私はあんなに寂しかったのだ。自分は寂しい身の上ではないと、わざわざ思い出さねばならぬほどに。私は外立家の幻影を引きずっていたのだった。

ごめんくださいと、秋山氏が闊達な声を張り上げた。

その瞬間、外立君が不在だといいと、私は思った。彼は律儀に「ララ・パセリ」の掃除に出かけていて、少しは顔が明るくなっていて、彼のお祖母さんも今日は具合がよくて——

一人歩きする影のように、外立君が廊下の奥から姿を現した。

私がここで会ったときと、同じような格好をしていた。もしかしたらまったく同じものを着ているのかもしれなかった。それでも見分けがつかない、それでまったくかまわないし、誰も気にしないのが彼の日常なのだ。

こんにちはと、私は声をかけた。年末の忙しいときに申し訳ないね。

秋山氏は流暢に、段取りどおりの口上を並べた。親しげに明るく、だが馴れ馴れしくはない。笑顔も自然で、口調は淀みない。私はと言えばバカみたいにニコニコして、ときどきうなずいて合いの手を入れるのが精一杯だった。

傾きかけた古い木造家屋の玄関先、饐えた薄暗がりのなかの二人芝居を、外立君は子供のような目で見つめていた。外国人に話しかけられた子供のよう。大人の冗談に付き合わされている子供のよう。

ゆっくりと膝を折り、外立君は玄関のあがり口に正座した。秋山氏が差し出した名刺を両手で捧げ持ったまま。まるで、何かとても貴重な入場券でももらったかのように。

秋山氏を仰いでいた目を下げて、彼は名刺をじっと見つめた。確かめるように丁寧に読んでいるのだった。

そして、私を見た。「お名前、知っています」

「秋山さんのこと?」

問い返す私は、自分の声が裏返りかけているのを感じて恥ずかしかった。

「はい」外立君はまた秋山氏を仰いだ。「図書館で借りて、読みました。本を出してますよね」

「うん」秋山氏は気さくにうなずく。「読んでくれたのは嬉しいな。ありがとう」

「有名な人ですよね」

また名刺に目を落とす。外立君はうっすら微笑んでいた。

「マスコミの人だ。ジャーナリストだ」

どこか、歌うような抑揚のついた呟き。

「というわけでもないんだけど——」

気さくなお兄さん風の秋山氏の返事が、途中で途絶えた。

名刺を捧げ持つ外立君の手が震え始めている。指だけではなく、肘から先が揺れている。やがて肩まで動き始めた。

彼の頭も上下に動いていた。う、な、ず、い、て、い、い、る、の、だ、とわかると、私は息が止まりそうになった。

「そうなんです」

ばね仕掛けの人形のように頭を動かしながら、外立君は呟いた。うなずき続け、繰り返した。

そうなんです、そうなんです。

その言葉で、私にはわかった。秋山氏もわかったのだろう。彼が息を呑む気配を感じた。

外立君の顔から微笑みが消えた。別の表情が浮かび上がろうとしている。しかしそれがどういう表情なのか見て取れない。本人にも、自分が何をどう感じているのかわからないのかもしれない。だから表情にならない。我々は、心で理解できる感情しか顔には浮かべられない。表情は勝手な反乱を起こさない。

ただ、少しだけ先行することはある。

外立君の目はまばたきを繰り返す。この現実を、そうやって咀嚼(そしゃく)している。やがて理解が心にまで届き、彼のこけた頬の線が緩んだ。

ようやく、表情が形をなした。

私はそれを、「安堵」だと思った。そう思って、少しでも早く救われたかった。

「杉村さんがわかったってこと、わかっていたんです」

私は棒立ちになっていた。秋山氏はわずかに前かがみになった。

「本当なら、この前、ちゃんとお話ししたかった。そうするべきでした」

だけど言えなかったというかすれた呟きと一緒に、彼の左目から涙がひと筋こぼれ落ちた。

「警察に報されるかもしれないって思いました。そうしてもらいたいって思ってたんです」

うん——と、秋山氏が無言のままひとつだけうなずいた。

「ちゃんと言いたかったんだけど、自分じゃ言えなかったから」

「何を言いたかったの?」

私が小さく問いかけると、秋山氏が目顔で制した。彼の口元は真一文字に結ばれている。

外立君の耳には、私の問いなど聞こえていないようだった。堰(せき)を切った言葉は、彼自身の意思のコントロールを離れて溢れ出る。今や、その奔流が彼を震わせているのだった。

「けど、言えなくて。杉村さんも困ってるんじゃないかって思って、それでオレ、どうしていいかもっとわかんなくなっちゃって。いろいろ考えるんだけど、ぐるぐる回るだけでどこへも着かなくて。杉村さんに連絡しようかって思ったんだけど、電話もかけられなくて」

突然がくりと姿勢を崩して、彼は玄関先から落ちかけた。ついに、言葉の奔流が彼の身体という堤防を決壊させたかのように。私はあわてて両腕で支えた。外立君は、見かけよりもさらに痩せこけていた。

外立君は私にすがりついて、笑おうとしていた。明るい顔をしようとしていた。

「マスコミの人、連れてきてくれたんですね。警察よか、その方が話が早いですもんね」

私は何も言えなかった。外立君の身体の震えが伝わってきて、私も一緒にわなないていた。秋山氏は身を起こして真っ直ぐ立っていた。あらゆる意味で、揺れていないのは彼だけだった。

外立君は泣き出した。

「僕がやりました」

音にすれば、たったの八音だ。その八音を口に出すために、外立君は壊れなければならなかった。

「僕がやりました。古屋さんを死なせたのは僕です。僕があのウーロン茶に青酸カリを入れました」

私は完全に彼を抱きかかえていた。外立君の声は、私の胸元でくぐもって響いた。

それでも、聞き間違えようはなかった。

私は秋山氏を見上げた。秋山氏は外立君を見ていた。今度は彼の方が表情を失っていた。まっ平らの顔だった。彼の切れ長の目やほっそりとした鼻筋が、ゴンちゃんとよく似ているということに、私は気づいた。どうしてこんなときにこんなことを思うのだろう。

輪をかけて場違いなことを、外立君を腕に抱えたまま、私は訊いた。頭に浮かんだ質問がそれしかなかったからだ。

「お祖母さんのお加減はどう?」

外立君は何とか身を起こし、手の甲で顔をこすった。

「大丈夫です」

「奥にいらっしゃるのかな」

「寝て——ます」

「お祖母さんに心配をかけたくないよね?」

ほかに訊くべきことは山ほどある。なのに私はそう尋ねた。そう思ったからそう訊いた。私はこんな状況で理詰めに行動できる人間ではなかった。

外立君の目から、新しい涙が溢れ出た。嗚咽に圧(お)されて、彼は口がきけなくなった。懸命に息を吸い込み、しゃべろうと努力していた。目は固く閉じていた。拳を握っていた。

「ごめんなさい」

搾り出された言葉はそれだった。

「ごめんなさい、ごめんなさい」

また喘息の発作が起きるかもしれない。私は平手で必死に彼の背中を撫でた。外立君はどんどん小さく、丸くなり、彼を抱えているために私もしゃがみこまなければならなくなった。

「ホントは、バアちゃんに」

息を切らして、彼は言った。

「バアちゃんに飲ませようと思ったんです。最初はそう思ったんです」

生きてたっていいことなんかないから。

「僕も、楽したかったから」

私は彼の背中を撫で続けた。

「もう、何もかも嫌になっちゃったから」

苦しそうにあえぎ、涙をぼろぼろ落としながら、外立君はしゃべり続ける。

「何度も、そうしようと思いました。でも、いざってなると、できないんだ」

やはり無言のまま、秋山氏がうなずいている。何か声に出して言ってやってくれ。あなたならふさわしい言葉を知っているだろう。心のなかで怒鳴るように願いながら、私もまた何も言えず、ただ外立君の背中を撫でていた。

「すごく悲しくて」

この家が。この人生が。

「バアちゃんが可哀想で、たまらなくて」

なんでこんなことしなくちゃならないんだろう。なんでこんなことを考えなくちゃならないんだろう。

なんで、僕だって少しは楽をしたいと願わなくちゃならないんだろう。少しどころか山ほどの楽をしている若者が、この世の中には掃いて捨てるほどいるのに。何も願わなくても、すべてかなっている人たちが大勢いるのに。

どうして僕一人だけ、そこから省かれているんだろう。

「バアちゃんのせいじゃない。バアちゃんは何も悪いことなんかしてないんだから」

それは君も同じだ。君が悪いことをしたから、この人生のなかに閉じ込められたわけじゃない。君が選んだ人生じゃない。君に選択の余地はなかった。

この汚染された土地も。貧しい生活も。両親に見捨てられたことも。この傾いた家を、どうしてもどうしても離れることができなかったことも。

「そしたら、何か急に腹が立ってきて。悔しくて、夜も寝らンないくらい悔しくて」

外立君はまだ目を閉じていたが、拳は開き、その手でしゃにむに空につかみかかるような仕草をした。彼の指が私の肩にあたった。

「これを飲まなきゃならないのは、バアちゃんじゃない。絶対違うって、そんなふうに思って。だけど、誰かが飲まなくちゃいけないんだって思って。だってバアちゃんは何にも悪いことしてないんだから」

初めて外に——お他人様の溢れる世間へと向けられた怒りは、コンビニの冷蔵ケースのなかにその居場所を見出（みいだ）した。

秋山氏がうつむいて、軽く空咳をした。それからゆっくりかがみこみ、外立君のすぐ耳元で穏やかに問いかけた。

「青酸カリはどうやって手に入れたの」

目を開けて秋山氏に顔を向け、外立君は答えようとした。が、しゃくりあげるばかりで声が出てこない。

「ネットかな?」

秋山氏の言葉に、大きく二度、三度とうなずいた。

「けっこうな金を取られたろ」

外立君はまたうなずく。わななきながらひとつ深呼吸をすると、

「バイトした金で、買ったんです」

それがいちばん恥ずべきこと、罪深いことであるかのように、歯を食いしばっていた。

「どんな形で届いた？　郵便だよね」

「はい」

「最初から紙包みになってたの？」

外立君は首を振った。親指と人差し指で五センチくらいの長さを示して、

「こんなくらいの、ちっちゃいビン」

「そう。ちゃんと密封しておけとか、いろいろ注意されただろ」

なんでそんなことを訊くんだ。

「ウーロン茶には、水に溶かしてから混ぜたの？」

「そうしました」

「パックに入れるときはどうしたの」

「ち、注射器」

「それもネットで買ったの？」

外立君がうなずいて認めたので、私はこらえかねて口を出した。「そんなことはどうでもいいでしょう。警察に任せておけばいい」

秋山氏は、かすかに哀れむような目の色になり、ちらっと私を見た。すぐ外立君に目を戻し、

「それは、あとから買ったの？　同じサイトだったのかな」

「そうです」

「お祖母さんに飲ませるだけなら、そんな必要はなかったよね？　誰か知らない人間に飲ませるために、注射器みたいなものが必要になったわけだよね」

「……はい」

秋山氏はぐっと目を閉じ、「わかった」と言った。「そのとき、そのサイトの管理者というか売人というかね、売り手は君に何も言わなかった？　どうしてそんなものが必要なんだって、不審がらなかった？」

外立君はぼんやりとかぶりを振った。そんなことは考えてもみなかったというように。

「誰かがそこで君を止めてくれたらよかったのにね。でも、そのサイトはそんなふうにはなってなかったんだね」

残念だよと、秋山氏は言った。私が今まで耳にしたなかで、いちばん優しい声だった。ゴンちゃんだって、彼のこんな声は聞いたことがないだろう。

「もうひとつ教えてくれないかな。コンビニの事件の後に、残った青酸カリをビンから出して、紙包みにしたのはどうして？」

洟（はな）をすすり、忙しく呼吸しながら、外立君は証拠が残るといけないからというようなことを、途切れ途切れに言った。

「そうか。じゃ、その紙包みを、どうして奈良和子さんが持ってたんだろう。君もニュースで見たよね？　彼女は自殺したんだよ。家のベランダから飛び降りて」

「奈良、さん」

「古屋明俊さんとお付き合いしていた女性だ」

発作の前兆か、外立君の喉から不穏なごろごろという響きが聞こえてきた。私は彼が楽に座れるように、自分の身体の位置を変えた。

「会ったんです」

「あのコンビニの前で」

「はい。あの人、よく来てました。花を持って」

いつも泣いてた——という言葉と一緒に、涙が落ちた。

「君は彼女と顔見知りだったんだ」

確認するようにしっかりとした口調で言って、秋山氏は続けた。

「じゃ、君が彼女のバッグに青酸カリの紙包みを入れたんだね？」

はい、と、外立君はうなずく。喉のごろごろという響きはやまず、土気色だった顔が蒼白に近づいてゆく。

「なぜそんなことをしたの」

「やめましょう」と、私は割り込んだ。「今ここで質問することじゃない」

秋山氏の声は、一転して鋭く尖った。

「いいえ、ここで訊いておくべきことです。我々が、この耳で聞いておくべきだ」

話してくれるよね？　と、外立君の目をのぞきこむ。

「もう、持ってたくなかったから」

「君はもう青酸カリを持っていたくなかった」

「はい。だから、捨てようと、思って」

いつも持ち歩いていた、という。でもうっかり捨てられなかった。いつも誰かに見られているような気がした。

「捕まるの、怖かったです」

秋山氏はいっそう優しく、そうだねと呟く。

「バアちゃん、一人になっちゃうから」

これからはそうなる。外立君が逮捕されたら、誰が彼のお祖母さんの世話をしてくれるのか。

「何回か、あの人に、会って」

古屋氏の死を嘆き悲しみ、古屋暁子や萩原店長ほどではなくても、やはり疑われている我が身の立場に怯えている奈良和子に。

「あの人に、渡せば」

「奈良さんに渡せば？」

「捨てて、くれるかなって思った」

彼女も容疑者だったから。大慌てで。

「ていうか」外立君はすごい勢いでかぶりを振った。「警察に行ってくれるかなって思ったんです。僕のこと――僕がバッグに入れたって、あの人にはわかるだろうから」

捕まるのは怖かったけれど、捕まるのを望んでいた。秋山氏は静かに息をついた。

「だけど奈良さんは、バッグのなかの紙包みに気づかなかったようなんだよね」

気づかないまま飛び降り自殺した。

「奈良さんが自殺したとき、びっくりしたろ」

「……はい」

外立君は、この会見の最初のころと同じ子供のような目に戻って、秋山氏を見た。

「どうして自殺したんでしょう」

秋山氏は答えた。「寂しかったんだろうね」

外立君は言った。「僕のせいです」

断言ではなく、質問だった。僕のせいですよね？　しかし秋山氏は答えず、ちょっとのあいだだけ、外立君の目から目を逸らしていた。

「これから一緒に警察へ行けるよね？　僕も杉村さんもついて行くから」

一瞬、外立君の身体が強張った。おさまりかけていた喉の不穏な響きが、不規則な呼吸音と共にまた激しくなった。

「一緒に行こう」

秋山氏は外立君の肩に手を置いた。掌を載せただけで、つかんだりはしなかった。

「こんなことは、もう終わりにしようよ」

私には、永遠に近いほど長く感じられたひと時があって、外立君は言った。「はい」

「上着を取ってきた方がいいな。お祖母さんのことは大丈夫？　誰か近所の人に留守を頼んでいくかい？」

あてはないようだった。この家は孤立している。外立君がどうするべきか迷っているので、私は言った。「萩原社長さんに電話をかけてあげるよ。あの社長さんなら、きっと助けてくださるだろうから」

すみませんと、外立君は言った。そして廊下の奥へと引き返していった。

「一人で行かせて大丈夫でしょうか」

声を潜めて、私は秋山氏に訊いた。

「どうしてあれこれ尋ねたんです。僕が、や、り、ま、し、た、だけで充分だった」

秋山氏は私の顔を見もせず、廊下の奥に目を据えたまま答えた。「その必要がありました」

「どんな必要だっていうんです」

「もしかしたら、警察は、彼に違う筋書きをしゃべらせようとするかもしれない。もっと通りのいい動機、判り易くて座りのいい犯行の理由を求めて、ね」

無差別殺人の便乗犯で、愉快犯。しかも奈良和子を罪に陥れようとした――

「そんなことが起こったとき、我々は彼の最初の告白を裏付けてやらなければなりません。彼から告白を引き出した以上、その責任があるんです。あなたにも覚悟してもらわないと」


電話で詳しく話したわけではないのに、私の口調から何か察したのだろう。五分もしないうちに、萩原社長は駆けつけてきた。先日会ったときと同じカーディガンを着込んで、足元はサンダル履きだった。

秋山氏と私と、涙に汚れた顔をしている外立君を見つけると、社長はひどく動揺した。何をどう察していたにしろ、察していた以上のことがここでは起こっていると気づいたのだ。世慣れたこの人に、場の空気が読めないわけはない。

「ケンジ、どうしたんだ？」

真っ直ぐ外立君に近づくと、背中に彼をかばって立ちはだかり、私と秋山氏を見回した。表情は険しく、吐く息が荒い。急いで来たせいもあるのだろう。呼気は白く凍る。今日は寒い。

「何の騒ぎだよ、杉村さん。え？」

答えようとした秋山氏を睨みつけ、

「兄ちゃん、あんた誰だ？」と詰問した。

「私の知人です」と、私は言った。

「あんたに訊いちゃおらん！」

外立君が社長を呼んだ。萩原社長は、背中におぶった幼子に話しかけられた母親のように、首だけよじって見返った。

「社長さん、すみません」

「ケンジ――」

外立君がちょっとふらついたので、秋山氏が彼の腕に腕を添えた。萩原社長はぎくしゃくと振り返ると、外立君の顔を見つめたまま、蠅でも追うように秋山氏の手を払いのけた。そして自分の手で外立君の両肩をがっちりと抱いた。

「僕がやったんです」

「やったって、何を」

反問の声が、かすれた。

「コンビニのことです」

社長の肩が落ち、腕が外立君の肩から落ちた。

「おまえ――おまえさんが」

社長はおそるおそる目を移して、私を見た。この凍る北風のせいで、涙目だった。顔色が褪せて、蒼白になってゆく。

「本当かい、杉村さん」

私はただ、うなずいた。それで充分だった。

「警察へ行ってきます」

外立君はゆっくりと背を丸めて頭を下げた。

「バアちゃんをお願いします。いつもお世話になるばっかりで、ホントにすみません」

萩原社長を残して、我々は通りへ出た。タクシーを停め、乗り込んだ。

車が走り出すと、外立君は両手で頭を抱えた。

気になって、私は後ろを振り向いた。我々がタクシーを停めた街角に、萩原社長が走り出てきた。サンダルをばたばたさせながら車を追いかけてくる。追って追って、追いつけずに、走るのをやめた。両手を膝に、前かがみになった。息があがっているのだろう。

切れ切れに、声が聞こえてきた。

ケンジぃ——と、社長は呼んでいた。

「大丈夫、だからなぁ」

両手を口に、らっぱのようにあてて、大きな声で叫んでいた。

「心配するなぁ。ちゃんと、やって、やるから。祖母ちゃんのことは、引き受けた、からなぁ」

外立君は頭を上げなかった。

25

タクシーは滑らかに走った。どうして今日に限って、どこの交差点でも信号に引っかからないのだろう。

私が目的地として地元の警察署の名を挙げたとき、運転手はカーナビにそれを入力した。不審そうな素振りは見せなかったが、何も訊こうとしなかった。我々は死者のように黙り込んだまま走っていた。

カーナビの合成音声が、「二百メートル先、右折です」と告げたとき、私の胸ポケットで携帯電話が鳴り出した。

「——あなた」と、妻の声がした。「今どこ？　どこにいるの？」

切迫した囁き声だった。押し殺した悲鳴のようにも聞こえた。今まで彼女のこんな声を聞いたことはない。私はぎょっとした。

「すぐ帰ってきて。お願い、すぐ」

とっさに、桃子に何かあったのだと悟った。私の心の「親」としての回路が、緊急事態の電流を感知していた。母親にこんな声を出させるのは、子供の変事以外の何物でもない。

「どうした？　桃子がどうかしたのか？」

「帰ってきて。お願い、お願い」

妻の声が涙に乱れ、苦しげな呼吸音と入り混じった。彼女が受話器にすがりついている光景が、真昼の悪夢のように、私の脳裏を汚染した。

「あの、あの人が来てるの」

「あの人って？」

秋山氏が私を凝視している。外立君も起き直り、涙顔のまま私を見つめている。

「原田さん。原田いずみさんよ」

私はめまいを感じた。悪寒がきた。

誰？　誰？　誰のことだ？

——今に見てなさいよ。

い、い、いや。

あの原田いずみだ。

「押しかけてきたの。わたし——わからなくて。すっかり様子が変わっていたから、わからなくて。ドアを開けてしまったの」

妻は泣きじゃくっている。それでも必死にしゃべり続ける。

「あの人、あなたに用があるって。あなたに会うまで、帰らないって」

「君は無事か？　桃子は？」

桃子は、桃子は――

「あの人、が、桃子を」

「桃子はどこだ？」

電話の向こうで雑音がして、古屋美知香の声が聞こえてきた。「杉村さん！」

携帯電話から漏れた声が、秋山氏と外立君の耳にも届いた。秋山氏は怒鳴るように運転手に言った。「ストップ！　停まってください」

車はつんのめるように停止した。それからのろのろと路肩に寄った。車体が大きく揺れた。

「あたし、美知香です」

彼女の声も上擦っていた。そうか、美知香は今日、私の家にいたのだ。編み物を習いに。

「あの女、ナイフを持ってるの。桃子ちゃんを人質にとってるの」

桃子が人質に。桃子が人質に。ナイフが。ナイフが。

「警察を呼んだら、ただじゃおかないって凄んでる。とにかく杉村さんに会わせろって。ねえどうしよう？　どうしたらいい？」

誰かにむんずと腕をつかまれた。秋山氏だった。私は凍ったようになって、声が出なかった。

「すぐ行くって言いなさい。これから行くと。それまで待てと相手に伝えるように、奥さんに言うんです」

私はどうすることもできなかった。ただ麻痺(まひ)したように携帯電話を耳にあてていた。秋山氏は私の指から電話をもぎ取ると、今にもつかみかかりそうな形相とは裏腹の落ち着いた声を出した。

「もしもし？　わかりました、杉村さんはそちらへ向かいます。ご自宅ですね？　奥さんは無事なんですね？」

わたしたちは無事だと、美知香が早口で言う。互いに、相手が誰なのかそんなことはこの際どうでもいい。

「運転手さん、行き先が変わった」

そして、秋山氏は強く私を小突いた。

「自宅はどこです、杉村さん。しっかりしなさい！」

車が方向を変えて走り始めた。私は呆然(ぼうぜん)としたまま、秋山氏が私の携帯電話のボタンを押すのを見ていた。が、次の瞬間我に返って、その電話を奪い返した。

彼は一一〇番にかけようとしていたのだ。

「何です？　通報しなくちゃ」

「ダメだ。駄目です」

顎が震えて、私は上手くしゃべれなかった。

「警察を呼んだら、桃子は殺される」

「そんな——」

「とにかく、私が行くまでは駄目です。通報しちゃいけない」

警察を呼んだらただじゃおかない。原田いずみがそう言ったなら、そうなのだ。あの女は、口にしたことを実行する。絶対に。

――今に見てなさいよ。このままじゃおかないんだから。

何が何だかわからないだろう外立君は、口を半開きにして私と秋山氏に挟まれている。タクシーの運転手は混乱している。それでも車は走っている。早く。早く私の家に。

「あの女でしょう？　原田いずみ」

その名を嚙み砕いて吐き捨てるように、秋山氏は言った。

「あなたが言いなりになったって、それで懐柔できるような相手じゃない。あの女は指名手配犯でもあるんですよ。どうして警察を呼ばないんです。バカげてる！」

私はただただかぶりを振り続けた。それしかできなかった。駄目だ。駄目だ。駄目だ。私が何とかしなくては。ほかに方法はない。あの女は私に腹を立てているのだから。私に仕返ししようとしているのだから。

「なんであの女が、杉村さんの自宅を知ってたんだろう」

じっとしていられないからとにかく声を出そうというように、秋山氏が大声で言った。

「調べたんでしょう」

「それにしたって――」

「どんな手だって使いますよ、それこそ」

爆心地の空白にある私の頭のなかに、ごく最近聞いた、妻の言葉が蘇ってきた。病院から領収書が送られてくる。住所を確認したいって、電話があったの。

あれだ。たぶん間違いない。原田いずみは、着々と策を練って私との距離を詰めていた。報復の機会を待っていた。なのに私ときたら、彼女のことなど忘れかけていた。彼女の怒り、彼女の恨みを。

タクシーを降りると、私は走った。目の前の私の家。妻と私の家。桃子と三人で暮らす我々の家。何事もないように静かに、澄まして立っている我が家。クリスマスの飾りつけの電飾が取り払われ、正月を迎える準備をしている平和な家へと。

玄関を抜けて廊下を駆けた。焦るあまりによろけて、音をたてて左右の壁にぶつかった。

美知香がリビングのドアを開けた。私は勢い余って彼女に体当たりしかけた。

「桃子は？　桃子はどこです？」

私の目は宙を泳いでいたが、機能は失っていなかった。革張りのソファの足元にうずくまっている妻の姿が見えた。今朝見たときよりも、ひとまわりもふたまわりも小さくなっていた。泣き濡れていた。

それまで私は冷え切っていた。妻の姿を見たとたんに、血の巡りが戻った。彼女がよろよろと立ち上がってくるのを、飛びついて両腕で抱き留めた。妻は泣き崩れた。

「ごめんなさい、ごめんなさい。わたしがついてながら」

いいんだ、いいんだと、呪文のように繰り返し呟いた。妻はこんなにか細いのに、その全身が震えるのを、私の力では鎮めることができなかった。

美知香が我々の傍らにやってきた。彼女もまた震えていた。その蒼ざめた顔に、しかし私は恐怖以外のものがあるのを見た。美知香は怒っているのだ。大きな瞳が光っていた。

「こんなこと、絶対許せない」

歯嚙みしながら、彼女は言った。その声が私に活を入れた。そうだ。許せない。

「桃子はどこに？」

美知香はリビングから台所に通じる仕切りのドアを指差した。爆発物に触れるような、慎重な動き方をしていた。

「キッチンにいるんだね」

美知香はうなずいた。「ついさっきまで、近づくなって喚いてたの。だからあたしたち——」

「家内を頼みます」

美知香はうなずくと、しゃがみこんで、私の妻を両腕でしっかりと抱きしめた。

私は仕切りのドアに近づいた。

「原田さん」

どんな感情も外へ出してはいけない。恐怖も、激怒も、軽蔑(けいべつ)も。静かに、落ち着いて。

「原田さん、杉村です」

返事なし。

私は自分が内側からの圧力で破裂してしまいそうになるのを感じた。恐怖と激怒と軽蔑で。

「杉村です。そこにいるんでしょう？　私の娘を放してください。あなたが用があるのは、私であって娘じゃない」

泣き声は聞こえてこない。桃子はそこにいるのか。どんな様子なのか。

無事なのか。

「こんなことをしたって何にもならない。それはあなたも百も承知のはずだ」

笑い声が聞こえてきた。誰かにくすぐられているみたいな——私にくすぐられたときの桃子のような声。

「やっとおでましってわけね」

原田いずみだった。これは悪夢ではなく現実で、彼女は確かにそこにいる。

「よかったわね。あんたの腰抜けのパパ、来てくれたわよ。逃げちゃうんじゃないかと思ってたのに」

桃子に話しかけているのか？

「娘は無事ですか。顔を見せてください」

「いやぁよ」原田いずみは歌うように節をつけて答えた。「やなこった」

軽く背中に触れられた。秋山氏がそばにいた。私の耳元で、押し殺した声で尋ねた。

「台所に窓はありますか」

私はうなずいた。

「外から回って、様子を見てみます」

私は彼の腕をひっつかんだ。彼は私にうなずき返し、慎重にやりますから——と、私の目を見据えて囁いた。「見るだけです」

私の妻を抱きしめて、美知香が座り込んでいるすぐ後ろに、外立君が立っていた。なぜ彼がここにいるんだろうと、私の頭は混乱した。そうだ、彼を警察へ連れてゆくところだったんだ。妻からの電話を境目に、私の現実は寸断されていた。外立君はひどく場違いな存在だった。彼は美知香を見つめていた。美知香から目が離せないようだった。美知香は、彼の存在に気づいてもいないようなのに。

「原田さん」私は声を絞り出して呼びかけた。

「何をお望みなんです。あなたの要求を聞かせてください。あなたが私に腹を立てているのはわかっています。でも、それは私とあなたの問題で、幼い娘は関係ない」

妻が声を殺して泣いている。美知香が妻の髪を撫で、くちびるを強く噛み締める。

「あんた、娘が大事?」

「もちろんです」

「ふーん」

原田いずみは、これ以上ないほどに楽しそうだった。私は今や、彼女の愉悦の源泉となり果てていた。どれほど乱暴な汲み方をしても、もう私にやり込められることはない。桃子という楯があるから。

彼女は心底愉しんでいた。他人を傷つけ、苦しめることを。

義父は言っていた。他者の生殺与奪を握ることこそが、最大の権力だと。それは禁忌の権力だと。しかしそれを行使しようとする人間の過ちに、我々は抗する術を持たないと。

あのとき、義父は怒っていた。今の美知香と同じ目をして怒っていた。何が財界の大立者だ。私はそのへんの小学生と同じように無力だ。

私も無力です、お義父さん。たった一枚の、飾りもののような仕切りのドアを蹴破ることもできない。

「それならさぁ、娘が死んだら悲しい?」

原田いずみの問いかけに、妻が全身で戦いた。美知香の腕を振り切り、這うようにしてこちらに近づいてくる。

「娘を傷つけないで。お願い、お願い、お願い、お願いと、泣きながら繰り返す。

ドアへ向かおうとする妻を、私は全力で引き止めなくてはならなかった。

「娘を放してやってください」

私は懇願した。妻が私を押しやろうともがいている。弱々しいが断固とした力で。

「私が許せないのなら、私を殺せばいい。娘は関係ないんだ。お願いします」

「どうしようかなぁ」

また笑っている。さも嬉しげに笑っている。

「あたしは別に、もうどうなってもいいの。どうせ、いつかは警察に捕まるし。でも、あんたたちに良い思いばっかりさせておくわけにはいかないのよね」

妻が私にすがりついてきた。

「幸せなんてね、あっけなく壊れちゃうものなのよ。ほ～んとにそうなの。でもあんたたち、それを知らないでしょ。身に沁みないと、わかんないんでしょ？」

突然、彼女の声が怒りに炸裂した。

「だから、あたしがわからせてやるって言ってるのよ！」

いきなり、仕切りのドアがどかんと鳴った。原田いずみが蹴りつけたのだ。

あの女はドアのすぐ内側にいる。桃子は？　桃子はどうなってる？

私は妻の腕を引き剝がすと、コートの裾で床をするようにして、膝立ちでドアに近づいた。頬が触れそうなほどの距離にまで詰めた。

「警察には報せていません。あなたのご希望のとおりにします。ですから――」

「だったら、まずお金ね」

「わかりました。いくらですか」

「あんたたちの全財産」

言ってから、彼女は甲高く笑った。

「な～んてね、嘘よ。いくらお金巻き上げたって、あんたらには効き目ないもんね」

「お金は用意します。ほかには？」

「謝りなさいよ」

「あなたに謝罪すればいいんですね？　あなたを解雇したことをですか」

「バカ言ってんじゃないわよ！」

罵声がすぐそばで聞こえた。原田いずみもドアに張りついているのだ。

「何から何まで全部謝れって言ってんのよ。あんたたちが存在してることを謝りなさいよ。何もわかってないのね、あんた」

いい加減にしなさいよ。誰かが呟いた。美知香だった。ドアを睨んで仁王立ちしている。

「ふざけんじゃないわよ」

今度は呟きではなく、ちゃんと聞こえた。私は恐怖で気が遠くなりかけた。いけない。原田いずみを刺激してはいけない。

と、そのとき。

壁際にいた外立君が、足音もなく前に出てきた。美知香の脇を通り過ぎるとき、そっと彼女の顔をのぞいて、制するように首を振った。そのまま妻も追い越し、私のそばまでやってきた。

彼の目はドアを見ていた。

「そこにいる人、出てきてください」

こんにちはと声をかけるようにさりげなく、原田いずみに呼びかけた。

ドアに隔てられていても、私には彼女の当惑が感じられた。新しい人物の声に、彼女が身構えるのもわかった。

「あんた誰よ？」

外立君は、両手をきちんと身体の脇につけ、姿勢正しく立っていた。表情は穏やかで、ほんの少し頭を左にかしげている。

そして、原田いずみの質問に答えた。

「僕は人殺しです」

怒りに燃えていた美知香の瞳の底から、光が消えた。驚きがそれにとって代わる。彼女のくちびるが動いて空(くう)を噛んだ。

私は外立君の横顔を見ていた。妻は両手を床につき、倒れそうな身体を支え、外立君を仰いでいた。顎の先から涙が落ちた。

「僕は人殺しなんです」

外立君はドアに話しかける。彼と、ドアと、ドアの向こうの女。世界に存在するのはその三つだけになっていた。我々は背景に退いていた。

「幸せが、あっけなく壊れるものだってこと、僕は知ってます。壊したことがあるからです」

淡々と、ほとんど抑揚のない、それでいて耳には優しい声音が響く。

「あんた、誰なのよ。何言ってんの?」

原田いずみの声が跳ね上がり、調子を外した。

「僕、青酸カリを使って人を殺しました」

外立君の言葉に、美知香が動きを取り戻した。傍目(はため)にもはっきりわかるほど、ぎくりと強張って身じろぎした。私は目だけで彼女を捕らえ、動くなとサインを送った。動かず、遮らず、そのままでいてくれ。

「それをしたときは、正しいことのような気がしていました」

僕はすごく怒っていたから。

外立君は続ける。「世の中のすべてに腹が立って、自分にはこういうことをする権利があると思ってました。迷ったりなんかしなかった」

誰でもよかった。誰が死のうが気にしなかった。だって自分はこんなに苦しんでいるんだから。誰かを同じ目に遭わせたっていいじゃないか。どうしていけないんだ？

「でも、僕は間違っていました」

妻の腕が力尽き、ぐったりと床に伏してしまいそうになる。それを見て、美知香がさっとそばに寄り、先ほどと同じように抱きしめた。が、今度は美知香が妻を抱いているだけではなく、美知香も妻にすがりついていた。

それに気づいたのか、妻も美知香の身体に腕を回した。二人は、頭上の嵐に怯える幼い姉妹のように固く抱き合った。

「人の命を奪ったって、何にもなりませんでした。僕はちっとも、気が済まなかった」

外立君は、話しかけている相手が目の前にいるかのように、かぶりを振ってみせている。

「僕は勘違いをしてた。見当違いのことをやっただけでした」

やめた方がいいです——と、言った。

「あなたが何を怒っているのか、杉村さんにどんな恨みがあるのか、僕にはわかりません。でも、こんなことをしても無駄だってことは、よくわかります。やめた方がいいです」

外立君はうなだれた。両肩が下がった。その立ち姿は、ほんのしばらく前に見た萩原社長の姿によく似ていた。おまえが、おまえさんが。そう呟いて、肩を落とした。あの姿にそっくりだった。

「杉村さんのお嬢さんを傷つけても、杉村さんを苦しめても、あなたにとっては何にもならないです。ただ、あなたも僕みたいな気持ちになるだけです。必ずなります。そうなったらもう、何をしたって埋め合わせはつかなくなります」

僕は人殺しですと、外立君はもう一度繰り返した。

「人殺しだから、人殺しがどんなに空しいか、わかるんです。あなたはそうなっちゃいけません。まだ間に合います。やめてください」

お願いします。萩原社長にバアちゃんのことを頼んだときのように、外立君は頭を下げた。あまりに深く身を折ったので、よろけてたたらを踏んだ。

美知香がはっと息を呑んだ気配に、私は振り返った。

後ろの廊下から、片腕に桃子を抱いた秋山氏が、そろりそろりと爪先(つまさき)から入ってきた。彼は桃子を、等身大の人形でも抱えるように、脇の下に抱え込んでいた。桃子はぱっちりと目を開いていた。焦茶色のジャンパースカート。白い丸首セーター。紅(あか)いタイツ。今朝、私と本屋に行ったときの格好だ。タイツに包まれた二本の脚がぶらぶらしている。桃子の小さな手は、彼女を抱え込んでいる秋山氏の上着の襟をつかんでいた。つかまっているのだ。

目を開いている。生きている。無事だった。

秋山氏は、空いた手で素早く自分の口の前に指を立てた。それから桃子を下におろし、今度は桃子の口の前に指を立てて、うなずきかける。桃子が健気(けなげ)にうなずきを返す。

美知香の肩に顔を伏せているので、妻はまだ気づいていない。私は床を滑り寄って、妻の口元を掌で覆った。

「静かに。声をたてちゃ駄目だ」

耳元で言って、彼女の肩をつかんで身体の向きを変えさせた。妻は桃子を認めると、声もなく叫んで、罠から解き放たれた獣のように、彼女のもとへと飛んで行った。這って飛んで行ったのだ。

妻が桃子を抱きしめた。こらえているから、泣き声が喉で潰れている。母親にしがみつき、だが桃子は声を出さなかった。この子は賢い。

秋山氏と私はドアのそばに戻った。まだ頭を下げたまま、深く前かがみの姿勢でいる外立君を、二人でそっと脇にどかした。外立君はふらつきながら顔を上げ、私を見た。秋山氏を見た。我々の顔から読み取るものがあったのか、振り返って妻と桃子を見た。

彼の頬が緩んだ。目が閉じた。部屋の片隅に這ってゆくと、そこで膝を抱えて丸くなった。

「あんたさぁ、どこの誰だか知らないけど、バカじゃないの？」

原田いずみが一人で毒づいている。

「彼はバカなんかじゃありませんよ」

彼女を引きつけておくために、私は言った。

「真実を話しているだけです」

「うるさいわね！　あんたになんか訊いてないわよ！」

「彼の話を信じられないんですか」

「人を殺したことがあるなんて、見え透いた嘘じゃない。どうやって殺したっていうの？　言ってごらんなさいよ。言えやしないでしょ？　嘘なんだから。そんな嘘っぱちであたしを懐柔しようったって、そうはいかないわよ」

人質の桃子が傍らから消えていることに、まったく気づいていない。バカなのはおまえだ。私のなかの怒りが、稲妻のように閃いた。この嘘つきのバカ女め。

「ねえ、ちょっとあんた。さっきのバカよ。そこにいるんでしょ？　そんなに人殺しに興味があるんなら、本物を見せてあげようか」

私と秋山氏は呼吸を合わせた。
一、二の、三！
そこまで打ち合わせたわけではないのに、私も秋山氏も手を使わなかった。二人してドアを足で蹴った。

心地よい足応（あしごた）えがあった。原田いずみが後ろに吹っ飛んだ。ドアの正面には大きな食器棚がある。彼女の後頭部が、その側面にがつんとあたる音を、私は聞いた。彼女の身体は、食器棚からずり落ちるようにして床にくずおれた。

秋山氏は素早く台所内に踏み込み、原田いずみの右手を蹴った。小さなナイフがくるくると回り、床のタイルの上を滑ってゆく。私はしゃにむに彼女に飛びかかると、最初に手の触れた場所をつかんで、彼女を引き起こし、壁にぶつけた。そして台所から引きずり出した。

ドアの敷居に、もう一度彼女の頭が音をたててぶつかった。彼女は濡れ毛布のように重く、まったく抵抗しなかった。それでも私はじっとしていられなかった。彼女の服をつかみ直して、また壁にぶつけてやろうとした。

「そこまでだ、杉村さん！」

秋山氏に遮られた。私は彼を肘で振りほどいた。原田いずみの頭がぐらぐら揺れる。

「やめなさい杉村さん、やめるんです！」

羽交い締めにされた。私の手から原田いずみの衣服が離れた。床に転がった彼女の身体を、私は足で蹴ろうとした。

「気絶してます。これ以上はやっちゃいけない。やり過ぎだ」

私は息を切らしていた。秋山氏もぜいぜいと全身であえいでいた。目が血走っていた。

「血が出てますよ」

彼は私の口元を指差した。触れると、指先が濡れた。

「勢い余って嚙んじゃったんですね」

そう言いながら、急にへたへたと身体をかがめた。両手を膝に突っ張って、大きく息をついた。これもまた、先ほどの萩原社長を思い出させる姿だった。

「ああ、よかった」と、今にも吐きそうに喉を鳴らしながら呻いた。

私の耳に聴覚が戻ってきた。自分の荒い呼気と秋山氏の声しか聞こえなかったのが、ほかの物音がわかるようになってきた。

妻が泣いていた。桃子も泣いていた。二人で額をくっつけあうようにして泣いていた。

どうやって二人のそばまで行ったのか、あとになっても思い出せなかった。歩けたとは思えない。脚から力が抜けていたから。

それでも、妻子をまとめて抱きしめるだけの腕力は残っていた。

「この女、かなり暴れたの？」

ぐったりと床に倒れた原田いずみを足元に、秋山氏は立ち直っていた。問いかけられたのは美知香だ。彼女は突っ立ったまま、部屋の隅にうずくまる外立君を見つめていた。

「古屋さん、古屋美知香さん」

もう一度呼ばれて、美知香は目が覚めたみたいに秋山氏を振り返った。

「こいつ、何て言って訪ねてきたんです？　すぐナイフを出したんですか」

美知香は私の妻に目をやったが、彼女が話せる状態でないのは明らかだ。私も妻と桃子を抱いたまま彼女を見上げた。

「杉村さんの会社の者だって」

「グループ広報室の？」

「ううん。秘書室の者だとか」

会長からお届け物ですと言ったそうだ。菓子折を持っていた。その箱は、リビングのテーブルの脇に転がっていた。テーブル自体も斜めになっており、クッションが床に落ちているし、センター・ラグがずれて皺が寄っていた。

「わたしと奥さんはここで編み物をしてて……ご苦労さまです、どうぞって通して」

義父から妻に使いが来ることは、よくあるわけではないが稀でもない。義父は気配りの人なので、娘のもとに遣る使いには、必ず女性を選ぶ。だからそういう折、妻はけっして玄関払いにしない。必ず奥に通して、相手がよほど固辞しない限り、コーヒーの一杯もふるまい労ってから帰す。原田いずみがそこまで知っていたとは思えないが――いや、調べ上げていたのだろうか。

「このテーブルに座って、奥さんがお茶をいれに立って、そしたらあの女が」

美知香はソファのひとつを手で示した。

「ここにいた桃子ちゃんの腕をつかまえたの。それで、ナイフを出して……」

秋山氏は腕組みして、原田いずみを見おろしていた。

「髪型が変わってるね。染めたみたいだし」

だから、写真でしか彼女を見たことのない妻にはわからなかったのだ。服装もラフなジャケットにパンツルックだ。彼女のキャリアウーマン風スーツ姿しか知らない私も、この出で立ちで近寄ってこられたら、とっさには見分けられなかったかもしれない。

「眼鏡もかけてたかな。そのへんに落ちていませんか」

「変装ってわけか。フン」

そして、秋山氏は私に呼びかけた。「今度こそ一一〇番しますよ」

私は何度もうなずいた。「救急車も頼みます」

妻が苦しそうなのだ。片手はしっかりと桃子を抱いているが、片手で胸を押さえている。呼吸するたび、不規則に肩が上下する。血の気の失せていた顔が、今では土気色だ。

「妻は心臓が弱いんです」

「だったら、別の部屋で休ませてあげてください。奥さんも桃子ちゃんも、もうここにいたくないでしょうよ」

私は二人を抱いて廊下へ出た。

妻は桃子と離れたがらなかった。横になろうともしないので、ベッドに座らせ、私のベッドからひっぱがした毛布で二人を包んだ。

お父さんお父さんと、涙の乾かない頬のままで、桃子は何度も私を呼んだ。私はやたらに彼女を褒め、えらかったえらかったと繰り返し、もう大丈夫だよと頭を撫でた。それでも桃子はお父さんお父さんと呼ぶ。呼びかけることで、子供ながらに私を落ち着かせようとしているのかもしれなかった。

妻の呼吸は、ほとんど吐く息ばかりになっていた。四度に一度ぐらいの割合で、溺れかけた人のように短く吸い込む。

それなのに、その苦しい息で、リビングに戻ろうとする私の指をつかんだ。

「もっとゆっくり息をしなくちゃ。大丈夫、すぐ戻ってくるからね」

「そうじゃ、ないの」

橋本さんに電話して、という。

「広報、の。ね？　報せなくちゃ。お父様に、ご迷惑になるわ」

わかったと、私は妻の手を握り締めた。こんな場合でも、妻の頭から父親の存在が消えないことに驚いたが、その感情を噛み締めているだけの余裕などなかった。確かに、今度こそいい新聞ダネになるなと思っただけで、私の心はそれ以上その問題にかかずらうことをやめてしまった。

リビングに戻った。秋山氏も美知香も外立君も原田いずみも、さっきまでとまったく同じ位置に、同じ格好をして存在していた。人間を使ってオブジェをつくる、奇抜なポップアートにでもなってしまったかのようだった。

「縛る必要もないかな」

気絶している原田いずみが、面倒な引越し荷物でもあるかのように、秋山氏は言った。

「このまま警察に引き渡しましょう」

ああ、煙草がほしいなと呟いた。あいにく、うちには煙草も灰皿もない。

「台所の窓がね、このくらい開いてたんです」

秋山氏は、指で十センチぐらいの幅を示した。

「押し上げ式の窓ですよね。だから外からも、手が入れば開けることができた」

原田いずみがドアにへばりついているあいだ、桃子はシステムキッチンの反対側にある調理台の下に押し込められていたのだという。

「窓ごしに、桃子ちゃんがいるのはよく見えました。でも、あの女は見えなかった」

秋山氏が窓を開けて合図すると、桃子はそっとカウンターの下から出て、窓に近づいてきた。秋山氏は身を乗り入れて桃子を抱き上げ、そのまま連れ出してきたのだ。

「あのキッチンの仕切りのドアは、窓からは死角になってますよね。こっちから見えないってことは、この女からも、振り返って首を伸ばさないと窓の方が見えないってことだ。だから思い切って――」

今になって冷汗が出ますと、額を拭った。

「この女がくだらない演説に夢中だったから、気づかれずに上手くいったんです。そうでなかったら、逆にお嬢ちゃんを危ない目に遭わせるところだった」

感謝しますと、私は言った。秋山氏は目をつぶって首を振った。遅れてきたショックに、心底震え上がっているようだった。

「外立君のおかげです」と、私は言った。それが合図になったように、秋山氏は外立君に目をやった。私もそうした。

美知香は、最初から彼を見つめていた。

外立君は、もっともっと小さくなって地上から消えてしまうんだと言わんばかりに、膝を抱いて縮こまっていた。実際に、彼は岩のように見えた。河原の水際に転がる岩。山の斜面の木の根に引っかかった岩。何も感じない。何も思わない。何もしない。ただそこにあるだけ。

「杉村さん」

美知香が私を呼んだ。視線は外立君から動かない。

「あと――秋山さんでしたっけ」

「うん」秋山氏は彼女を見た。「病院で会いましたよね。ゴンちゃんの彼氏」

「じゃなくて、従兄なんだけど」

どっちでもいいやと、薄く笑って、美知香は呟くように問いかけた。

「あの話、本当ですか」

私も秋山氏も答えなかった。譲り合っているのではなく、責任を押しつけあって。

「さっきこの人が言ったこと、本当ですか」

我々がまだ無言でいるうちに、美知香はうなずいて、もうひとつうなずいて、それから天井を仰いだ。

「嘘のわけないよね。本当なんだ」

一緒に警察に出頭するところだったと、私は言った。ひどく言い訳めいて聞こえた。

「彼は、あのコンビニの店員だったんだ」

美知香の顔に理解の色が浮かんだ。

「そっか。そうだったんだ。だから、なんか顔に見覚えがあるような気がしたんだ」

そう言って、まったく迷う素振りも見せず、部屋を横切って外立君のそばに立った。

「名前、なんて言うの？」

外立君は岩のままだった。いっそう縮こまったように、私には見えた。

「あたしは古屋美知香。あなたが殺したうちのお祖父ちゃんは、古屋明俊っていうの」

美知香の声は乾いていた。

「あたしの名前はお祖父ちゃんがつけてくれたんだ」

そこで初めて、声音が揺らいだ。

「あたし、お祖父ちゃんが好きだった。ときどき頑固でわけわかんないこと言って、そんなときは喧嘩もしたけど、でも仲良かったのよ」

外立君は固まっている。

美知香は呼吸を整えた。そして言った。「さっきあなたが言ったこと、全部本当の気持ちなのかもしれない。でも、それでもあたしはあなたを許せない。絶対許さないから」

外立君が何か言った。よく聞き取れなかった。

うずくまっていた外立君が、ようやく腕を緩めて頭を持ち上げた。と、やおら、手近の壁に額を打ちつけた。ごん、と音がたった。

「ごめんなさい」

今度は聞こえた。ごめんなさい。二度目の呟きと同時に、また額をぶつける。さっきよりももっと大きな音が響いた。

「ごめんなさい、ごめんなさい、ごめんなさい、ごめんなさい」

繰り返しながら、ひと言謝るたびに、外立君は壁に頭をぶつけた。手加減のない、自分の頭ではないものをぶつけるようなやり方だった。自分の身体を物として扱うやり方だった。このどうしようもない代物を懲らしめるんだ。懲らしめるんだ。懲らしめるんだ。

懲らしめて壊してしまえ。

「やめて！」

鋭く、美知香が制止した。

「やめてよ」

ふた言目には、優しい響きがあった。

「そんなことしても、お祖父ちゃんは」

戻ってこない。そう言うのだと、私は思った。だが美知香はしばしためらい、その後に、私の想像や私の思惑、ちっぽけな推測のすべてを飛び越えて、違う言葉を選んだのだった。

「——お祖父ちゃんは喜ばないから」

外立君は、呻くように泣いた。

「ごめんなさい。あたし、外にいる」

美知香は目を伏せてそう言い置くと、くるりと踵(きびす)を返し、リビングの奥の掃き出し窓を開けて、庭へ出て行った。

十二月末の今、庭に花はない。だが、今美知香がいるその場所に、かつて愛らしい黄色の花々が植えられていたことを、私は思い出した。土壌汚染の有無を調べるための、試験用の植物だ。炭坑のカナリアみたいなものだと、工務店の担当者は説明してくれた。

秋山氏の足元で、原田いずみが低く声をたて、身体を捻(ねじ)った。意識が戻りかけているのか。

秋山氏は汚いものでも避けるかのように足をずらした。私は目を逸らした。

私のこの家に、汚染はなかった。家のなかは清浄だった。清浄であり続けると、私は勝手に思い込んでいた。信じ込んでいた。

だが、そんなことは不可能なのだ。人が住まう限り、そこには毒が入り込む。なぜなら、我々人間が毒なのだから。

原田いずみには毒があった。外立君にも毒があった。外立君はその毒を、外に吐き出すことで消そうとした。だが毒は消えなかった。ただ不条理に他者の命を奪い、彼の毒はむしろ強くなって、もっとひどく彼を苛んだだけだった。

原田いずみはどうなのだろう。彼女の毒は、彼女自身を侵してはいないのか。彼女の毒は無限増殖し、どんなに吐き出しても涸(か)れることはないのか。

その毒の、名前は何だ。

かつてジャングルの闇(やみ)を跳梁(ちょうりょう)する獣の牙(きば)の前に、ちっぽけな人間は無力だった。だがあるとき、その獣が捕らえられ、ライオンという名が与えられたときから、人間はそれを退治する術を編み出した。名付けられたことで、姿なき恐怖には形ができた。形あるものなら、捕らえることも、滅することもできる。

私は、我々の内にある毒の名前を知りたい。誰か私に教えてほしい。我々が内包する毒の名は何というのだ。

「バカ野郎ぉ！」

美知香の声が聞こえた。庭先にしゃがみ、両手で顔を押さえて、彼女は喉いっぱいに叫んでいた。空(くう)に向かって叫んでいた。

「バカ野郎ぉぉぉ！」

私も秋山氏も、美知香を止めはしなかった。一緒に叫んでやりたかった。

やがて救急車とパトカーのサイレンが近づいてきても、美知香はまだ叫んでいた。

26

原田いずみが起こした我が家の事件は、それ自体としてはさほど大きなものではなかったのだが、外立君の出頭というもうひとつの事件の解決と、その場に気鋭の評論家である秋山省吾氏が居合わせたというドラマチックな筋書きまでが加味されたために、年末のトピックを押しのけて報道されることになった。

それでも、私たち家族にも、幸いなことには今多一族にも、取材陣の波が押し寄せてくることはなかった。またぞろ田辺・橋本両氏の活躍があったのだろうし、今多家の顧問弁護士の仕切りも上手かったのだろう。

秋山氏と、外立君を知る近所の人びと――もちろん萩原父子が筆頭だ――の場合は、なかなかそう簡単にはいかなかった。古屋母子も引っ張り出されそうになったが（とりわけ美知香は現場にいたのだし）、これまでの経験からそれなりに打たれ強くなっていた彼女たちは、インターフォンごしにコメントを出すだけでするりと逃（のが）れてくれた。

ただ年始を迎えると、新聞も休むし、テレビはバラエティ特番が主体になって、報道やニュースショーの枠ががくんと減る。それが関係者みんなに幸いした。秋山氏が自ら人質の幼女救出劇について語っている様子を、私はテレビ画面で一度だけ見たが、二度はなかった。萩原親子も、大晦日の昼間の短いニュースを境に、インタビュー画面が映ることはなくなった。正月が過ぎ、社会に日常生活が戻ると、昼間のワイドショーなどでまた取り上げられるようになるのだろうが、そのころには事件はすでに「とれたて」ではなくなっており、湯気は消えている。ほかに目新しい何かがあれば、マスコミの興味はそちらに移るだろうと、私たちは観測していた。

今多家の人びとは、もちろん我々を手厚く保護し、慰め、無事を喜んでくれた。事件のあった二十九日の夜以来、私たちは世田谷の義父の家に寝泊まりするようになった。警察の事情聴取も、担当刑事がわざわざそちらまで足を運んできてくれた。

桃子は意外に立ち直りが早く、兄嫁たちは、

「まだ何が起こったのかよくわからない年頃なのが、かえって幸いしたわね」

口々にそう分析して喜んでくれたのだが、一方、菜穂子はかなり重症だった。警察が配慮してくれたのも、そこに大きな理由がある。

妻は事件以来、あれほどの手間とエネルギーを傾けて私たちの「マイホーム」へと作り上げたあの家を、激しく忌み嫌うようになっていた。恐れてさえいた。

桃子に対しても過剰に心配性になり、ほんのわずかな時間、トイレに立つ間でさえも、桃子が彼女の視界から外れることを嫌がり、ちょっとでも姿が見えなくなると、すぐパニック状態に陥ってしまう。夜は必ず桃子と添い寝するし、それでも眠りが浅く、急遽(きゅうきょ)、義父のかかりつけの医師に精神安定剤を処方してもらうことになった。

二人の兄嫁と義父の家の家政婦さん、さらには甥や姪たちまで、そんな菜穂子と、彼女がそういう状態にあることが桃子に与える影響を案じて、優しく気を使ってくれた。警察の事情聴取と、もろもろの後始末で出歩かなくてはならない私に代わり、いつも誰かが交代で菜穂子と桃子のそばにいてくれた。桃子は従兄姉たちと楽しく遊び、細かなことまでよく世話を焼いてもらうことができた。

菜穂子も、身内の人びとに囲まれているときには、事件が起こる前とまったく変わらない、おおらかで柔和な女性に戻っていた。

私と二人になると、少し様子が変わった。

最初のうちは、しきりと私に謝ってばかりいた。自分がついていながら桃子を危険な目に遭わせてしまった。母親失格だ。ごめんなさいというぐらいならともかく、申し訳ありませんと手をついて頭を下げられたときには、私の方が動転してしまった。私はいつも、ああいう事態を招来したのは私が油断していたからだし、もともと私が原田いずみへの対処を誤ったのがいけなかったのだから、妻にはひとかけらの非もないと力説し、泣きながら謝る彼女を宥めるばかりだった。宥めても宥めても妻は自分を責め続けて止まらず、私は途方に暮れた。

ただ、そういう感情の嵐も、一日中吹き荒れているわけではない。いっときは荒れても、通り過ぎてしまえば、妻は落ち着きを取り戻す。それを繰り返してゆくうちに、少なくとも表面的には凪いでいる時間の方が長くなっていくようだ。

今多家の人びとのおかげで、我々は基本的には平穏に新年を迎えることができた。これはあとで聞いたことだが、義父と義兄たちを訪れた多くの年賀の客たちも、事件については話題にすることはなく、こちらの方から「ご心配をおかけして申し訳なかった」と言い出すくらいだったという。取材記者やレポーターが来ることもなかった。

私の母は、事件が大きく報道された三十日の朝に、留守宅になっている我が家に電話をかけてきた。留守番電話のメッセージを聞いて、私からかけ直した。

父は電話に出てこなかった。母は最初から怒っていた。驚天動地のことを言った。

「菜穂子さんに代わってよ」というのだ。

「あたしから謝るんだから。あんたがバカだから、菜穂子さんも桃子も危ないことになって。ホントにあんたがバカで間抜けだからだよ！　何やってんだよ、大の男が。自分の女房子供も守れないのかい？」

私を詰りながら泣き出した。私は嬉しかった。ありがとうと言うと、母はもっと怒って、私の子供のころそのままに、さんざっぱら私を叱って叱って叱りまくった。何を言われても、私はうん、うんと聞いていた。母がいい加減疲れた頃合いに、母さんの言うとおりだよ、自分でも自分が不甲斐ないよと言葉を返すと、母は急に声を小さくして、囁くようにこう尋ねた。

「あんた、今多の家を追い出されちゃうかもしれないよね？」

わからないと、私は正直に答えた。

「追い出されたら、うちに帰ってこようなんて思っちゃいないだろうね？」

「うん」と、私は言った。

「どっちの〝うん〟なんだよ？　帰るの、帰らないの？」

「わからない」

まったく情けないったらありゃしない、何にもわかんないんだね、あんたは——最後にそう叱りつけて、母は電話を切った。結局、菜穂子が電話に出ることはなかったが、私は伝言を伝えた。今度は彼女が涙ぐんで、心配をかけて、あなたのご両親に申し訳ないと言った。

兄と姉は、私の携帯電話に連絡してきた。母よりはずっと冷静で、私たちの無事を喜んだあと、いったい何がどうしてこんな事件に巻き込まれたのかと、説明を聞きたがった。

電話は姉が先だったので、兄のときには、「姉さんに聞いてよ」と、私は笑った。

「同じ話でも、何度も何度も繰り返してると飽きてきちゃって、脚色しちまいそうな気がしてきた」

「どう脚色するんだ？」

「もっと自分が活躍したように」

兄は笑った。「そんな冗談が言えるくらいなら、大丈夫だな」

たぶんと、私は言った。

言うまでもないけど、と前置きしてから、兄は言った。「菜穂子さんと桃子ちゃんを大事にな」

「うん」

まだもう少し言い足りなそうな気配を残して、兄は「じゃあな」と言った。


正月明けの出勤日が近づいてきて、私と妻のあいだに、初めて、この事件の目に見える後遺症とでも呼ぶべきものが現れた。きっかけは、私が何気なく、我々の家をどうしようかと切り出したことにある。

「どうしようって、どういう意味？」

今まで耳にしたことのない鋭い語気で、妻は私に問い返した。

「文字通りの意味だよ」

「まさか、あそこに戻って暮らそうというのじゃないわよね？」

私の気持ちとしては、いずれはそうしなければならないと思っていた。もちろん妻は嫌がるだろうから、時間をかけて和らげていこう。台所を改装するのもいい。リビングは模様替えしよう。が、菜穂子は私のそんな楽観的見通しなどまったく受け付けるつもりがないようだった。

「わたし、もうあの家には住めない。引っ越しましょう」

言葉こそ「提案」だったが、口調と表情は「要求」だった。いや「裁定」か。

「お父様は、わたしたちがいたいだけこの家にいていいと言ってくださってるわ。あなただって、ここにいれば、毎日お父様やお兄様たちと一緒に出勤できるし、会社のことだっていろいろ話し合えるじゃない。ここでゆっくり考えて、別の家を見つけましょう。急ぐことなんかないもの」

「そのあいだ、あの家をどうする？」

妻は、野良犬の死骸をどうするかと訊かれたかのような顔をした。

「空けておけばいいでしょう？」

私自身、桃子が囚われていたあの瞬間を思い出すと、今でも膝から力が抜けるほどに恐ろしい。思い出したくもないのに、その光景が出し抜けにまぶたの裏に蘇り、会話を途切れさせてしまったり、そばにいる人に「どうしたの」と問われることもある。

妻の気持ちはよくわかる。あんなことのあった場所に戻りたくない。あの家は穢れてしまった。そういう感情も痛いほどにわかる。だから、そのときは余計なことを言わなかった。そうだね、と軽く同意しておいた。

年明け、グループ広報室の顔合わせで、私はまず一同に謝った。部員たちはそれぞれに、その人らしい言葉で私を慰め、私たちの無事を安堵し、原田いずみの所行を怒り、恐れた。外立君の事件のことでは、素朴に驚きを露わにした。

「しかし、あんなことまでやらかすとは思いませんでした。恐ろしい女だったんですな」

谷垣さんは、正月に飲み過ぎたとかで顔がむくんでいた。今度のことを考えると、飲まずにいられなかったのだという。

「だけど杉村さん。災難だったけど、忘れちゃいけないこともありますよ。あの若い男をとっ捕まえたのはあなただ。警察は見落としていたんでしょう？　あなたのお手柄です」

外立君のことだ。谷垣さんは、この件を話題にするとき、けっして彼の名を呼ばなかった。必ず「あの若い男」と言った。それも、口に飛び込んだ羽虫を吐き出すように。

「私の手柄じゃありません。秋山さんのおかげです」

「そうそう、秋山君！　ゴンちゃん、あなたの従兄さんはたいした男だね！」

ゴンちゃんは谷垣さんの賞賛攻めに、笑いながら困っている。園田編集長が、いつもながら絶妙のタイミングで水をかけてくれた。

「上手く助けられたから大手柄になったけど、ひとつ間違ったらかえって大変なことになってたのよ。そんな手放しで褒めることじゃありませんよ」

「おっしゃるとおりです」と、ゴンちゃんは神妙にうなずいた。「わたしも、省ちゃんにうんとお説教しておきました」

あとで編集長が、そっと私に近寄ってきて、小さい声で言った。「ごめんね」

「は？」

「今度の災難は、あたしがかぶるべきものだった」

明けない夜のような、月の裏側のような顔をしている。

「それは違いますよ」

ううん――と、彼女はかぶりを振る。

「ごめん。今日限り、もうこのことは話題にしない。蒸し返されたくないでしょ。みんなにもそう言っておくからね」

編集長は傷ついている。その傷は、私や菜穂子のそれより目に見えにくいもので、だから癒えにくい。編集長にとっては、原田いずみは、未だすぐそばにいる暗黒だった。

　ゴンちゃんとは、帰りがけに二人で少し話す時間ができた。私は彼女にも謝罪したが、

「謝ることなんかないですよ。省ちゃんがお役に立ててよかったです」

　秋山氏の母親のように、そう言った。

「杉村さんも奥さんも桃子ちゃんも、大丈夫ですか？　ていうか、あんまり早くに大丈夫だと思わないで、大事にしてくださいね。ホラあの、ＰＴＳＤとかがあるから」

　秋山氏はどうしているかと尋ねると、

「あれから会ってないですか？」

「うん。事情聴取は別々だったから」

「美知香ちゃんも？」

「そうだよ」

　スキー旅行がすっ飛んでしまったと、ゴンちゃんはさして残念そうではなく言った。

「省ちゃん、お正月はうちで過ごしてました。原稿書くって、ときどき仕事場に行ったり、人と会ったりしてたみたいだけど、それ以外のときは食っちゃ寝、飲んじゃ寝で」

　かえって太ったぐらいだから、あの人は平ちゃらですと請け合った。

「美知香ちゃんからは、わたし、元日に電話をもらいました。お母さんと一緒に東京を抜け出して、温泉にいるって言ってました」

　それはよかった。

「美知香ちゃんも気にしてましたよ。杉村さんは大丈夫かなぁって。桃子ちゃんのことが心配なんだけど、申し訳なくて連絡できないって」

私は驚いた。「何にも彼女のせいじゃないのに」

「ですよね。でも、美知香ちゃんとしては、自分が杉村さんをいろんなゴタゴタに巻き込んだと思えてしょうがないらしいんです」

私の方こそそう感じていた。だから、正月明けまでメールのひとつも打てずにいたのだ。美知香はもう、杉村三郎なんかに関わるのはご免だ、とりあえずしばらくは顔も見たくないし声も聞きたくないと思っているに違いないと。

いや違う。私自身がそう思っているのだと、そのとき気づいた。事件について語る自分の声など聞きたくない。

「お互いにそうやって気を使っちゃってるんですね」

ゴンちゃんが、遠くにいる美知香を思いやるような目をして呟いた。

私はひとつ学んだと思った。いや、去年の夏、義父から託された梶田姉妹の事件ですでに学んでいたことが、やっと身についたと言うべきか。

事件は、それが煮えたぎっているさなかには、さまざまな感情や思惑から生じる磁力で、関係者を互いに引き寄せる。共闘感が、そこにはある。が、どういう経緯であれ決着を見ると、その磁力は消える。そして今度は斥力が生まれるのだ。

何よりも強い感情は、もうこんなことは忘れてしまいたいという願いだ。どんな親しい人とでも、一緒に事を乗り切った相手とであっても、事件を口にのぼせることさえ厭わしい。顔を合わせれば、それしか話題がないのが悲しい。自分の人生にはほかにもたくさんの良いことがあるはずなのに、このことばかりに囚われていなければならないのが腹立たしく、その腹立ちが後ろめたい。

その日の帰り道、私は我が家へ立ち寄った。

立ち入り禁止のテープがまだ貼ってある。玄関の前に渡されたそれをまたいで、鍵を差し込んでドアを開け、警報装置を切って、明かりを点けた。

リビングの中央に立ち、見回すと、どこまでもしんとしていた。

直後の現場検証のとき、あちこちで指紋を採取していた。その跡が残っている。ずれたセンター・ラグさえもそのままだ。私と秋山氏が蹴り開けた台所の仕切りのドアは、蝶番(ちょうつがい)が緩んで傾いでいた。原田いずみが激突した食器棚は、近づいてよく見るとガラスにひびが入っていた。

恐ろしい体験をした現場に戻ったというのに、私は不思議と平静だった。あのときと同じ場所に立ち、同じものを見ても、生々しい記憶や感情が蘇ることはなかった。

そのかわり、家が怯えて息をひそめているのを、私は感じた。

何が怖いのだろう。原田いずみか。外立君か。止めようのない暴力や、人間から滲(にじ)み出てあたりを汚染する毒か。

そうではない。この家は、私たち家族に見捨てられることを悟って怯えているのだ。もうこの家を、私たち家族三人が、事件の以前のように愛(め)でることはない。もしも戻ってくることができたとしても、もう以前のようにはなれない。

愛が終わってしまった恋人同士のようだ。

ごめんよ。

広すぎる空間に向かって、私は声に出して呟いた。

来たときには、ちょっと様子を見てすぐ義父の家に帰るつもりだった。だが、室内を片付けたりゴミを整理しているうちに、私のなかにはだんだんと募るものがあった。

妻に電話して、今夜はこっちに泊まると告げた。

「どうして?」

妻は素早く問い返した。それが鋭い詰問であることを、隠そうとしていなかった。

「この家が可哀想な気がしてきたんだ」

君が桃子にそうするように、私はこの家に添い寝してやりたくなったんだ。思ったけれど、口にはしなかった。

そう——と、彼女は応じた。気をつけてねと言い添えて、電話を切った。怒っているのか鬱いでいるのかわからない。後ろでは、桃子が従兄姉たちの誰かとふざけて笑う声が響いていた。


一人でコンビニ弁当の夕食を済ませ、何をするでもなく、テレビさえつけずに、ずっとリビングの椅子に座り込んでいた。ぼうっと呆けていた。

と、携帯電話が鳴った。

画面を見ると、義父からだった。

「そっちに泊まるそうだな」と、いきなり切り出した。

「はい」

「ちょっと寄らせてもらう」

「これからですか?」

午後十時を過ぎていた。

「菜穂子と桃子が寝るのを待って出てきたんだ。すぐ行く」

「今はまだご自宅に？」

「君の家の近くのパーキングにいる。表通りにあるだろう？」

私は急いで靴を履き、街路を走った。以前、宅配便の配達員が、「このへんはお屋敷町ですから、環境いいですよね」と言ったことがある。庭付きの広い一戸建てが連なり、緑が多く、閑静だという意味ならそうなのだろう。だがお屋敷町の夜の道には人気がなく、街灯は冷たいアスファルトと居並ぶ塀しか照らし出すものがなくて、寂しそうだった。

その蒼い光のなかを、灰色のコートを着込んで襟巻きをした今多嘉親が、一人でゆっくりと歩いてくる。

私の吐く息は白かった。義父は私を見つけて手をあげた。

「何だ、風邪（かぜ）を引くぞ」

私はコートも上着も脱いで、ワイシャツ一枚だった。言われて、急にぶるりとした。

事件以来、義父は気味が悪いほどに静かで、私にも菜穂子にも、何ひとつ尋ねなかった。義兄たちには、それこそ今後の危機管理の参考にということもあり、詳しい説明を求められたし、私も責任を感じてそれに応じた。菜穂子の二人の兄たちと、これほどじっくり話し込んだのは、結婚以来初めてのことだった。

が、義父だけは沈黙していた。私たちに、体調はどうか、気分はいいかと訊くことはあっても、具体的な事情や経緯（いきさつ）を問うことはなかった。私が妻と娘を――義父の娘と孫娘を危険にさらしたことを謝罪したときも、

「君のせいではない。気に病むな」

短く言ったきりだった。

菜穂子に対しては、下手に何か訊いて嫌なことを思い出させてはいけないと配慮していたに違いない。だが私に対しては？

突然の訪問の、意図が見えない。

家に入ると、義父はコートと襟巻きをとり、几帳面な手つきでたたんで傍らのソファの肘掛けに置いた。背広姿だが、ネクタイは締めていない。スリッパも履かず靴下のままで、

「どっちだったかな」と、私の顔を見ずに尋ねた。

「台所です」

私は先に立って案内した。義父は、私が何も言わないうちに、仕切りのドアの傾いていることに気づいて、ちょっと触れて動かした。軽く眉を吊り上げる。

台所のシンクの水切りには、私がわびしい夕食のときに使った湯飲みが洗って伏せてある。義父はその前まで進み出た。

「あの窓か」

押し上げ式の窓を指差した。今はぴっちりと閉めてある。

「はい」

「秋山という青年には、私も一度会いたい。紹介してくれ。きちんと礼を述べなくては」

義父は窓に近寄り、鍵を開けてそれを持ち上げ、また閉めた。大きな音がした。

「桃子は縛られてはいなかったんだよな？」

「はい」

原田いずみは、粘着テープだのロープだの、桃子を拘束するための道具を持ってはいなかった。小さなナイフをひとつ、バッグに隠してきて、ふりかざしただけだった。もちろんそれだけでも

充分に凶悪なふるまいだが、桃子を人質にとった後の展開から見ても、彼女の頭のなかに周到な段取りがあったとは考えにくい。そしてそれは、私が知っている彼女の気質や感情の動きからして、とても彼女らしいことのように思えた。

「この下に押し込められていたのか」

義父はしゃがんで、調理台の奥を覗き込んでいる。

「小さい子供でなけりゃ、入れないようなスペースだな」

原田いずみに囚われてからどういうことがあったのか、警察も桃子から聞き出そうとしたし、私たち夫婦も慎重に尋ねてみた。桃子はよく思い出せないようだったが、

「ペチンとか、された？」という妻の問いには、「ううん」と言った。

「ゲンコでポンされたりした？」

「ううん」

「あの女の人、怖い顔をしてたでしょう」

これには返事がなかった。

「思い出したくないのよね。やめましょう。いいのよ桃ちゃん、忘れちゃっていいの」

それでも私はもうひとつだけ訊いた。あの女の人は、桃子のことを「ぎゅっと」したかと。私の（おそらく妻も）頭のなかのイメージでは、原田いずみが桃子を抱きかかえ、腕で首のあたりを締め付けて、桃子が身動きできないようにしていたのだろうと思えてならなかったからだ。

桃子は「ぎゅっと？」と繰り返し、考え込んでしまった。妻が私に、もうよしてと言ったので、それ以上は問うのをやめた。

相手が幼い子供だから、強い声で脅しつければ言うなりになるだろうと、手酷いことはしなか

ったと解釈することはできる。反面、すぐにも桃子を傷つけるつもりだったから、手足を拘束したり、叩いたり殴ったりする必要を感じなかったという考え方もできる。

「外立というあの青年が――」

義父は、口に飛び込んだ羽虫をぺっぺと吐き出すような言い方はしなかった。

「例の女の注意を引きつけてくれなかったら、もっと面倒な事態になっていたはずだ」

「そう思います」

「人殺しでも、桃子にとっては命の恩人だ」

シンクの蛇口から、水滴が落ちた。

「私がこんなことを言うと、君は気に障るか？」

私はしっかりと義父を見たまま、かぶりを振った。

「そうか」

義父は足音もたてずに台所を出て、リビングに戻った。天井の照明を仰ぎ、うっすらと表面に埃(ほこり)がついているテレビを見た。

「菜穂子は引っ越したいと言っている」

「はい、私も聞いています」

ゆっくりと振り返って、ようやく私を見た。義父は小柄だ。私は視線を下げた。

「一般に、殺人や強盗などの事件が起こった家の住人は、その後どうするものなのだろう。君、知っているか」

「さあ……」

「やはり、住み続けることはできんか。経済的に負担になっても、無理をしてでも引っ越すものだろうかね」

人情としてはそうだろう。

「恐ろしい思いはしたが、桃子は助かった」

穏やかな口調で、義父は言った。

「今のところ、目立った後遺症のようなものも、あの子には残っていないようだ。菜穂子は少しナーバスになり過ぎている」

同意を求められているのだとしても、私には答えられなかった。問われているのだとしたら、なおさら。

「この家が悪いわけじゃない」

義父は家に語りかけているのだった。「この家」は、「おまえ」に等しく聞こえた。

「どこにいたって、怖いものや汚いものには遭遇する。完全に遮断することはできん」

それが生きるということだ――と呟いて、片手で軽く壁を撫でた。

「いい家だ。残念なことになったな」

それもまた、この家を慰める言葉に聞こえた。私はただ、うなずいた。

「今後のことは、うちにいてゆっくり相談すればいい。私一人には広すぎる家だ。いいように使いなさい」

「ありがとうございます」

邪魔したなと、また軽く手をあげて出て行こうとする。私は思わず、「お義父（とう）さん」と呼びかけた。

「何だね」

「私にお話があったのではないのですか」

「一度現場を見ておきたかっただけだ」

「お怒りは当然です。私は――」

かぶりを振って、義父は私の言葉を退けた。「君を怒ってはいない。先にもそう言った」

私は、父親を前にした小学一年生のような気持ちになった。急に喉が詰まりそうになって、目をつぶった。

「ただ、別のものを怒ってはいるよ」と、義父は静かな口調で続けた。「空しいとも思っている。自分の無力が悲しいとも思う。これから先の世の中が不安だとも思う」

私はもう、年寄りだからな。

今多嘉親にこんなことを言わせているのは、娘婿のこの私だ。

少し間が空いた。義父が半歩進み出て、私の肩を軽く二度叩いた。

手のぬくもりが伝わってきた。

私は義父を表通りまで送っていった。慎み深い従者として、後ろをついて歩いていった。

パーキングには今多コンツェルンの社用車が停めてあり、義父の姿を見て運転手が立ち上がった。ドアを開けて待っている。

今度は手を振ることもなく、私に横顔を見せたまま、義父は帰っていった。私は頭を下げていたから、車のテールライトを見なかった。それでよかった。もし見ていたら、ライトがぼやけて滲んでいることを自分で認めなくてはならなくて、ひどく恥ずかしい思いをしたことだろう。

編集長のはからいのおかげで、グループ広報室内では事件が話題になることはまったくなかったが、外の世界からは何本かのお見舞いの電話をもらった。そのなかには、物流倉庫の黒井次長からのものもあった。

大変でしたね、ご心配おかけしましたという、今では定番になってしまったやりとりをした。昼休みのことで、黒井次長はあの社員食堂からかけているらしい。にぎやかな物音と人声が伝わってくる。

「お嬢さんはまだ小さい。それが幸いだったということだとは思いますが、くれぐれもお大事になさってください」

私は厚く礼を述べた。このことだけで電話を切りたくなかったから、彼のインタビュー原稿がきっかけになり、「あおぞら」紙上でシックハウスや宅地土壌汚染についての情報交換ができるよう、企画を進めているところだという話を持ち出した。

「ああ、そういえば私宛に直接メールをくれた人がいましたよ」

「若い編集部員が張り切っています。いいお話をありがとうございました——と言いたいところですが、その後、お嬢さんの喘息の方はいかがですか」

黒井次長が、ちょっと黙った。

「それがですね」ため息まじりになったようだ。「いえ、落ち着いてはいるんです」

「ああ、それはよかった」

「年末に、やっと原因がわかりまして」

私は手元のメモとボールペンを引き寄せた。「調査で出てきたんですね？　何でした？」

低い苦笑いの響きが聞こえた。「シックハウス症候群ではなかったんです。土壌汚染でもありません」

「はあ……」

「学校の問題でした。クラスメイトとの友達関係です」

いじめです、と端的に言った。

私の口から、ボールペンのキャップがぽろりと落ちた。

「そんなことならどうしてもっと早く打ち明けてくれなかったんだって、娘を叱ったんですがね。こういう問題は、親には言いにくいものらしいです。おまけに私たち両親が、有害物質のせいだとばっかり思い込んで駆けずり回って、妻はとうとう販売業者を相手取って訴訟を起こすんだって、弁護士に相談するところまでいってましたから、早苗（さなえ）としては、ますます言うに言えなくなってたんでしょう。泣かれてしまいましたよ」

そう、彼の娘さんは早苗というのだ。早苗はどうした、大丈夫か？

「家を買ったんで、転校したことがよくなかったようです。ストレスが募って、喘息という身体症状として外に現れていた。そういう意味ではまあ、やっぱり家が原因だったというという解釈もできますかね」

さっきよりは苦みの少ない笑い声だ。

「電車通学になりますが、前の学校に戻れないかどうか、今、いろいろ相談しているところです」

「お嬢さんは、転校先に馴染めなかったんですね」

「ちょっと神経質なところのある娘なんです。それとまあ、言っちゃなんですが、前々からいじめ問題があった学校なんですよ。こうなると、あっちこっちからボロボロ話が漏れてきましてね。先生方は絶対に認めようとしませんが」

クラスの女子生徒たちに睨みをきかせているボス的な女の子がいて、早苗さんはその子と反りが合わなかった。相手のやり方が納得できず、勝手なことばかり言われるので、些細なことだが逆らったのがきっかけだったらしい。

ほとんど考えずに、私は言った。「毒ですね」

「は？」

「やっぱり毒だったんですよ」

少し遅れて、「ああ、そうですね。まったくそのとおりです」と、黒井氏も言った。

人間だけが持っている毒ですよね——

27

一月の二週目になって、秋山氏から電話をもらった。闊達で、何事もなかったかのような声を聞き、私は安心した。

あれからどうですかと、互いの状況を報告しあった。それから、私は訊いた。

「外立君のことで、何か情報は入っていますか」

年明けてすぐ、取り調べには素直に応じているという報道があった。すでに送検もされている。

「原田いずみより、彼のことの方が気になりますか？」

「そうですね……。言われてみれば順番が逆なんですが」

相変わらずだなぁ、杉村さん。秋山氏は私をからかうように笑った。

「特に変わったことはないようです。ひどい扱いを受けてるわけでもない。今は心配しなくて大丈夫です」

順調――という表現をするのも何だけどと、苦笑している。私の脳裏に、我々には外立君の告白を裏付けてやる責任があるのだと、私を叱るように言い切ったときの彼の険しい横顔が浮かんできた。

「彼に毒物を売ったサイトが挙げられそうですよ。警察が本気を出せば、それぐらいはすぐ突き止められるってことですね」

そうそう、外立君のお祖母さんは、老人保護施設に入れました、という。

「運よく空きが見つかったんで。事情が事情ですし、萩原社長が奔走してくれたみたいです。外立君に差し入れもしてくれてるし」

「社長に会ったんですか？」

「ときどき顔を出すようにしてるんです」

私はまた自分を恥じた。そんなこと、考えつきもしなかった。

「萩原社長、面白いおやじさんですよね。そういえば、つい先日、こんな話を聞きました。僕が顔を出したとき、社長さんが親しくしてる不動産屋がたまたま来てまして」

社長が外立君に資金を貸し、外立家の土壌汚染を調査した際の出来事だ、という。

「ああいう調査って、ポイントを決めて土壌を採取するんだそうですね」

「六ヵ所採取という手法です」

「よくご存じなんですね」

不動産屋の言うことには、厳正なように見えるあの検査法にも、抜け道があるというのである。

「要は六ヵ所から採ればいいわけでしょ？　でね、汚染された地面でも、すべてむらなく有害物質が染み込んでいるわけじゃない。薄いところと濃いところがあるわけです。予備検査でそれがわかったら、薄いところからサンプルを六個採る。で、図面上は、ちゃんとバラかして採取したように書いておくんです。ごく単純なごまかしですよ」

外立家の土地を調べたとき、不動産屋は冗談で、もしも有害物質の高い値が出てしまったら、そういう奥の手を使うこともできるよと言ったそうだ。

すると、外立君は顔色を変えて怒った。

「そんなズルはしちゃいけない。絶対にやめてくださいって、猛烈に抗議したそうです。萩原社長も、あの子があんなに色をなして怒ったのは初めて見たって言ってました」

ズルはいけない。正しくないことをしてはいけない。

私の心に浮かんだことを、秋山氏が言うのが聞こえてきた。

「皮肉ですよね」

そこで小さいズルをして、土地を売って生活を安定させておけば、外立君は青酸カリを買うことなどなかった。古屋氏を死なせることもなかった。

小さなズルと、大きな罪。

なぜか、「正しくない！」と、華奢（きやしや）な拳を握って怒るゴンちゃんの顔が目に浮かんできた。

「そうそう、雑誌の企画で、紙パックのウーロン茶に注射針で液体を注入するとどうなるかという、再現実験をやってみたんです。僕も興味があったんで見に行ったんですが、けっこう難しいものでした」

どこに針を刺してもパックに痕（あと）が残るし、中身が漏れ出てきてしまうそうだ。

「パックの角のところに、細心の注意をはらって注射針を刺さないとね。それでも、無造作にぐいとつかむと中身が漏れる」

秋山氏は黙った。私も口をつぐんでいた。

「こんな話、どうでもいいや」と、彼はまた一人で笑った。

「とにかく、私も萩原社長にところにご挨拶に行かないと。すっかり忘れていた……」

「しょうがないですよ。あなたは奥さんと桃子ちゃんのことで手一杯だったんだ。僕は気楽な独り身ですから」

仕事にもなるしね、と軽く言い足す。

「この件を書くんですか？」

「書け書け書けと、そこらじゅうから攻められてます」

「で、書くんですか」

「わかりません。もう少し経って、あら熱だけでもとれないとね」

「原田さんのことも——ですか」

私の臆病(おくびょう)な問いかけには答えず、少し口調を変えて声を低め、彼は言った。「彼女、どうしてると思います？」

逮捕こそ劇的だったが、その後は外立君の事件の方に押されているのか、原田いずみに関しては続報がない。事情聴取のときに刑事に尋ねても、彼女はなかなか手強いということぐらいしか教えてもらえなかった。それは百も承知である。

「最初のうちこそ突っ張ってたんですが、近頃(ちかごろ)じゃすっかりおとなしくなって、むしろ上機嫌らしいですよ」

「上機嫌?」

「お気に入りの取調官がいるんです。その刑事が相手なら、何時間でもしゃべってる。ご両親がつけた弁護士に、生まれて初めて、わたしの話に真剣に耳を傾けて、わたしを理解してくれる人に出会ったと言ったそうです」

私は想像してみた。取調室の原田いずみが、柔らかな眼差しを彼女に向け、ときおり相づちをはさみながら、彼女が訊いてもらいたいと思う質問を投げ、彼女が聞いてもらいたいと思う筋書きを聞き、彼女が自力では見出すことのできなかった言葉を補ってくれる大人と向き合い、泣いたり笑ったりしている光景を。

「そちらの睡眠薬混入事件も、あなたの奥さんをナイフで脅して桃子ちゃんを人質に取ったことも、どっちも計画したものじゃない、感情的になって、とっさにやってしまったことだと説明しているそうです」

そうだろうなとは思う。彼女にとっては、それが真実なのだろうとも思う。

「反省や謝罪の言葉はまだないそうですが、ま、それはあなたも期待してないでしょ?」

「彼女のためには期待するべきなんでしょうがね」

「またまた、人が好いなぁ」

「――ご両親はどうしておられるかご存じですか」

「一時はレポーターに追っかけられてましたね。逃げてはいなかった。見てて辛かったけど、立派だったと思います」

申し訳ありませんと、あの人はまた頭を下げているのだ。それでもいずみは私どもの娘です。私どもの子供なんです。

原田いずみは、本気で思っているのだろうか。これまでは、誰も彼女の話に耳を傾けてくれなかったと。彼女を理解しようとしなかったと。それとも、彼女の頭のなかでは、両親と兄は、〝人〟としてカウントされていないのだろうか。

「昨日かな、彼女の中学の卒業写真がテレビに映ってました。誰が提供したんだかね」

嫌な世の中ですよと、秋山氏は言った。本気で腹を立てて言っているのはわかったが、その言葉の裏に、(だから面白いんですけどね) という響きを、私は感じ取った。

彼は観察者であり、評論する者なのだから。

「あなたは大丈夫ですか」と、私は尋ねた。

秋山氏はひどく驚いたような声を出した。「何がどう大丈夫なんです?」

「いえ、余計な質問でした」

少し沈黙してから、彼は言った。「たまに、頭をよぎることはありますよ。あのとき桃子ちゃんを助け損ねていたらどうなってたかっていう、シミュレーションがね」

でもそれは現実じゃない。

「だから大丈夫です。あなたもお元気で。ご迷惑でしょうが、まゆみをよろしくお願いします」

ゴンちゃんのことを、いつものように「ゴン」とか「あいつ」とかではなく、ちゃんと名前で呼んでいた。

私の方が照れくさかった。

萩原社長だけでなく、私はもう一人、会うべき人に会っていなかった。北見氏だ。

私が知っているのは彼の住まいだけで、どこに入院しているのかわからない。それが口実になって、私は美知香に連絡をとることができた。まずメールを打ち、その返事を一時間も待たないうちに、彼女が電話をかけてきてくれた。

「ああ、よかった！　杉村さん元気そう」

なしの礫でごめんなさいと、私が割り込む隙がないほど急いでひと息に謝り、近況を教えてくれた。

「うちの方はずいぶん静かになりました。ただね、いろいろあって疲れたのか、お母さんが倒れちゃったの」

年明け七日に高熱を出し、救急車で運ばれた。腎盂炎と診断されて、今もまだ入院しているという。

「でも、今はすっかり良くなりました。そろそろ退院できると思うから、心配しないでください」

「それならいいけど……あなたは今、一人暮らしをしてるんだね？」

美知香は屈託なく言った。「一人じゃないよ。お祖父ちゃんがいるもの」

まだ納骨を済ませていないので。

「やっと犯人が捕まったし――」

ハンニンというところで、その言葉が尖っているみたいに、言いにくそうになった。彼女もまた、外立君の名前を口にしない。

「お母さんが退院してきたら、納骨します」

「そうか」そこで、私は思い出した。「そういえば、犬は？　シロっていったよね」

「あれ？　杉村さんには言ってなかったっけ。お祖父ちゃんの事件のあと、お母さんの会社の人にもらってもらったの。シロの顔を見ると辛かったから」

だけど、こうなったらシロもお祖父ちゃんの形見みたいなもんだから、返してもらおうかなぁ。

声は澄んでいた。

「なんて言ってる場合じゃないんだ。杉村さん」美知香はあらたまる。「北見さんのこと」

「うん」

「あたし、病院を知ってます。けど、もうそこにはいないよ」

「また団地に戻っておられるのかな」

美知香は黙った。私もわかった。

「亡くなったんです」

一月九日のことだったそうだ。

「病院で息を引き取って、奥さんとお子さんと、家族だけでお葬式も済ませちゃったんだって。お部屋の契約のこととかあるから、カイちゃんのお父さんお母さんのところに連絡があって、それでわかったの」

そうかと、私は言った。

「杉村さん」美知香は優しい声音になった。「泣かないでね」

「泣いてないよ」

「そう。あたしは泣いたよ。カイちゃんも大泣きしてた。そこまで泣く筋合いはないんじゃない？　ってくらい」

泣く話をしながら、私と美知香はささやかに笑い合った。

「ちょうどいいときにメールをもらったんだ。カイちゃんとあたしと、北見さんの奥さんのうちに、お線香をあげに行こうと思ってたの。杉村さんも一緒に行きましょうよ」

北見氏の遺影に手を合わせ、そのことを書いてアップして、ホームページを閉じるつもりだと、美知香は言った。


北見氏の元夫人は、南青山の団地から一〇分と離れていない場所に住んでいた。六畳ほどの広さのワンルームマンションで、聞けば、北見氏の病状を知り、彼を看取(みと)ると決めたときに、身の回りのものだけ持ってここに移ってきたのだという。確かに、室内にはほとんど家具がなかった。ほかのどんな表現よりも、「働き者」と評するのがふさわしい感じのする女性だった。北見氏より、やや若いようだ。

骨箱と遺影に目をやりながら、

「本当はうちに連れて帰ってあげたいんだけど、息子が反対してましてて。まだ親父を許す気にはなれないっていうんです」

それでも、深刻な表情ではなかった。北見氏のことも息子のことも、どちらも愛おしそうに語っている。

「告別式にはちゃんと出ましたし、お骨も拾ったんです。だから本音では許してるんですけどね。家に入れるとなると、話が別なんでしょう。わたしが苦労してきたのを見てますから」

私たちは順番に遺影に手を合わせた。カイちゃんはまた泣いた。美知香は、生きている人と会話するような調子であれこれと話した。私は心のなかだけで、ひどくジタバタしましたが、あなたから預かったファイルを閉じることはできましたと報告した。

「変わり者でしたけどね」

夫人も線香をともし、遺影に向かって苦笑してみせる。

「人生の最後に、いい方たちと知り合えて、女子高生のガールフレンドまでできて、幸せだったと思います」

「お仕事の方は——」

「けりをつけてあると、本人が申しておりました。私立探偵なんて、後を継いでくれる人の見つけようがなかったんでしょう」

ビックリ箱から飛び出した人形みたいな顔をして、美知香がひょいと言った。「杉村さん、やればいいのに」

「何だって?」

「だから、私立探偵」

私は笑った。誰も気づかなかったろうが、大いにわざとらしい笑いだった。探偵か。可笑しいじゃないか。

三十日だったか、大晦日だったろうか。城東警察署の卯月刑事に電話をもらった。もちろん、事件のことを知ってかけてきたのだ。

「だいぶ前ですが、ご連絡をいただいていたそうで」

記憶に残る声が、事務的にてきぱき言った。

「どうしようか迷ったんですが、まあ用があるならまたかけてくるだろうと、それきり、申し訳ないが失念しておりました。あるいは、あのときあなたが私に連絡してこられたのは、今度の事件と関係のあることだったんでしょうか」

なくはないと、私は言った。「入り組んでおりまして。でも、あのとき卯月さんに相談に乗っていただいても、今回の事件を未然に防ぐことにはならなかったと思います」

「そうですか。ご災難でした」さらに事務的に、刑事は言う。「奥様とお嬢さんがご無事でよかった。そのうえ、結果としてふたつの事件が一度に解決を見たわけですしね」

はあ、ありがとうございますとしか言いようがなかったから、そう言った。

「ひとつ伺っていいですか」と、刑事は訊いた。

「はい」

「杉村さん、ついに探偵稼業を始められたんですか？」

私は笑い出してしまった。電話の向こうから、いっこうに唱和する笑い声が聞こえてこないので、あわてて言った。「とんでもない！　巻き込まれただけです」

「巻き込まれて、殺人事件の容疑者の出頭に付き添っていたと」

「そうです」

「そうですか」

受話器を置いたあと、探偵稼業かと呟いて、私はまた一人で笑った。笑わずにいられるか。誰が好きこのんでこんな危険な目に――

しかし、卯月刑事と同じように、美知香は大真面目に言っている。

良き友のカイちゃんがたしなめた。「ミチ、自分がどんなめちゃめちゃなこと言ってるか、わかってる？　杉村さん、すっごい会社のサラリーマンなんだよ。もったいないじゃん」

「でもお金持ちなんでしょ。いいじゃん、生活の心配がないんだから、道楽で探偵やれば。その方が、正義ってものを追求できるんじゃない？」

北見元夫人が笑い出し、探偵なんて職業じゃないもんねぇと言った。

「わたしも主人に、口を酸っぱくして言ったのよ。あんたのは仕事じゃない、道楽だって」

「北見さんは何とおっしゃいましたか」

瞬間、元夫人に北見氏が宿ったように見えた。頬の動き、眉の先、口の結び方。

「道楽でも、人助けならいいじゃないかと」


カイちゃんと美知香をそれぞれの家に送っていこうと申し出たら、

「今夜はあたし、カイちゃんちに泊めてもらうんです」

それなら話が早い。先を行く二人の女子高生らしいおしゃべりを聞きながら、冬晴れの空の下、私は新年の南青山の町を歩いた。

団地の児童公園が見えてきたあたりで、どこかからにぎやかな音楽が聞こえてきた。二人が足を止め、まわりを見回す。

「あれ、なぁに？」

私にはすぐわかった。「ちんどん屋さんだよ」

まもなく、音楽の本体が見えてきた。三人組の「ちんどん」の人たちで、先頭にいるのは芸者姿の女性である。「本日新装開店」の幟（のぼり）をひらひらさせ、にこやかに笑顔を振りまいて、ビラを配りながら練り歩いてくる。

休日の都心で、人通りは少なくない。私たちと同じように、皆が足を止めていた。

「わあ、面白い」

女子高生二人組は喜んでいる。音楽の合間に、トントンと調子よく太鼓が鳴る。

「ね、見て見て」カイちゃんが美知香の袖を引っ張った。「みんな楽しそうな顔してる」

立ち止まっている人びとは、みんな笑顔だった。のどかで明るく、優しい顔をしていた。

「いいね。魔法みたいだね！」

カイちゃんの言うとおりだ。通り過ぎるだけで、道行く人びとを幸せにすることのできる魔法を見ているようだった。

「この曲、聞いたことがある」と、美知香が呟いた。「カイちゃん、わかる？」

カイちゃんは首を振る。「わかんない。昔の歌謡曲？」

二人で私を仰ぐ。何でも知っている杉村のおじさんは言った。

「『丘を越えて』だよ」

うろ覚えの歌詞を、ちょっと口ずさんでみた。美知香が「そうそう！」と声をあげる。

「お祖父ちゃんがよく鼻歌でうたってたんだ。お風呂とかで」

「そんな古い歌なの？」

「そうか。古屋さんの世代よりもさらに前に大ヒットした曲だよ」

「杉村さん、もういっぺん歌ってみて」

遠ざかってゆく音楽に合わせて、私が怪しい節回しで歌うと、美知香も切れ切れに合わせて口ずさんでついてくる。

丘を越えて　行こうよ
真澄の空は　朗らかに晴れて　楽しい心
鳴るは胸の血潮よ　讃（たた）えよ我が青春（はる）を
いざ行け　遥か希望の　丘を越えて

「新春にふさわしい歌だね」

深呼吸をひとつして、カイちゃんが美しい台詞を吐いた。

「いや、あなたたちにこそふさわしい歌だ。この〝はる〟には、青春という字をあてるんだから」

うふふと、カイちゃんは喉声で笑った。美知香は音楽の消えていった方向を見つめている。お祖父ちゃん、この歌詞をうたってたんだなぁと、小さく言った。

「あたし、覚えようっと」

就職するとか結婚するとか、人生の重大な岐路で選択肢を決めたかのように、重々しく力を込めて美知香は宣言した。

「覚えて歌うんだ」

お祖父ちゃんみたいに。

団地のカイちゃんの家に着くまで、私がときどき歌詞を教え、二人は歌い続けていた。祖父が孫娘に残した歌を。


一人になると、私は北見氏が暮らしていた部屋の前まで行ってみた。

ドアには鍵がかかっている。のぞき窓の内側の布も取り去られていた。

何か用があるわけではない。ただ、北見氏と別れるには、ここも訪れる必要があるという気がした。訪れるだけでも。

ドアに背を向け、コンクリートの手すりに両腕を乗せて、冬の陽を浴びながらぼんやりと立っていた。ちんどん屋さんが戻ってきたのか、風に乗り、また「丘を越えて」が聞こえてきた。

誰かが階段をのぼってくる足音に、私はそちらを向いた。

いかにもしんどそうに二階の通路までのぼってきて、そこでひと息ついている。六十年配の男性だ。あるいはもっと上かもしれない。髪はまばらに白く、片手に杖(つえ)を携えていた。足を痛めているのか、病気か怪我で弱っているらしい。

私と目が合うと、会釈した。私も会釈を返した。老人は、並んでいるドアの部屋番号を確かめながら、コツコツと杖を鳴らしてこちらに近づいてきた。

私のすぐそばで立ち止まり、北見氏の住んでいた部屋のドアを、しげしげと仰いだ。

「あの……」

声をかけられる前に、私は察していた。

「北見さんを訪ねておいでになったんですか？」

私の問いかけに、老人は救われたように頰を緩めた。「はい。この部屋番号で間違いないですかね？」

杖を持っていない方の手で、メモを握っていた。それを開いて私に見せた。北見氏の名前と住所と電話番号、地下鉄の表参道(おもてさんどう)駅からの、簡単な道順が書き留めてある。

「間違いはないんですが――」

私は努めてゆっくりと言った。

「北見さんは、もうここにはおられません」

「はあ」老人の口がかくんと半開きになった。「おられんのですか」

「亡くなったんです」

今度の「はあ」は、声になっていなかった。息が抜ける音だった。

「そうですか……それじゃ仕方がない」

メモをくしゃりと握ってしまった。その手に視線を落としたまま、弁解でもするように、とつとつと呟く。

「知り合いに、頼りになる調査屋さんだからって、紹介してもらったんですよ。この人に頼めば何とかしてくれるよって。んでも、なかなか来る踏ん切りがつきませんでね。やっと来てみたんだけども……」

亡くなってしまったんですか。分厚いコートに包まれた肩がしぼんだようだった。

「どうもすみません。ありがとうございました」

よろけるほどに深くお辞儀をした。そしてゆるゆると回れ右をすると、杖に寄りかかり、おぼつかない足取りで引き返してゆく。のぼりよりは楽だろうが、降りるのもしんどいだろう。

私は、北見氏のいた部屋のドアを見上げた。

あなたはすべてのファイルを閉じたと言った。閉じ損ねた一冊だけを私に託して、心残りはないと言った。

しかし、今もこうして、あなたを頼ってくる人がいる。なかなかつかない踏ん切りをやっとつけて、足を運んで来る人が。

あの老人は、あなたに何を頼みたかったのだろう。どんな問題を抱えているのだろう。気になるでしょう、北見さん。私は心のなかで呼びかけた。

「丘を越えて」が小さく聞こえてくる。

警察を辞め、そのために家庭を壊すことになっても、あなたは「道楽」の「人助け」をしようとした。そういう人生を歩もうとした。あなたは、事件の後始末に疲れたと言った。もううんざりだったのだと言った。もっと早く、後始末が必要になる前に何かできないかと思ったのだと言った。

それはいわば、この世の毒を浄める仕事だ。職を捨てても、この世の解毒剤になるにはどうしたらいいのか、あなたは考えたかった。模索し、試したかった。

北見氏は、そのとき自分の行く手に、越えて進んで行くべき丘を見つけたのだろう。もう青春ではなくても、胸が高鳴っていたのだろう。バカげている。無謀だ。無意味だ。誰にそう詰られても、妻子を怒らせ悲しませても、だから北見氏は歩き出した。

そこに希望があるという、確証はなくとも。

だが希望はあったのだ。北見氏はちゃんと見つけた。彼の歩みで確かに助けられた人たちがいた。

それがわかったから、彼の妻は彼を許した。彼のやったことが、けっして無意味ではなかったと知ったから。

「——早すぎましたね」

今度は、声に出して私は言った。

「あなたには、まだまだやらなきゃならないことがありました」

それに応えて、北見氏が何か言うのが聞こえた。かすかだが確かに、耳の底に響いた。北見氏の声を借りて、私の心が囁いたのかもしれなかった。

——だったら、あなたがやってくださいよ。

美知香のファイルを引き受けたように。

——杉村さん、やればいいのに。

この世にある毒の名を知りたいのなら、自分で見つけに行きなさい。あなたが、自分で突き止めるんですよ。

不運にも毒に触れ、それに蝕まれてしまうとき以外、私たちはいつも、この世の毒のことなど考えないようにして生きている。日々を安らかに過ごすには、それしかほかに術がないから。

突っ立ってただ問いかけているだけでは、誰も毒のことを教えてはくれない。それがどこから来て、何のために生じ、どんなふうに広がるものであるのかを。どうすれば防げるのかということも。

私は階段を降りた。あの老人と同じように、ゆっくりと足元を確かめて降りていった。何か大事なものを、たった今見つけた大切なものを、そこに残していく気がして仕方がなかった。振り返れば、それがそこで光っているのが見えるような気がした。

私は振り返らなかった。「丘を越えて」を口ずさみながら、家へ、義父と菜穂子と桃子のいる屋根の下へ帰ろう——と、歩き続けた。

この作品は北海道新聞、中日新聞、東京新聞、西日本新聞に二〇〇五年三月一日から一二月三一日まで、河北新報に〇五年四月一日から〇六年一月三〇日まで、中國新聞に〇五年八月五日から〇六年八月一〇日まで連載されたものに、加筆修正を行い、新たに最終章を書き下ろしたものです。

またこの作品はフィクションであり、実在する個人、企業、団体とは一切関係ありません。

日本音楽著作権協会（出）許諾第0610460-60号

〈著者紹介〉
宮部みゆき　1960年東京都生まれ。87年「我らが隣人の犯罪」でオール讀物推理新人賞を受賞しデビュー。92年「龍は眠る」で日本推理作家協会賞、同年「本所深川ふしぎ草紙」で吉川英治文学新人賞、93年「火車」で山本周五郎賞、98年「理由」で直木賞、2002年「模倣犯」で司馬遼太郎賞、芸術選奨文部科学大臣賞を受賞。著書に『ブレイブ・ストーリー』『誰か』『孤宿の人』『ドリームバスター』など多数。

名もなき毒
2006年8月25日　第1刷発行

著　者　宮部みゆき
発行者　見城 徹

発行所　株式会社 幻冬舎
〒151-0051 東京都渋谷区千駄ヶ谷4-9-7

電話:03(5411)6211(編集)
03(5411)6222(営業)
振替:00120-8-767643
印刷・製本所:株式会社 光邦

ISBN4-344-01214-3 C0093
幻冬舎ホームページアドレス　http://www.gentosha.co.jp/

この本に関するご意見・ご感想をメールでお寄せいただく場合は、
comment@gentosha.co.jpまで。